CW00408627

CAPITAINE

Adrien Bosc, né en 1986 à Avignon, a fondé les Éditions du sous-sol. En 2014, son premier roman, *Constellation*, est couronné par le Grand Prix du roman de l'Académie française, ainsi que du Prix de la Vocation, et a été traduit en huit langues.

Paru au Livre de Poche :

CONSTELLATION

ADRIEN BOSC

Capitaine

ROMAN

STOCK

© Éditions Stock, 2018.
ISBN : 978-2-253-25953-4 – 1re publication LGF

Toutes les phrases en italique sont extraites de textes, écrits, journaux, relations de ce périple par les voyageurs.

Toutes les références sont indiquées en fin d'ouvrage.

À Hugues et Victorin,
compagnons de cabane

Articuler historiquement le passé ne signifie pas le connaître « tel qu'il a été effectivement », mais bien plutôt devenir maître d'un souvenir tel qu'il brille à l'instant d'un péril.

Walter BENJAMIN,
Thèses sur la philosophie de l'histoire

Mais, capitaine, lui dit le lieutenant Henri, vous avez pourtant, dit-on, voyagé et vu le monde. N'avez-vous pas visité les Antilles, l'Afrique et l'Italie, l'Espagne ?... Ah ! capitaine, votre chien boiteux !

Victor HUGO, *Bug-Jargal*

PRÉAMBULE

Nous ne saurions connaître
le goût de l'ananas
par la relation des voyageurs

Il y a longtemps, un soir, je ne sais plus vraiment quand, un ami me lançait à la sortie d'un café, ivre et l'air faussement sévère : « Nous ne pouvons connaître le goût de l'ananas par le récit des voyageurs. » Nous étions au beau milieu d'une ruelle du Xᵉ arrondissement de Paris, quelque part entre la rue de la Grange-aux-Belles et la rue Saint-Maur, éméchés, et je me souviens de m'être arrêté, avoir ri, puis avoir poursuivi mon chemin, du côté de Belleville. J'habitais un immeuble à l'angle de la rue de la Fontaine-au-Roi et de la rue du Moulin-Joly, au carrefour de deux quartiers, le bâtiment faisait face à un garage désaffecté de plusieurs étages, il était nu de part et d'autre de la courette, de telle sorte que, de loin, il évoquait la proue d'un paquebot. Un appartement en location que nous nous léguions entre frères, sans en changer ni le bail ni le loyer, depuis dix ans environ. Le dernier accueillait le suivant, puis laissait sa place au cadet, et ainsi de suite. Le deux pièces était meublé d'affaires glanées au hasard des déambulations de chacun, des travaux engagés pour la fratrie – une bibliothèque aménagée dans l'entrée, un coffre au plafond, un fauteuil en cuir surnommé *le vide-poches*, un mannequin de boutique de fringues sans fringues, un drapeau tricolore enlevé à l'entrée d'une mairie ou bien encore une enseigne lumineuse d'un restaurant chinois dont il manquait une lettre sur deux. Nous avions accroché à la fenêtre de la cuisine un tricycle rose ramassé un soir de cuite, et depuis lors l'immeuble-bateau arborait un jouet en figure de proue. J'étais rentré tard, avant de m'endormir, j'avais griffonné sur un bout de papier la phrase de cet ami.

Nous ne pouvons connaître le goût de l'ananas par le récit des voyageurs.

J'aime ces formules sèches qui disent tout mais ne disent rien, maximes un peu vaines qu'il suffit d'inverser pour en saisir la vacuité, paradoxes épinglés au-dessus d'un bureau. À vrai dire, c'est exactement ce que je fis à mon réveil, je l'épinglai, au-dessus de mon bureau, au mur de plaques de liège, entre une photographie de Walter Benjamin achetée à la librairie allemande Marissal Bücher (aujourd'hui disparue) et un aphorisme d'Ambrose Bierce – *Une patte de lapin peut vous porter chance, mais elle ne l'a pas portée au lapin.* J'oubliai la phrase, elle m'accompagnait pourtant. Lors d'un déménagement, je retrouvai dans une enveloppe kraft une série de polaroids, des cartes postales et des bouts de papier, elle s'y trouvait, au dos j'avais noté une date : 12 juin 2004.

À la découverte des récits de Nicolas Bouvier, je me souviens de m'être dit que décidément elle touchait juste, le compte rendu le plus fidèle, inspiré, ne pourrait offrir au mieux qu'un ersatz de réel, et s'arrêterait à la sensation. Pourtant, un mot, l'agencement d'un texte avait eu raison de ce principe, l'avait contredit un temps : *Sans ce détachement et cette transparence, comment espérer faire voir ce qu'on a vu ? Devenir reflet, écho, courant d'air, invité muet au petit bout de la table avant de piper mot*, c'était tiré du *Poisson-Scorpion*, et c'était lumineux. Je la notai dans un carnet, c'était en janvier 2007, je l'ai relue il y a peu.

En mai 2014, un ami me proposait de l'accompagner au théâtre. Une performance, me disait-il, pas de vrais acteurs, des artistes d'horizons divers qui se raconteraient sur scène, c'était à Vitry, un vendredi, à 20 h 30. L'artiste en question était André S. Labarthe, le créateur de la collection « Cinéastes de notre temps ». Je n'avais rien de prévu ce soir-là, et j'y allai. À l'entrée du théâtre le titre était affiché en grand : *Nous ne pouvons connaître le goût de l'ananas par le récit des voyageurs*. Ça ne s'invente pas. Je lus dans le programme : « Le titre, emprunté à Leibniz, marque toute la difficulté mais aussi toute la saveur de l'expérience. » Je m'amusais bêtement de n'avoir jamais recherché l'auteur de cette formule tant j'étais persuadé qu'il s'agissait d'une fanfaronnade de fin de soirée, sans doute oubliée depuis par cet ami, balancée comme ça, pour terminer sur un bon mot. On pouvait lire au dos du programme :

1 – Il n'est pas nécessaire d'être vieux pour raconter sa vie.

2 – Imaginer raconter sa vie de A à Z est une activité tangente, une façon, par le biais de la fiction, de hisser sa biographie au rang de projet artistique.

3 – Si la fiction c'est moi, est-ce que le documentaire c'est les autres ?

4 – Toute histoire comporte une part de fiction.

Si c'est un dogme, j'y souscrirais, la troisième proposition en tête. Au centre de la scène, une bulle gonflée d'environ huit mètres de long, de forme elliptique, en plastique transparent, y étaient projetées à l'intérieur des vidéos accompagnant le récit lu ou joué. C'était assez drôle, bizarrement.

Après la représentation, je rentrai sans prendre le temps d'un verre, m'en allai trouver la référence exacte de la citation et lire l'intégralité du passage. C'était extrait des *Nouveaux essais sur l'entendement humain* – sous la forme d'un dialogue imaginaire entre Philalèthe et Théophile, l'un empiriste, l'autre rationaliste, Leibniz répond aux thèses de Locke. L'édition était différente, la suite plus étonnante : *Comme nous ne saurions connaître le goût de l'ananas par la relation des voyageurs, à moins de pouvoir goûter les choses par les oreilles, comme Sancho Pança*

18

avait la faculté de voir Dulcinée par ouï-dire, ou comme
cet aveugle qui, ayant fort ouï parler de l'éclat d'écar-
late, crut qu'elle devait ressembler au son de la trom-
pette. Je me suis dit, c'est peut-être cela le roman,
c'est peut-être cela la mémoire.

Un autre appartement, un autre bureau, et
au-dessus, épinglée sur un autre mur de plaques de
liège, une photographie – en pleine mer, au large, le
soleil se lève sur des visages, on aperçoit une femme
au centre, les bras ballants, l'air jovial, elle mime le
tangage du bateau, tandis qu'un homme derrière,
encore élégant, peigné, en bretelles et bras de chemise, détourne son regard de l'objectif, fixe un point
plus haut ; deux chapeaux, l'un semble de paille,
l'autre, une sorte de panama ; un enfant de deux,
trois ans, en culottes courtes, au premier plan, sort
à moitié du cadre. Seul à gauche, à l'extrême gauche,
un homme reste à l'écart du groupe, engoncé dans
une veste lourde de peintre à larges poches, il lève la
main, pour fumer, protéger ses yeux du soleil, on ne
sait. La légende au bas l'indique, c'est Victor Serge.
Une silhouette tournée vers la mer, une main posée
sur le parapet, la robe et la chevelure coupées par
un trait de lumière (sans que l'on sache au premier
regard s'il s'agit d'un défaut de surexposition ou d'un
large rayon à contre-jour) c'est Jacqueline Lamba.
Ce sont deux visages perdus, l'un regarde ses pieds,
l'autre le large.

19

J'observe cette photographie prise sur le pont du bateau. Il en existe deux et ce sont les seules de la traversée. N'en cherchez pas davantage, m'avait-on prévenu, comme l'on mettrait quelqu'un au défi, au mieux, vous obtiendrez des clichés du vapeur depuis les quais, et pour le reste, c'est un étrange périple, sans images. Un moment de l'histoire attesté par des documents administratifs et des récits de voyageurs, mais dirait-on à l'abri de la pellicule, dans l'angle mort d'un siècle d'images. Ce sont deux négatifs que l'on trouve sur le site du mémorial américain de la Shoah, tous deux sont crédités d'un même nom : Dyno Lowenstein – et d'une même date : le 25 mars 1941. Cantonné à l'extérieur de la scène, on se rêve assis à la table, à dialoguer avec les visages de papier qui tout à coup s'animeraient, parleraient, répondraient, offriraient la perception juste d'un instant, un seul, l'impression évanouie aussitôt qu'apparue d'être à bord, ou quelque part au-dessus, légèrement à côté ou tout simplement ailleurs. On compile les souvenirs, on se pare de tout un appareillage d'archives, on les triture, on les déplace, on les fait pivoter, on les agence jusqu'à ce que la porte s'entrouvre, qu'on avance à tâtons dans une pièce plongée dans le noir et, par l'entremise d'un mince filet de lumière, qu'un petit théâtre s'anime. On prend la mer, on largue les amarres, on part pour un long voyage, et peut-être, à quai, aura-t-on à la bouche le goût de l'ananas et le mal de terre. Je notai la date : 21 juin 2014.

PREMIÈRE PARTIE

Pôvre Merle

Nous disons que l'Atlantique est pour notre civilisation ce qu'était la Méditerranée pour le monde antique, une mer intérieure.

Victor SERGE, *Carnets*

Ils éprouvaient ainsi la souffrance profonde de tous les prisonniers et de tous les exilés, qui est de vivre avec une mémoire qui ne sert à rien.

Albert CAMUS, *La Peste*

1

Le calmar

Hangar n° 7
24 mars 1941

Sous une pèlerine noire épaisse, elle s'avançait dans l'obscurité et offrait un visage fatigué, un peu fou. Depuis la rue des Catalans, elle suivait la corniche, traversait les jardins du Pharo, longeait le pourtour du bassin, tenait en équilibre sur la bordure, laissait sur sa droite, de l'autre côté, au soleil, le café Ventoux et les Brûleurs de loups. Au 10, cours du Vieux-Port, elle jeta un regard à l'étage, aux locaux des *Cahiers du Sud*, et la balade se poursuivit jusqu'aux dépôts bruyants de la Joliette où s'entassaient des futailles vides et renversées. À trente-deux ans, Simone Weil était cette ombre portée sous le soleil du port, son frère André avait quitté la ville en janvier par l'un de ces bateaux. Elle vivait seule, partageait son temps entre l'étude de l'occitan et une lecture de l'*Iliade* au prisme de la guerre. On la disait fantasque,

23

emportée, exaltée. Dans l'appartement du 8, rue des Catalans, elle avait punaisé au mur une reproduction du *Concert champêtre* de Giorgione, dormait sur les lattes du parquet de la chambre et souvent, au milieu de la nuit, emmitouflée dans de minces draps, elle s'asseyait sur la terrasse qui surplombe la plage, nettoyait les verres de ses lunettes rondes et s'abîmait à l'observation des astres mêlés à la mer. Au matin, le soleil couvrait son lit de rien, et l'île du Frioul apparaissait dans l'encadrement de la fenêtre. À l'anse des Catalans, le vallon des Auffes est ce port de pêcheurs caché par les arches du pont qui l'abrite ; sous les amples voûtes, des embarcations légères sont ramenées sur la grève, râpées à la coque, les rames avachies ; les nombreuses venelles s'étirent et mènent soit au promontoire de pierres, à Endoume, soit aux rochers de Malmousque, les curieux, même, grimperont plus au nord, en direction du mémorial, s'arrêteront en chemin à l'impasse des Beaux-Yeux, un clin d'œil qui clôture le territoire. Simone Weil avait déjà vécu plusieurs vies, sur les bancs de l'université, dans les usines, sur le front espagnol, au sein de la colonne Durruti, une bassine d'huile chaude avait eu raison de son ardeur, et bientôt elle aussi attendra au port le départ d'un paquebot, se baignera dans les rencontres, elle aussi sera fondue dans le maelström qui s'amuse et compose sa table comme bon lui chante, assemble de bien farfelus destins, un poète, des révolutionnaires un jour, des vendeurs de tableaux, un mathématicien, une tempête sur un rafiot percé un autre soir, à ce hoquet insensé et incessant du ressac, au remous des événements, elle prendra sa part. Et le roman a ceci d'ingénieux qu'il est informe, son champ vaste est sans cesse à défricher, habilement, il se niche dans les couches multiples de l'Histoire, et une fois amassée une lourde charge, les pesantes billes de charbon, son moteur s'allume, siffle et disperse ses fumées au loin, le tchou-tchou des vapeurs ressemble alors aux signaux des Indiens : ils ouvrent l'horizon. Pareil aux roues à aube du Mississippi, les *sternwheelers*, il charrie les eaux du fleuve, remonte les courants, claque la gueule des crocodiles, bat la mesure. Et se glisse entre les rayons, arrêtant le temps en apnée, une fois sur deux, dans les plis, fait surgir de vastes fictions à la manière de ces algues accrochées aux pales des moulins, agrippées à la rigide structure du Vrai.

Ce 24 mars, Simone Weil ne partait pas. Elle observait depuis neuf heures, à l'extérieur du bassin du cap de la Pinède, au niveau du hangar n° 7, des centaines d'hommes et de femmes, sans distinction de classes, le long des grilles face à la proue rouillée d'un cargo. Victor Serge la connaît et dans ses carnets témoigne de sa présence :

Le port, longue attente devant la grille. Simone Weil, sous sa pèlerine loden.

*

25

Le 3 décembre 1940, la visite du maréchal Pétain avait transfiguré la ville. Le portrait immense du vieil homme surplombait le Vieux-Port, les hourras, la liesse extravagante de la foule massée le long du cortège, les tenues du dimanche, honnêtes costumes de velours noir bordés de ganse et doublés de rouge, feutres d'élégants ou chapeaux de Lunel à la mode de Baroncelli, cuirs maronnés de bottines cirées, cols Claudine des pupilles alignés devant le perron de leur établissement, grimé à la hâte en lycée Philippe-Pétain. Il fallait jouer des coudes aux abords de ce défilé qui partait des escaliers de la gare Saint-Charles et ne cessait de se déverser sur les quais du port, les milliers d'enthousiastes couvraient les milliers de pavés usés et les toiles au vent répondaient en claquant aux drapeaux tricolores d'opérette disposés aux fenêtres. L'hiver avait été terrible, les bâches enneigées des pointus, arrimés aux embarcadères, formaient une longue traînée de poudre qu'il était malaisé de distinguer de la mer troublée, alourdie par de gros flocons accumulés, la fourrure légère d'un ciel plombé. Depuis le balcon de la préfecture, entouré d'un amoncellement de cocardes disposées en arc de cercle, le Maréchal parlait au nombre, répondait aux vivats en ouvrant les bras ; sa voix, pourtant retenue, bourdonnait et son discours détraqué s'arrachait alors du désordre des carillons d'église et des chants de parade et étouffait le piaillement des gabians, au-dessus des pylônes, des cheminées, des grues et des môles plantés entre les embarcations, bien au-dessous des carcasses désossées et des anguilles enroulées aux gouvernails de bois flotté qui peuplent le fond des ports. Au travers du pont transbordeur, du buffet-restaurant du côté de Saint-Nicolas au kiosque à journaux de l'autre rive à Saint-Jean, sa nacelle de fer forgé mue par les tractions de la machine, grinçante bête d'écrous et de toiles de hauban, aux fines poutrelles d'acier, traits multiples tirés en quadrille sur près de quatre-vingts mètres. Plus au loin, le long de la digue, parqués aux bassins de la Joliette, du Lazaret, d'Arenc, National, de la Pinède, entre les hangars de la Société générale des transports maritimes, le paquebot *Massilia*, les cargos *Capitaine-Paul-Lemerle*, *Arizona* étaient désormais peinturlurés de bleu, de blanc, de rouge, et arboraient, tracé en lettres noires au pochoir sur des mètres de tissu, un « Vive Pétain » digne de la plus joyeuse kermesse – on y avait ôté les pavillons étrangers. À onze heures, devant la porte des Poilus-d'Orient, sur la Corniche, le Maréchal s'entretenait avec ses « bons compagnons d'armes », anciens combattants et mutilés, les mines défaites, frappés par le vent sec, aveuglés par le soleil d'hiver, au garde-à-vous dans de chauds uniformes rapiécés.

À quinze heures, l'armée dissoute défilait sur le quai des Belges, les automitrailleuses, les élèves des écoles de Saint-Cyr et de Saint-Maixent, les chasseurs alpins de Fréjus et de Hyères, les chasseurs à cheval de Nîmes, l'infanterie de marine, les gardes mobiles à cheval, les compagnies cyclistes, le 43e régiment d'infanterie ; la mascarade militaire d'une armée d'armistice déguisait l'impuissance en fierté, un camp scout en rassemblement.

Près de la Charité, dans les ruelles et sur les places du Panier, seuls s'engouffraient, en ce début d'après-midi, le vent tourbillonnant et, dans sa traîne, les prospectus et confettis éparpillés dans les rigoles. Une immense arrestation avait précédé la journée. La *racaille* avait disparu, disait-on crânement. Les suspects désignés, les juifs, anarchistes, étrangers, gitans, communistes, artistes, tous avaient été entassés dans des prisons improvisées à la hâte. Quatre jours enfermés dans ce que la ville comptait de remises, casernes, salles de spectacle, bateaux à quai – six cents dans la cale du cargo *Sinaïa*. Certains l'avaient compris, les rafles auguraient d'autres rafles, les dissidents de l'Est en décelaient les signes avant-coureurs, internements, destructions, déportations, ils en connaissaient les degrés, les silences coupables, l'intensité progressive des brimades, l'aveuglement aux ordres jusqu'à ce jour où il est trop tard, où la fuite ressemble à une lutte à mort. Acculés au port, les Pyrénées ou la Méditerranée, la voie des montagnes ou la voie des mers. Ils étaient les témoins de ce cheminement inexorable qui mène à l'impasse, des aléas de l'agonie aux déracinements volontaires.

Sait-on jamais comment débute une guerre ? Le premier coup de feu, la retraite et les batailles rangées font place aux tirs isolés et à couvert. Sur un carnet, griffonné à la hâte, le compte rendu solennel d'un instant appréhendé en cause, d'un fugace mensonge, d'une frappe bravache, qui d'une bagarre détermine l'avant-poste. On s'étonnerait qu'il fasse si beau, on relirait la tiédeur du jour en une veillée d'armes, le crépuscule lent de l'automne s'adjugerait en secondes noces le regroupement des canons, et l'aube bue si vite en une rasade de café, face au soleil levant, la couleur et la chaleur de rayons filtrés, percolant les feuilles puis les yeux, pianotant touche après touche la peau, prendraient alors les atours d'une mobilisation. Le tonnerre gronde, on observe le nez collé au carreau le ciel strié, on compte les secondes qui séparent l'image du son, la lumière du bruit. Une, deux, trois, quatre, cinq, six secondes, puis le ciel craque en lourds échos de bruits sourds, deux kilomètres, calcule-t-on. Est-ce bien à l'abri, derrière la vitre, tandis qu'au loin le noir engin grommelle et s'approche en minces rideaux de vagues, qu'apparaît au mieux la perspective du chaos.

De cet entonnoir qu'était la France de 41, Marseille en était le tube, les épaules s'y bousculaient, on n'en sortait qu'à grand-peine la tête. Les coïncidences de retrouvailles ne se célébraient plus mais s'estimaient au regard d'une tragique nécessité. Les probabilités étaient pondérées par la densité et les habitudes des apatrides – les cafés, les hôtels –, autant de rendez-vous forcés, de coups de dés pipés par le danger, jusqu'à en abolir le hasard. Pour quitter la France, avant l'embarquement, il fallait être muni d'un passeport en règle et d'une série de visas à tamponner au commissariat du port. L'enfer portait un nom : l'administration de la paperasserie. Dans cette salle des pas perdus, l'arbitraire régnait, les interdits souvent disparaissaient puis étaient remplacés par d'autres, plus retors. L'étau se resserrait, chaque bateau semblait être le dernier, les forçats encadrés par les gendarmes se découvraient alors chanceux, le zèle des fonctionnaires entendu, apprécié même, finalement, ce bout de papier, timbré, le bras abattu sur l'épais carnet délivrant à la manière d'un juge une sanction, c'était l'autorité, et il eût été bien idiot si près du but de la contester, alors on baisse la tête, on ânonne nos identités, on détaille les destinations, on bredouille quelques explications : « Je rejoins mon frère au Mexique », « Ma femme est déjà à New York », on présente sauf-conduit, titre de voyage, visas de transit, du pays d'accueil et de sortie du territoire, on salue qu'il n'y ait d'autres questions et on franchit une autre étape du périple, combien encore, qu'importe, à bord, en mer, l'Europe sera déjà bien loin.

Une rumeur enflait aux terrasses : des bateaux partaient pour les Antilles. On évoquait des cargos chargés de tonnes de bananes et de sucre en un sens, de centaines d'hommes *de l'autre* – des vaisseaux fantômes entre deux continents étiraient les mailles d'un filet étroit, ouvraient aux tropiques la route des Amériques. La solution paraissait trop aisée, on s'en inquiétait, c'était une aubaine ou un piège. L'adage de ce temps : croire en sa déveine et se méfier de sa bonne fortune. C'était toujours à mots couverts, d'un ton précipité et à la manière d'une digression sur le temps qu'il fait que l'on discutait de la nouvelle situation : ainsi racontait-on que dans le bureau des passeports de la préfecture d'Arles une vieille dame au guichet principal distribuait des titres de voyage ; qu'en haut de la Canebière le consul mexicain Gilberto Bosques délivrait à la chaîne visas et sauf-conduits ; qu'en janvier sept cents passagers avaient pris la mer à bord du *Winnipeg*, ce même bateau affrété par Neruda en 39 pour emmener deux mille cinq cents républicains vers le Chili et leur éviter une mort certaine dans les geôles de Franco ; des nouvelles déjà parvenaient de l'autre côté de la ligne, que d'autres, à bord d'un cargo anglais, avaient été débarqués à Dakar, cramaient depuis dans une caserne au beau milieu de nulle part, ou que le *Wyoming* parti un 24 février serait arrivé à Fort-de-France. L'administration, si prompte à décourager les candidats à l'exil, facilitait depuis décembre 40 les démarches, des ordres avaient été donnés. Fin janvier, on pouvait se procurer un visa de sortie – et ce document que l'on n'obtenait qu'à force de débrouillardise, après avoir démonté, déréglé les rouages de l'idiote machine, devenait tout à coup monnaie de singe, on vous souriait presque quand vous le tendiez. Oubliée la grandeur d'âme, la raison cachée d'une telle volte-face pouvait se résumer en une formule simple : Bon débarras ! La Gestapo avait d'ores et déjà repéré, arrêté une partie des dissidents réfugiés en France, établi avec la complicité des autorités une liste de personnalités ennemies du Reich encore sur le territoire interdites de visa ; pour le reste, la *racaille* pouvait bien fuir et contaminer l'Amérique, c'était l'idée. *Nous pouvons effectuer au vu et au su de tous ce qui a toujours été notre* raison d'être : *l'émigration*, s'étonnait Varian Fry dont les bureaux de fortune de l'Emergency Rescue Committee de la rue Grignan prenaient, transférés boulevard Garibaldi, des allures de respectable association. En quelques mois, environ quinze mille personnes s'adressaient à l'organisation et près d'un millier s'évadaient. Qu'importait la source, le lit du ruisseau s'élargissait.

La Société générale des transports maritimes à vapeur, la SGTMV, exploitait de 1930 à 1939 une ligne de charge à fréquence trimestrielle entre la métropole, les Antilles et la Guyane française. Une flotte de sept cargos long-courriers, le *Mont-Cenis*, le *Capitaine-Paul-Lemerle*, le *Mont-Kemmel*, le *Mont-Everest*, le *Mont-Genève*, le *Mont-Viso*, le *Mont-Angel*, dont le trafic avait été interrompu par la déclaration de guerre. Décembre 40, les cargos de marchandises de la SGTMV étaient convertis en paquebots. D'autres compagnies rachetaient entre-temps d'autres rafiots usés, les déguisaient à peu de frais en rutilants vaisseaux, maquillaient les boîtes de conserve, les peignaient couleur de plomb, rafistolaient dans les hangars de l'étang de Berre les carcasses à grand renfort de rustines et de vieux moteurs – et vogue la galère ! Les affaires politiques (ne le sont-elles que par association ?) marchent avec les affaires ; pas une loi, pas un décret ou une directive qui ne s'arc-boute sur un ingénieux commerce. Ainsi va le monde, les secours, ce sont aussi les affaires, il faut bien être gestionnaire pour être altruiste. Oppresser les réfugiés, organiser une filière et actionner la planche à billets : visas, cautions, passe-droits, billets, seconde, première classe, cabine, transit, transat, épicerie à bord, caution à l'escale – une économie florissante, un profit maximisé et une gestion politique en bon père de famille guidée par les *strictes règles de l'humanité*. On peut être réfugié et payer son salut, l'un ne va pas sans l'autre, c'est d'ailleurs, n'est-ce pas, ce que l'on appelle le tribut.

C'est au pied du *Capitaine-Paul-Lemerle* que, ce 24 mars au matin, la foule attendait sous l'œil de gardes mobiles armés et casqués. Ce cargo dont la traversée au départ de Cayenne le 28 janvier 40 avait marqué la fin provisoire des liaisons commerciales entre les Antilles et le vieux continent. Un bâtiment à la jauge brute de 4 945 tonnes et à l'imposante façade, le regard levé face à la proue, le soleil masquait les angles dans un halo brillant, il faisait illusion. C'était d'ailleurs cela, une forme d'illusion, à l'aube d'un grand départ. Une arche, rien de moins. Environ trois cents proscrits piétinaient, escortés par les gendarmes à l'entrée du hangar n° 7, écrasés depuis les quais par la carène des bateaux, qui, couverts par leurs ombres, ravalés aux étages, avaient un peu d'allure. Non loin, le *Carimaré* était mis à sec avant carénage dans la forme de radoub de la Pinède, ses vastes hélices sèches à l'arrêt, le cul à l'air, la toilette d'un obèse. Les ouvriers s'activaient tout autour, hurlaient de part en part, hélaient de la proue aux bajoyers, ressemblaient à une armée souterraine de bonshommes perchés en hauteur sur les aqueducs tirant les cordes aux radiers, ligotant la ferraille comme les Lilliputiens, Gulliver.

Depuis le *Paul-Lemerle*, l'imposante bâtisse se dénudait et offrait alors au regard des formes grasses, avachies : un amas de boulons déglingués sur un tas de planches pourries, rien de plus, rien de moins. Un radeau surmonté de ferrailles, une machine prête à être démantelée comme un poulet désossé. C'était une blague, une escroquerie de la pire espèce, une singerie d'armateur, un cargo bon pour la casse bombardé fleuron d'une flotte de pantomime. On n'oserait pourtant se plaindre avant d'être en mer, les places se monnaient, et l'on sait bien qu'accepter l'incertain est l'ultime pari sur la vie. En file indienne sur la passerelle, la procession de bardas et de valises débarrassait la scène de son drame, les Russes en fuite le disputaient aux Espagnols en exil, l'ethnologue au poète, les militants du KPD aux renégats soviétiques et le chat roux à la petite fille. Le décor planté, trente jours en mer troqueraient bien ce cercueil pour une malle aux trésors.

*

Victor Serge scrutait le quai, il cherchait à saisir du regard Laurette et ses fleurs rouges. Debout, sur la construction en planches, il l'aperçut, entourée de Jean Gemähling et Dina Vierny, son pardessus bleu avalé, dès le premier mille, par le grand bleu de la mer, un point sitôt épinglé au loin. À bord, la tristesse et la joie. Sur le pont avant, une famille polonaise hilare. Le père, barbe hirsute, agitait grand les bras, mimait de déchirants adieux, chantait *Oyfn veg* – et ses deux garçons tourbillonnaient en hurlant. Un monde inversé et sens dessus dessous.

Les voyageurs ont tôt fait de comprendre le surnom du navire : *Pôvre merle.*

On se demandait ce qu'il pourrait bien rester de l'oiseau passé la première tempête. Hormis les cabines des membres de l'équipage, au nombre de quatre, les deux cent cinquante passagers découvraient stupéfiés des dortoirs aménagés au fond des deux cales. Une centaine de lits superposés construits à la va-vite par les ouvriers de la compagnie, plus habitués aux réparations des bateaux et au bois de marine – des calfats qui s'étaient activés dans le ventre du cargo trois jours durant, apposant bout à bout sur deux étages les matériaux de récup, mêlant l'arcasse de canot aux planchettes de la menuiserie du hangar. Ce n'était pas l'arche dont les écrits rapportent qu'elle fut de *bois résineux* enduite de *bitume* au-dedans et au-dehors. C'était une cabane de bric et de broc, un enchevêtrement de couchettes de paille tassée, en seconde comme en première, d'ailleurs de classes il n'existait plus. Qu'importaient les billets en cabine payés comptant au guichet de la Société des transports maritimes, entre trois mille cinq cents et quatre mille francs, il fallait batailler pour une place dans l'étouffante cale. Une fois en mer, on criait au scandale, on harcelait l'équipage, ceux que l'on pouvait atteindre, l'intendant, le commis de la cuisine roulante, en pure perte. Le personnel répondait aux invectives par la menace : à la prochaine escale, libre à vous de débarquer – Oran, c'est déjà l'Afrique, débrouillez-vous ensuite ! Dans les dortoirs, on s'installait, on déballait son barda, en tailleur sur un lit, un garçon, sa valise au niveau de l'oreiller, songeait à la longue traversée, à l'aventure, alors il savourait les légers picotements au bas de son ventre et ne refrénait pas l'excitation de l'instant. La table rase, la grande lessive du voyage, au passage de la ligne, on oubliera jusqu'à nos noms. À l'extérieur, là où se trouvaient jadis la mitrailleuse Saint-Étienne et les canons de 90, trois baraques, quatre planches en bois de résine pourries avaient été élevées et clouées entre elles pour faire office de toilettes, un robinet gouttait et d'amples bâches tendues entre des poteaux plantés au milieu des tours de cordes abritaient du soleil ou de la pluie. Sur le pont, les rangées de transatlantiques occupaient désormais l'espace, y zigzaguaient en braillant des gosses, qui dans les travées jouaient à chat, aux cow-boys et aux Indiens, se menaçaient à l'aide de bouts de bois, tiraient, tombaient, mouraient une fois, deux fois, puis se relevaient, couraient de plus belle. À ce jeu, le cambouis, la graisse des machines offraient (à qui s'en badigeonnait) un parfait maquillage de guerriers iroquois, et les amarres enroulées de bien trop lourds lassos, devenaient à la faveur de l'imagination des boas endormis ; et gare à ne pas tomber à la renverse, l'animal serrerait ses anneaux. On retournait des caisses pour s'en servir de tables de jeu – trèfles et piques chevauchaient en solitaire. Les voix se mêlaient et couvraient jusqu'au bruit des moteurs, dans le brouhaha continu s'ébauchait une langue faite d'exclamations où le tchèque s'alliait à l'hébreu, le français au catalan et les pleurs de nourrissons aux râles de vieillards. Bien vite, on s'organisait en communautés, à l'entrepont les Espagnols, à l'avant du bateau les mères de famille, les hommes d'affaires sur la passerelle du centre. À l'étage supérieur, tout autour de la cheminée principale, assemblée en cercle, l'élite du KPD, tout près d'une lourde table abîmée, au plateau de tôle de zinc bosselée.

En début d'après-midi, les matelots distribuaient des gamelles en fer-blanc, les commis y versaient une soupe de nouilles, un centimètre carré de viande, tendaient un quignon de pain et une orange. Sur le pont supérieur, les officiers de bord riaient de la farce ;

la carcasse pouvait bien couler au large, ce ne serait pas un grand mal. Si les Anglais l'arraisonnaient le Capitaine saborderait le navire de charge – et les canots ne suffiraient pas, rigolait-on – pas plus que les ceintures de sauvetage.

Pestant contre le sort qui s'acharnait, on décrivait le rafiot d'abord comme un bouchon de liège – *une boîte de sardines sur laquelle on aurait collé un mégot* – *une coquille de noix pourrie jusqu'aux machines* – *un cirque sans hublot*. De « *Pôvre merle* » il devint « *Pôvre merde* ».

Du rivage, c'était un étrange attelage, toussotant, l'étendage amolli aux cordes à linge, qui flottaient, pendouillaient, face au port de Sète. La nuit tomba, à leur droite les lumières du môle Saint-Louis et des baraquements de pêcheurs. Breton tenait la main de sa fille, Aube. Il se souvenait de la douce allégresse et des va-et-vient d'amis retrouvés dans l'étrange phalanstère du Château Esper-Visa à Marseille. « Je ne peux pas rester dans un tel pays ! » confiait-il à Varian Fry, l'implorait de trouver un visa pour « n'importe où » et par n'importe quel moyen. En février, il était parvenu à en obtenir un pour Jacqueline et Aube direction Mexico et les États-Unis. On attendait encore le sien. Il fallut patienter et, grâce à l'entremise du comité début mars et le soutien financier de Peggy Guggenheim, ils avaient pu finalement embarquer.

*

D'autres passagers suspendus au départ, chaque seconde s'apparentait à un sursis écoulé, ils se méfiaient, cultivaient la phobie des mouchards et des espions. L'époque regorgeait de condamnés sauvés *in extremis*, de trompe-la-mort épargnés par les circonstances, d'oscillations du destin aveugles aux décisions fatales. Nombreux parmi ces passagers y furent confrontés, parfois jusqu'à l'embarquement, après avoir baissé la garde.

Alfred Kantorowicz était l'un de ces miraculés. Lorsqu'il avait présenté son passeport et ses billets au bureau du port, le fonctionnaire, après avoir examiné le document posé devant lui, et comparé longuement le nom du visa à l'ordre alphabétique qu'il suivait et déchiffrait lettre à lettre, s'était éveillé : « Vous êtes Kantorowicz Alfred, né le 12 août 1899 à Berlin ? » et Kantorowicz s'était entendu répondre oui. Durant quelques secondes, interminables, presque hors du temps, il avait observé la salle de biais, le sol penché et son corps arraché, l'horloge arrêtée à 11 h 04, la rainure au pied du bureau en chêne remontant jusqu'au plateau, le long des nervures du bois, il avait étouffé une déroute puis avait fixé le douanier qui, déjà retourné vers son collègue gendarme à la porte d'entrée, et après un échange de regards complices, avait ordonné, assez fier d'utiliser ce matin-là pour la première fois la formule consacrée : « Vous êtes en état d'arrestation. » Aussitôt, il fut emmené à l'étage. C'était fini. Malgré l'évasion, l'obtention d'un visa américain, il était persuadé qu'il ne partirait plus, que l'exil finirait ainsi – il s'en voulait de n'avoir pas risqué le passage de la frontière espagnole, la ligne des crêtes empruntée dans l'autre sens en 38, après la prise de Barcelone. La filière était une souricière, un tamis plus fin pour la Gestapo. Son nom, sur la liste d'antinazis établie par la commission Kundt et transmise aux frontières, le condamnait – *Alfred Kantorowicz, interdit de quitter la France.*

Dans la communauté des émigrés allemands, Kantorowicz, c'était un nom. Dramaturge, critique théâtral, membre du KPD, contraint à l'exil en 33, il avait abandonné une vie de bohème dans la colonie artistique de Berlin-Wilmersdorf ; ses compagnons, Arthur Koestler, Bertolt Brecht, Ernest Bloch, Oskar Maria Graf, Lion Feuchtwanger, avaient fui eux aussi. Il était homme d'engagement et aimait à se définir comme un humaniste – communiste, membre de la Ligue des écrivains révolutionnaires prolétariens allemands, il avait rejoint la 13e brigade internationale en Espagne, était entré dans Madrid libre, avait combattu deux ans, et était revenu défait, lourd d'un passé par deux fois piétiné. Grâce au soutien de l'American Guild for German Cultural Freedom, il rédigea à son retour des mémoires de guerre. Pourtant, son œuvre se composait des livres qu'il n'avait pas écrits, ceux qu'il avait sauvés du feu et de l'oubli, en un geste de défi, payé sans doute ce jour de l'illustre honneur d'être sur la liste des fugitifs établie par la Gestapo. C'était à Paris, en 33, avec les membres de l'Association de protection des écrivains allemands qu'ils avaient imaginé le projet d'une bibliothèque qui rassemblerait les œuvres brûlées, censurées ou passées sous silence par le IIIe Reich. Un an jour pour jour après les premiers autodafés, le 10 mai 1934, Alfred Kantorowicz et Heinrich Mann inauguraient au 65, boulevard Arago, la Bibliothèque allemande de la liberté, *Deutsche Freiheitsbibliothek*. Un comité d'intellectuels à l'initiative d'André Gide s'y était associé, parmi les signataires Romain Rolland, H.G. Wells, André Malraux, Paul Eluard, Louis Aragon ou Henri Barbusse. « Les écrivains mis à l'index par Hitler fondent des bibliothèques dans les grandes capitales du monde », pouvait-on lire dès le lendemain dans la presse. Kantorowicz publia par la suite un pamphlet intitulé *Pourquoi une bibliothèque des livres brûlés ?*, participa au *Livre brun sur l'incendie du Reichstag et la terreur hitlérienne*, prononça une conférence au Congrès pour la culture sur « La préparation de la guerre en Allemagne », fut placé pour ses faits d'armes sur la liste noire des opposants recherchés par l'Allemagne nazie, et à ce titre, à 11 h 04 dans le bureau des passeports du port de Marseille, attendait d'être, selon les termes de l'article 19 de la convention d'armistice entre la France et l'Allemagne, « livré sur demande ».

Figé dans une torpeur bien commune à celui qui se sait pris, Kantorowicz ne parlait plus, exténué par les combines et les impasses, prêt à abdiquer. Il se tourna vers le fonctionnaire, l'air d'avouer, mais tandis que le commandant vérifiait l'ordre d'arrestation, à voix basse il lui glissa ce qu'une amie lui avait conseillé en dernier recours : « Mon colonel, le colonel Riverdi vous a parlé de nous. Moi, je suis Alfred Kantorowicz. — Ah, c'est vous alors ! » Puis le gendarme avait pris le tampon du bureau du port, l'avait apposé sur les visas, déchiré en morceaux l'ordre d'arrestation : « Fichez-moi le camp et faites en sorte de disparaître. »

À treize heures, il entendit la sirène du *Capitaine-Paul-Lemerle* et sentit sous ses pieds le navire vrombir. Les rois ont deux corps et parfois traînent sous le bras une tête embaumée ; assis contre le bastingage, une cigarette oubliée entre l'index et le majeur, l'autre main posée sur son oreille, son vaste front plissé, les yeux perdus dans la contemplation aveugle de l'eau entre les pilotis, Kantorowicz pensa à Hugo qu'il aimait tant et à un vers des *Châtiments* : *Sachons-le bien, la honte est la meilleure tombe.* C'est peut-être cela abdiquer, se dit-il alors, accepter d'être bringuebalé dans un grand huit sans moufter, être pulvérisé en morceaux, ne plus s'indigner, survivre, ne plus vraiment vivre, faire de son existence un parcours d'espérances trompées, se rendre honteux de ses faux pas, humilié sans cesse. Il songea à l'exil, à ce qu'il advient de celui qui reste, à ce qui reste de celui qui part. Et à la figure de l'émigré qui le hantait depuis ce soir de décembre 33 où, la clef sur la porte de l'appartement de Berlin, figé, sur le seuil, perdu déjà dans le souvenir des années enfuies, le piano à droite dans l'entrée, la bibliothèque de son bureau, ses livres et le temps d'hier avant même qu'il soit demain, il avait fermé la porte des rappels. Entouré des siens, noyé par l'optimisme des passagers du bateau, il lui faudrait accepter la condamnation à *refaire sa vie*, à *disparaître* loin, toujours plus loin, ou choisir de s'assombrir, de bazarder le charabia des benêts, des cloches béates, et entrer dans une colère noire, une mélancolie sourde et contempler amer le gâchis. Le nom même de *réfugié*, d'*exilé* ou d'*apatride* ne va pas de soi, plonge celui qui le revêt dans une condition qui l'oblige et l'enferme. Plutôt que ce mot de *réfugié* qu'il ne goûtait guère, Kantorowicz préférait l'emploi du terme *émigré* – en 35, il participait à un recueil d'« écrits camouflés » publié par la Bibliothèque de la liberté, et, parmi les quarante-trois essais, le sien interrogeait l'*émigré* à travers la figure de Victor Hugo, au regard du présent, le qualifiait de « grand émigrant » et de « juge d'instruction de l'histoire », proscrit de l'empire, où son œuvre d'exil s'illuminait comme le bréviaire de ce temps, une lanterne surgie du passé pour éclairer un continent assombri.

Nous n'aimons pas qu'on nous appelle réfugiés, ce sont les premiers mots d'un court texte écrit par Hannah Arendt en 43. Kantorowicz ne pouvait l'avoir lu, bien sûr, ou pas encore, prenons le parti d'avancer ou de reculer dans le temps, comme bon nous semble. À Sanary-sur-Mer, lieu d'exil de la littérature allemande, on croise Thomas Mann, Walter

Benjamin, Arthur Koestler, ainsi que Hannah Arendt et Alfred Kantorowicz. Parions qu'ils s'y sont rencontrés. Imaginons, au soleil de midi, un déjeuner d'hiver, une discussion, des rires, une conscience commune de la perte, des rêves d'une langue chargée de plomb, de l'urgence et du leurre de l'exil quand l'histoire se répète d'un bout à l'autre du monde. Et gageons qu'avant de se quitter, à la fin du repas pris sous l'auvent, sur une table de pierre, marchant sous les branches nues des platanes, nous aurions pu les entendre se dire : *L'enfer n'est plus une croyance religieuse ni un délire de l'imagination, mais quelque chose de tout aussi réel que les maisons, que les pierres et les arbres qui nous entourent.*

2

Le rayon vert

Au large de Port-Bou
25 mars 1941

Le belvédère du Rayon Vert dominait le port
de pêche de Cerbère. Que ce fût la « poupe », les
coursives aux extrémités, l'escalier en forme de
cheminée ou les arrondis de la masse de ciment,
toute l'architecture concourait à faire de l'hôtel ce
« paquebot » échoué dans les hauteurs, entre terre
et mer, dans un pur style Streamline Moderne à
la mode des Années folles. Sur le toit-terrasse, un
court de tennis cerné de grillages et, dans les soutes
de béton, un casino, un restaurant panoramique,
une salle de cinéma et de théâtre. Le pavillon était
dressé au point le plus élevé du bâtiment, il désignait, le long de la ligne de chemin de fer, la
halte des voyageurs à la frontière espagnole, pour
les clients fortunés un agréable moment nimbé
d'un luxe d'avant-guerre. Arrimé à la gare de

Port-Bou-Cerbère, le Rayon Vert était une escale de choix. On y tuait le temps entre deux trains. Le hall du palace accueillait encore de riches voyageurs, mais ce n'était pour l'essentiel que soldats en patrouille, Français frontaliers ou capitaines franquistes, et puis des Allemands. Il fallait tendre à l'occasion le filet, pour une partie de tennis, tandis qu'en contrebas on assistait à l'incessante procession des émigrés, repoussés à l'ouest, toujours plus à l'ouest, coincés sur le quai de la gare dans cette porte à tambour de l'Europe. À Banyuls-sur-Mer, les passeurs vous accompagnaient sur les crêtes, empruntaient des sentiers de contrebandiers à Port-Vendres, vous crevaient de fatigue au franchissement des cols escarpés et des pierriers. De l'autre côté, on vous laissait espérer au poste-frontière de Port-Bou l'obtention d'un visa d'entrée en Espagne. Ce matin-là, les monts enneigés dans l'arrière-pays étaient pour les passagers regroupés à l'avant du bateau un grand cimetière – les chemins de la liberté avaient trop souvent rejoint ceux de la mort. L'un se rappelait ce cadavre décharné du pic de l'Aigle, bras et jambes brisés, un blessé de l'armée républicaine en déroute, achevé d'une balle dans la tête par ses camarades, que nul n'était jamais allé rechercher. À l'arrière, la fille de René Schickele, mort un an plus tôt, frottait au gros savon son linge dans l'un des baquets sous les bâches, et racontait à Victor Serge le suicide de Walter Benjamin.

C'était le début du printemps. Les plaines de Figueras s'étaient recouvertes d'un aplat vert. Pour la plupart des voyageurs, après une nuit en mer, ce n'était déjà plus qu'un spectacle ennuyeux. Le vapeur suivait un curieux manège, on parlait à bord d'une cargaison suspecte et d'un cabotage de circonstance. Il épousait le littoral, cheminait au ralenti, évitait la haute mer et flirtait avec la rive. À l'avant du bateau, pour les passagers agglutinés au parapet, la côte embrassait les souvenirs et pour ceux qui tendaient l'oreille c'était comme entendre le roman de l'Espagne défaite. La plupart retrouvaient un territoire dont ils avaient été bannis, qu'ils avaient quitté, après l'offensive de Catalogne deux ans plus tôt. Dans une retraite précipitée, ils s'étaient repliés sur le dernier bastion, la ville de Figueras devant leurs yeux à présent, où Azana avait réuni une dernière fois le Conseil des ministres.

À Marseille, les autorités portuaires avaient trié les Espagnols, en deux groupes distincts, les femmes et les hommes. À l'instant, personne n'avait rien compris au chahut, on ne s'était pas inquiété. Les enfants, un peu hagards, à peine réveillés, les cheveux en bataille et les vêtements froissés de la nuit, la main tenue, en queue du peloton des femmes, n'avaient pipé mot, sans pleurs, ils avaient accepté une énième règle de conduite. Depuis la cahute du commissariat maritime, où les premiers exilés attendaient le tampon – « vu à l'embarquement » –, les formalités avaient traîné en longueur, ça s'était agité en tous sens, le ton était vite monté, des cris et puis l'on avait compris : seuls les femmes, les vieux et les enfants seraient autorisés à embarquer, les hommes espagnols *valides* resteraient à quai. Ordre de la préfecture. Dans un souci de coopération et après la visite de Franco en février 41, un décret passé en catimini interdisait aux ressortissants espagnols adultes de sexe masculin de moins de quarante-huit ans de quitter le territoire, ainsi qu'aux émigrés « dangereux » et « possibles activistes antiallemands ».

Un drame éclatait, les femmes refusaient de partir, les hommes criaient, des familles se déchiraient, on se promettait de se rejoindre de l'autre côté de l'océan, il fallait avancer… Une fois à destination, de poste restante en poste restante, d'escale en étape, on parviendrait à se retrouver, s'étaient-ils promis, bien incertains de leurs paroles. Ils étaient en chemin pour le Mexique, terre d'asile des républicains en fuite, de *réémigration* selon des accords signés avec Vichy. La République dominicaine aussi, hypothétique asile tenu par le dictateur Trujillo.

À la vue de la plaine, les femmes espagnoles se rassemblèrent à l'avant – le soleil oblique brûlait la ligne d'horizon, le passé tout entier resurgit. C'étaient un pays perdu, la terre des parents, la tranchée de leurs combats, le souvenir de leurs hommes. Et Victor Serge notait dans son carnet :

Attente de Barcelone, fuite des paysages. Vers deux heures, Barcelone. On aperçoit d'abord les quatre cheminées de l'usine électrique. Sous une légère brume claire, toute la ville apparaît peu à peu, étendue le long du golfe. Tours grises de la Sagrada Familia ; phalliques de près, je m'en souviens, à cette distance elles font penser à des mains éplorées dressées en l'air. On voit très bien la colonne de Christophe Colomb, le palais de la Douane et de la Gobernación près du port, la cathédrale, la tour San Jaime. Montjuich au premier plan. Lignes plates de la citadelle en brique rose ; le roc, abrupt, vu de la côte, semble, vu de la mer, fait de pentes douces. Brouillard sur l'arrière-plan de la ville. Je crois distinguer la rambla de las Flores, large et prise, sans doute les arbres défeuillés. Les Espagnols regardent, tendus. Pensée des vaincus. Prière mentale. C'est ici qu'il faut dire adieu à l'Europe en prenant l'engagement de revenir. Pas adieu, au revoir. J'essaie de bâtir un poème, je n'y arrive pas. Trop d'émotion et de pensée, tous les morts apparaissent dérisoires. Une exaltation manque, je me sens de la dureté et de la lucidité, une confiance aussi, tout cela net, sans fièvre ni joie. (Peut-être faut-il une secrète joie pour écrire un poème même au fond de la douleur ?) Nuit tombante, atteignons l'embouchure de l'Èbre. Quelque part sur la hauteur, dans la sierra, un vaste incendie – de forêt sans doute. Mer douce, accablement de crépuscule, absences. Pensé à la défaite.

À l'aube. Wifredo Lam quitta la cale et son grand dortoir. Il enjamba les corps enroulés et endormis ; au loin les premières lueurs du jour rougissaient l'arrière-fond des montagnes. C'était un paysage de ruines, une campagne déserte et brûlée qui s'illuminait, un feu s'élargissant qui dévalait les pentes jusqu'à découvrir la grève, les galets blancs et la mer brillante. À l'approche de Valence, le cargo fut escorté par une flottille d'embarcations de pêcheurs et tous levèrent le poing au passage des camarades. Vêtu d'une chemise ample et gonflée par le vent, Lam était cette silhouette filiforme traversée de part en part comme une manche à air claquant sur le pont. Il ressemblait à un Cubain lorsque l'ombre s'abattait sur son visage, un Espagnol à mesure que le jour se levait, un Chinois quand le soleil couvrait tout à fait son regard. Assis en tailleur, dos à l'escalier de l'entrepont, il sculptait à l'opinel un bout de bois pas plus épais que la paume de sa main et y creusait les formes outrées d'une gargouille dont l'effroi se dessinait au passage de la lame. Sur la première marche, il déposait ses amulettes, comme ce dieu du métal qui, muni d'un sabre, dore le soleil. Il y installait cette crèche de la Santeria à même le caillebotis. La prêtresse Mantonica Wilson, sa marraine, une grosse poupée ficelée dans une robe de fines dentelles, l'avait pris enfant sous sa coupe, lui le filleul métis, fils d'un écrivain public venu de Canton devenu menuisier et de la fille d'une esclave africaine et d'un noble espagnol ; elle l'avait initié à la religion des forçats, au syncrétisme païen des îles mêlant la mythologie des Yorubas du Niger aux cultes chrétiens. Un jour, la Mantonica l'avait saisi par les bras, soulevé à sa hauteur, fixé de ses grands yeux globuleux, des pupilles comme blanches, et avait décrété d'une voix fluette terrifiante : « Je te donne la protection de tous les dieux. » À Sagua La Grande, au milieu d'un *océan de canne à sucre*, dans le baraquement de l'atelier, tandis que Lam Yam travaillait à arrondir le talon d'un meuble, Wifredo, assis haut perché sur un gros rondin de bois, dessinait à la mine de plomb le visage de son père, aplanissait au doigt les ombres, creusait les cernes, inscrivait à l'ongle à travers une couche charbonneuse étalée sur le papier d'épais mouvements dans sa chevelure.

1914. Face à deux rochers plantés dans la mer, il s'essayait à l'esquisse, encouragé par Lam Yam, qui reconnut tôt à son fils un certain talent et le droit d'en user à sa guise. Et c'est ainsi qu'il lui passait à peu près tout, le désignait comme son compagnon, l'emmenait marcher sur les sentiers. Là, ils discutaient des saisons, des étoiles et du bruissement étrange des volatiles rouges, verts ou indigo qui peuplent les environs. Il lui tenait la nuque et le dirigeait parmi les hauts feuillages d'une douce pression du pouce ou de l'index selon la direction, l'appelait *Lucero*, sa lumière. À soixante-dix-sept ans, ces balades avaient un goût d'enfance. Sa mère l'habillait de linge blanc, une chemise de lin finement cousue, le cravatait de satin et glaçait ses chaussures. Il avait des allures de gouverneur tonkinois un peu gauche, taiseux comme le vieux Lam, réservé et attentif. Il observait et terrifiait certains, étonnés d'être dévisagés par un enfant ; en fascinait d'autres, persuadés d'être en présence d'un apprenti sorcier, l'élève de la Mantonica, réceptacle d'oracles ou catapulte à malédictions. À seize ans, il partit pour La Havane suivre les cours de l'Académie des beaux-arts, montra ses premières toiles, épata les patrons des compagnies sucrières, se fit un nom qu'il signa au bas de ses gouaches, LAM.

1923. Au printemps. Arrivé à Madrid, en poche une recommandation du conservateur du Musée national de Cuba et une bourse *pour une jeune personne de couleur dans le besoin*, Lam assistait aux leçons d'un des maîtres du portrait, Sotomayor. Il errait le soir aux galeries du Prado, conservait au fusain dans ses carnets les tableaux de Goya, imitait le trait pour s'en dessaisir, persuadé qu'au contour d'un mouvement on conquiert sa propre place. Il s'écrasait l'imaginaire au contact des fresques dans la salle des Vélasquez et des Greco, brûlait tôt et s'engloutissait dans quelques panneaux, s'exilait dans d'autres pièces au fourmillement diabolique des écoles du Nord, d'un Breughel fou de crimes. Il portait encore ce voyage vers l'Occident, et son inspiration s'arrimait mal à l'attache, s'asséchait, dirait-on. Ses portraits étaient ceux d'un bon peintre d'époque condamné, s'il persistait de la sorte, à disparaître avec elle. Des huiles empêchées, celles d'avant la révolte, d'avant la joie, d'avant l'allégresse. D'avant la mort, aussi.

1929. En mars, lors d'une exposition éphémère, *Les peintres espagnols à Paris*, à la Galeria Vilches de Madrid, Lam découvrit Picasso, Gargallo, Miró et Juan Gris. Après avoir passé l'été dans la région de Cuenca, où il rencontra Eva Piriz, il se maria. Elle donna naissance à son premier fils, Wilfredo Victor (à qui il n'oublia pas, lui, d'inscrire à l'état civil toutes les lettres de son prénom). Au rythme d'un aveugle bonheur, leur mort à tous deux, victimes de la tuberculose. Les jours et les mois qui suivirent furent de longues hallucinations, des charniers de fauves, des mares de sang bouillonnantes, des crevasses sans fond, et toujours avant de quitter le songe l'apparition d'un de ses deux fantômes bondissants tout prêts à lui arracher le cœur. Il ne peignait plus, sinon des commandes pour se nourrir. Un autre fantôme peupla ses rêves, il émergeait d'un passé plus lointain et exhibait son moignon brûlant. Il le reconnut, c'était José Castilla, l'un de ses ancêtres cubains, dont l'histoire contée à la veillée par sa mère lui revint. Métis, esclave, Castilla s'était converti au catholicisme pour s'affranchir. Modeste propriétaire d'un terrain, il avait été dupé dans une transaction par un Espagnol. Castilla en appela à la justice. Le tribunal de l'Inquisition lui donna raison, mais les juges civils se prononcèrent pour son adversaire, malgré ses aveux. Outragé, Castilla d'un coup de poing étendit l'Espagnol. L'Inquisition le condamna pour ce geste, on confisqua ses terres, on lui trancha la main. Surnommé Mano Cortada, Main Coupée, il disparut. C'est ce que Lam fit. Il disparut, deux ans, à León. À l'écart du monde, il y exposa par deux fois, en avril et en mai, une vingtaine de portraits et de paysages. Là-bas, ses formes s'arrachaient au classicisme des premiers temps, il arrondissait les traits de ses bâtisses, mamellait ses paysages, les ovales de ses visages peints sur carton, le dessin se faisait plus âpre, il tirait à grands traits sur son enseignement et amassait de nouvelles techniques. Il croquait les paysans de León, de pauvres bougres arasés, qui posaient d'abord en silence puis, par confiance ou ennui, racontaient la misère d'hommes sans terres condamnés à bêcher pour autrui, à vivoter d'une paie d'indigent les aliénant au lopin qui les asséchait. Il y reconnaissait une douleur commune, en somme une autre colonie. Il entendait se donner comme tâche de peindre *une proposition générale démocratique pour tous les hommes* et dès lors lut beaucoup, sur l'Afrique et l'esclavage, sur Cézanne et Gauguin.

1932. Il n'y a de révolution sans un café, dit-on. Quand Lam revint à Madrid, ce fut depuis la terrasse de la Gran Vía qu'il assista à l'avènement de la République. Autour de la table, on reconnaissait l'ami Faustino Cordón, les peintres Juli Ramis et Mario Carreño, les écrivains José Martínez Ruiz et Ramón del Valle-Inclán, les poètes Miguel Ángel Asturias et Federico García Lorca. Ce dernier lui prêtait ses volumes de Góngora, une anthologie de la poésie ibérique, et l'invita à Grenade visiter l'Alhambra. Comme Vincent, il peignait chaque jour la vue d'une chambre jaune peinte en bleue. Il l'avait choisie pauvre, dénudée, un lit simple collé au mur d'une unique pièce au carrelage fait de tomettes ocre, une chaise en bois de paysan, à l'assise en paille, et une table ronde en faux marbre, s'y empilaient pêle-mêle les écrits de Marx et Gogol, Bakounine et Khayyâm. Il entreposait contre les murs ses tableaux ; subsistait au centre de la pièce un mince espace qui dessinait un couloir de la porte à la fenêtre inondé le matin du soleil de Castille. Au Prado, Lam fit la connaissance de Balbina Barrera. En amateur, elle copiait chaque jour les toiles des maîtres. Elle, l'entêtée qui s'asseyait sur le banc central d'une des grandes salles et n'en sortait que le soir venu après avoir lutté pied à pied avec le modèle, devenait *sa camarade dans la vie comme dans la lutte.* Son art s'endurcit, il s'attachait à répéter un motif jusqu'à l'épuisement, d'un va-et-vient de l'estampe à l'huile. Dans son journal de l'année 35, les croquis du Musée ethnographique, les études de Carl Einstein sur les masques africains le disputaient aux considérations politiques. Peu à peu la révolte prit le pas sur la peinture, sans qu'ils trouvassent de terrain d'entente. Le 18 juillet 36, l'offensive des militaires plongea le pays dans la guerre civile. À Madrid, Lam intégra le 5ᵉ régiment des milices populaires puis la 11ᵉ division commandée par Enrique Líster. Il participa à la défense de la ville assiégée à partir de novembre et se mit au service de la révolution en réalisant des affiches à la gloire des républicains. Il s'engagea ensuite dans une usine d'armement, où il assembla des bombes antichars. La manipulation des substances toxiques l'affaiblit, au mois de février 37 son état se dégrada.

1937. Sans doute n'est-il pas permis de douter de son art, fût-il gouverné par sa propre vie. *La révolution a changé mon écriture et ma manière de peindre* – sinon qu'il ne peignait plus. Au printemps, Lam est envoyé dans un sanatorium, aux Caldes de Montbui, en Catalogne, dans les terres, au nord de Barcelone. Tout destin a ceci d'étranger qu'il emprunte des voies détournées pour s'accomplir et, à rebours, ressemble à une suite de contournements et de chemins de traverse pris délibérément, des crochets illogiques travestis en un itinéraire sans à-coup. Ainsi, pour Lam, l'Espagne fut d'abord un piège, une étape muée en destination. Ce grand virage, il l'apercevait dessiné, ce 26 mars 41, à l'approche du cap de la Nao ; il le reconnut dans le ciel percé de lilas, le parfum sec des mottes de terre craquelées des plaines d'Alicante. Ce n'était plus un pâturage calciné mais un trompe-l'œil, s'y cachaient les souvenirs, les détails vraisemblables d'une vie passée. Le frémissement du soleil sur la mer devançait un kaléidoscope de vagues continues vert-de-gris, bleu-gris, tourterelle dont les reflets changeaient à mesure que les nuages au ras des montagnes recouvraient le bras de mer. Il se souvint de ce mois passé au sanatorium, de sa rencontre avec Manolo et de la manière dont en quelques mots le sculpteur changea son histoire, en racontant les souvenirs de Paris, l'aventure surréaliste, les voyages avec Braque et Raynal en Normandie, le sentier mousseux à Varengeville qui mène au promontoire, et l'église à flanc de falaise bordée d'un cimetière marin, des vitraux et d'un lieu-dit à quelques encablures, dans la valleuse de Vaucottes, où l'on trouve un manoir démodé, en retrait, en haut d'une route en lacet, au porche d'un bois blanc écaillé, et un atelier à l'arrière où se blottit l'hiver contre les carreaux une brume laiteuse. Une pause dans le présent, les conversations avec Manolo, en pleine guerre civile, semblaient absurdes, décalées, un peu dérisoires ; voici qu'ils en venaient à parler de l'art nègre que Lam connaissait si peu et Manolo si bien. Et il partit, muni d'une recommandation dans la poche intérieure de son manteau, résolu à rallier Paris et l'atelier de Picasso, l'adresse du quai des Grands-Augustins inscrite sur l'enveloppe. Il rangea ses pinceaux dans un large mouchoir, le tout jeté dans un sac de toile. Il fit halte à Barcelone, se logea à l'Ateneo socialista, façon de phalanstère d'artistes, il y resta plusieurs mois. Lam bouleversa son art et entre septembre et avril peignit jusqu'à trois cents tableaux, dont un hommage aux républicains, *La Guerra civil*. Il apprit des leçons de Manolo, sans doute ne savait-il pas encore quoi, sinon peut-être ce trait gras au pourtour des lignes qu'il systématisait. En janvier, il fit la connaissance d'Helena Holzer, une jeune Allemande, docteur en chimie et directrice, depuis quatre ans, du laboratoire de tuberculose à l'hôpital de Santa-Colomba. Ils furent présentés par le photographe Fritz Falkner dans un café de la place Lesseps. Ils se croisèrent seulement, c'était un jour de bombardement. Au lendemain de la grande offensive de Franco, Lam quitta Barcelone, confia ses toiles à Balbina, en garda quatre, embrassa Helena et parmi une armée de réfugiés entra en France un matin de mai.

1938. Le 22 mai.

Je suis arrivé d'Espagne par la gare d'Orsay. J'ai marché tout le long de la Seine pour trouver finalement une chambre dans l'hôtel de Suède, 8 quai Saint-Michel. J'avais une lettre de recommandation pour Picasso, que m'avait donnée Manolo Hugué à Barcelone. Je me suis rendu à pied rue de La Boétie, où habitait le peintre que j'admirais tant. Un chauffeur en uniforme me reçut – j'ai su par la suite qu'il s'appelait Marcel – et me dit :

— Vous pouvez lui remettre personnellement cette lettre à quatre heures de l'après-midi, rue des Grands-Augustins.

Je me suis promené, sans but, rue du Faubourg-Saint-Honoré, il y avait de nombreuses galeries d'art et je suis entré dans la Galerie des Beaux-Arts où était présentée une rétrospective de la peinture française. Ce fut pour moi un véritable banquet.

Peu de temps après je vis entrer un petit homme, portant gabardine et chapeau ; il était avec une femme. Je me suis rendu compte qu'il s'agissait de Picasso et de Dora Maar, mais j'ai préféré ne pas me faire connaître. Cette rencontre imprévue, au milieu de la foule, aurait enlevé de l'intimité à notre première conversation.

À quatre heures de l'après-midi je me trouvais devant la porte de son atelier, en même temps qu'une autre personne, à peu près de mon âge. Je n'osais pas ouvrir la bouche car mon vocabulaire français était alors plutôt restreint. Cet homme, qui devint par la suite un grand ami, était Michel Leiris.

De près, la personne de Picasso était imposante. Je fus impressionné de le voir devant moi. Sa tête était ronde et une mèche de cheveux tombait sur son front. Ses yeux noirs pénétrants et astucieux bougeaient avec une intelligence si sympathique qu'ils me fascinèrent.

Picasso, après m'avoir salué, me conduisit dans une pièce où il gardait des sculptures africaines. Je fus aussitôt attiré par l'une d'elles, une tête de cheval. Elle était posée sur un fauteuil. En passant à côté, Picasso fit bouger avec habileté le meuble et la sculpture se balança comme si elle était vivante.

— Quelle belle sculpture !

— Je l'ai attachée au fauteuil pour pouvoir la faire bouger sans qu'elle tombe. (Et il ajouta :) Vous devez en être orgueilleux.

— Pourquoi ? lui dis-je.

— Parce que cette sculpture a été faite par un Africain et que vous avez du sang africain.

En s'adressant à Michel Leiris, il dit :

— Apprends à Lam l'art nègre.

Après un moment de discussion, il m'avoua :

— Je t'ai vu à la Galerie des Beaux-Arts et j'ai dit à Dora « Ce doit être le jeune Cubain qui est arrivé d'Espagne, mais je préfère le rencontrer quand nous serons seuls. »

Exactement ce que j'avais pensé moi-même.

Nous échangions différents propos, soudain, il me demanda :

— Tu veux boire quelque chose ?

— D'accord.

Il avait une bouteille remplie d'une liqueur blanche. Il m'en versa un peu dans un verre.

— Je ne bois pas ça. Tu veux m'offrir de l'essence, lui dis-je.

Picasso se mit à rire. C'était du Calvados.

Picasso aimait rire. Et il riait beaucoup avec moi, mulâtre intimidé, qui parlais l'espagnol en prononçant un z, et disais, par exemple, Madriz. Il m'invita ensuite à dîner. Il commanda pour moi un gros poulet, que j'ai dévoré avec les os, car j'avais un appétit du tonnerre et depuis pas mal de temps je ne mangeais pas à ma faim.

Picasso dit à Dora :

— Il est capable de manger les pattes de la table.

Quand nous prîmes congé l'un de l'autre, il fut très chaleureux, comme dans tout ce qu'il faisait. Il me surprit quand il dit :

— Tu me rappelles quelqu'un que j'ai connu.

Lam se rendit à l'invitation de Michel Leiris à l'inauguration du musée de l'Homme, dans l'aile de Passy du palais de Chaillot, Paul Rivet et Jacques Soustelle dévoilaient les collections, le laboratoire de recherches associant les travaux récents de l'anthropologie et de l'ethnologie, ainsi que l'immense bibliothèque constituée. Leiris offrit à Lam des exemplaires de la revue *Documents* – il s'en empara comme de grands livres d'images ouverts sur le sol de sa chambre d'hôtel. Il peignait ou se peignait derrière un masque, désormais.

— Je ne me suis jamais trompé sur toi. Tu es un peintre. C'est pour cela que j'ai dit la première fois que nous nous sommes vus que tu me rappelais un autre homme : moi.

1939. Lam fut frappé par cette façon si particulière que Paris offrait de vivre, entre cloche et vernissages. Il rencontra André Masson, Georges Bataille, Oscar Domínguez, Asger Jorn, Victor Brauner ou Joan Miró. Picasso le présenta à Pierre Loeb, *marchand de tableaux modernes* de son état, qui lui acheta plusieurs toiles et le programma pour une exposition du 30 juin au 14 juillet, Galerie Pierre, 2, rue des Beaux-Arts. Il s'installa dans un atelier de la rue Armand-Moisant, à Montparnasse. En janvier, Helena le rejoignit. En novembre débutait l'exposition *Afrique noire française*, et Leiris obtint un laissez-passer. Très vite, il devint cet hurluberlu planté devant les vitrines, qui s'en va s'en vient griffonnant dans ses carnets. Il traînait ce physique étonnant, un faux air de boxeur poids plume avec des mains de pianiste. Quand il n'était pas au musée de l'Homme, Lam se trouvait à coup sûr dans les serres du Jardin des Plantes, assis sur un tabouret pliable, à crayonner, au milieu des fleurs géantes, des serpents verts, des hampes de sagaie rigides. En plein hiver, les verrières s'emplissaient de buée, la lumière s'accrochait entre les nuées aux tiges humides ; et alors, masqué par l'éblouissement et la condensation, surgissait une jungle cachée.

1940. Juin. Devant l'objectif de Marc Vaux, Lam posait dans son atelier, pareil à un chasseur devant ses trophées, entouré de dizaines de tableaux mêlés, suspendus, empilés, dans une forme de rétrospective avant dispersion, un catalogue raisonné où deux ans d'œuvres s'entassaient. Lam portait un gilet en laine épais rentré dans un grand falzar de costume, ceinturé au dernier trou ; dans son dos, on devinait un autoportrait et le carton de l'exposition de la galerie Pierre fixé dans un angle du miroir. À l'endroit où il se tenait d'habitude pour lire et écouter la TSF, en surplomb d'un radiateur et côtoyant des images de son musée personnel, une statuette d'Extrême-Orient et une planche extraite du portefeuille *Masques africains*. Helena avait été arrêtée au début de l'offensive allemande, internée au camp de Gurs. Ils s'écrivaient, rien de bravache, non, quelques mots doux, des mots d'encouragement, et la promesse de se retrouver bientôt, par-delà la ligne. Début juillet, il recouvrait ses tableaux de kraft, les attachait en croix par paquets de dix à l'aide de cordes rêches, les entreposait d'abord dans la cave de l'immeuble de la rue Armand-Moisant, puis – craignant les voisins comme le concierge – finit par les confier à Auguste Thésée, un ami de la Martinique, décidé à rester.

Le 14, les troupes allemandes entrèrent dans Paris. Paul Rivet placarda à l'entrée du musée de l'Homme un poème de Kipling, certains passants s'arrêtèrent, lurent à voix haute une strophe, puis une autre : *Si tu peux conserver ton courage et ta tête / Quand tous les autres les perdront*. Lam déserta, abandonna ses œuvres comme lors de la fuite de Barcelone. Il inscrivait ses pas dans ceux de ce grand exode qu'on appelait la débâcle, des familles entières jetées sur les chemins, des soldats débraillés d'armées dispersées allant par deux, en déroute, des gamins fichés sur les épaules, et tous, au son des avions, se couchant dans les talus, pelotonnés au fond des roubines, allongés sous des rangées d'épis de maïs ou de tournesol. Il régnait, s'étonnait-il, une camaraderie joyeuse, pour certains c'était le goût de l'aventure, pour d'autres le temps des possibles, errait surtout une troupe informe, carnavalesque, transportant des matelas harnachés aux toits des véhicules à l'arrêt et des valises ligotées aux pare-boue. Muni d'un seul carnet et de quelques sanguines, Lam croquait le barnum en d'inépuisables réservoirs de visages grimaçants sous un soleil de juin, les yeux plissés, la tête recouverte comme en plein désert d'un torchon noué en casquette, en bras de chemise qui tournaient la manivelle d'autos cassées, le réservoir fumant, de la chaleur à la touffeur. Bordeaux se révéla un cul-de-sac où s'arrêtait chaque jour la queue de peloton des bataillons disloqués et des fonctionnaires ralliant Vichy. Le 22, à l'annonce de l'armistice, il attrapa un train direction Marseille.

Novembre, Lam s'installa à la villa Air-Bel. Il s'étonnait malgré l'angoisse, la crainte de l'enfermement et de l'exil, de trouver dans ces journées arrêtées la joie de retrouvailles et d'intenses créations collectives. Au fond, il n'avait jamais été si heureux, ou presque, la guerre civile recelait peut-être un même sentiment interdit d'une joie tapie dans l'ombre, d'une allégresse nourrie de peurs. Helena était revenue, il dessinait dans la serre du jardin ou près du bassin aux grenouilles, des esquisses au crayon et à la plume qui composeraient pour l'essentiel l'illustration du prochain livre d'André Breton, *Fata Morgana*. En mars, le recueil était imprimé aux éditions du Sagittaire en cinq exemplaires, et sitôt interdit par la censure. Avant le départ, une exposition improvisée dans les branches des arbres du parc rassembla la communauté surréaliste le temps d'un dimanche d'hiver, on retrouva au pied des platanes Hérold, Ernst, Masson, Itkine, et, à la faveur de deux gouaches vendues à Peggy Guggenheim, furent empochés quelques centaines de dollars pour la traversée.

9 h 30. Les enfants se levaient les uns après les autres, se frottaient les yeux, s'étiraient et s'approchaient de l'escalier, entouraient et observaient tailler son bout de bois le drôle de bonhomme sur les marches de l'entrepont, assis autour d'un tas de copeaux. Lam s'adressa en espagnol au premier d'entre eux, t'as bien dormi qu'il lui demanda, sans répondre le petit chipa l'amulette posée sur le sol, aussitôt imité par son frère ou son cousin, et bientôt les gamins improvisèrent un jeu. La journée pouvait commencer. Bientôt, le bateau entier s'éveillait dans une agitation de foire, les élégants de Marseille qui paradaient la veille s'étaient mués en une race

débrouillarde de voyageurs, prêts à troquer une gamelle contre une place en tête de la file pour les commodités. La toilette, la lessive avec la nourriture et les escales, ou le contenu de la cargaison suspecte étaient au centre de toutes les conversations. On passa au large de Majorque, Wifredo rangea son opinel dans sa poche, se leva et regarda au loin le rivage – sans savoir que ce jour-ci, Joan Miró sur cette île mettait une touche finale à sa seizième gouache des *Constellations*, et clôturait une série entamée à Varengeville à la fin de l'année 31 avec l'huile sur toile *Femme au cerf-volant parmi les constellations*.

12 h 30. Au moment où le bateau abordait le golfe de Peñíscola, Anna Seghers avachie dans un transatlantique se releva et s'approcha de l'eau, penchée contre le bastingage, comme si elle s'apprêtait à sauter. Elle expliqua à son fils, debout à ses côtés, chercher des yeux un souvenir qu'elle finit par apercevoir enfin dans le bâti en gradins autour d'un château fortifié sur le large promontoire avancé sur la mer. Elle lui raconta cette journée de juillet 37 où en route avec son chauffeur pour le Congrès international des écrivains de Valence, longeant la Méditerranée, ils s'étaient arrêtés dans un village. Elle ne pouvait dire pourquoi, en haut du rocher, elle avait eu l'intuition d'une étape nouvelle dans sa vie, un tournant. Ce fut devant ce rivage, à bord du *Paul-Lemerle*, en route pour la Martinique qu'on décrivait tantôt sauvage, malsaine

comme le bagne, tantôt luxuriante, riche comme la jungle du Douanier Rousseau, qu'elle tenta d'exprimer, un pincement au cœur, l'impression non pas d'un déjà-vu mais d'un pressentiment : le port de pêcheurs était leur poste-frontière. Elle croiserait ce passé à une autre reprise, et à nouveau, depuis la mer.

3

Un chat roux

Oran
27 mars 1941

André Breton notait à l'encre verte sur une
feuille volante la liste des commissions. Il y consignait scrupuleusement l'indispensable, en prévision
d'une escale prochaine à Oran où, venait-on de leur
apprendre, seuls les Français seraient autorisés à descendre. Les premières heures de la traversée avaient
été riches d'un enseignement pratique, et parmi les
leçons apprises à leurs dépens : l'absolue nécessité
d'un transatlantique. Simple chaise de pont, en rotin
sur les paquebots des Années folles, à assise de toile
sur les plages des congés payés, son siège mutait à
bord du *Paul-Lemerle* par la magie de la promiscuité
et l'infamie des dortoirs en une authentique chambre
à soi, au point de faire l'objet dès le soir du départ
de juteuses transactions. La famille Breton prévoyait
l'acquisition d'une chaise longue par personne.

Victor Serge, parqué, en ajoutait une à la commande générale. L'hygiène était l'autre obsession, l'inventaire ressemblait autant à un manuel de savoir-vivre qu'à l'ordonnance d'un médecin. Dans l'ordre des préoccupations, les cigarettes bien sûr, mais aussi la tenue de la correspondance.

ORAN

TOILETTES : Cuvette, porte-savon, brosse à dents, brosse à ongles, brosse à cirage, cirage, 6 mains toilette, 2 glaces à main, savon, peigne, 25 nappes papier, papier hyg., 4 serviettes (2), pâte dentifrice, rasoir ?, blaireau ?, savon à barbe ?, coton hydrophile, bandes gaze, savon médical.

EFFETS : Salopette Aube, 2 pantalons toile bleue, 1 azur, 1 clair, casquette, lunettes Jacqueline, 4 transatlantiques (3 Breton, 1 Serge), lampe à alcool, bouillotte caoutchouc, coton hydrophile, rouleaux photos

TABAC : gris, cigarettes Job ?, vert goût américain

ÉCRIRE : Skira, Bonnard, Paulhan, Péret, Mabille, Denoël, Matta, Francis, Tanguy
Jeu de cartes, encre Chine, encre stylo.

Le *Paul-Lemerle* toussotait au crépuscule, le moteur calait ou s'emballait, les pulsations de la machine l'éprouvaient, il bourdonnait comme un vieux tacot ; malaisément, il s'engouffra en tremblotant dans le port d'Oran entre le *Sidi-Mabrouk* et le *Gouverneur-Général-Cambon*, deux autres navires de charge ; la sirène plutôt que de mugir s'érailla et siffla, arracha un chant de coq. Les passagers près de la passerelle attendaient l'arrimage du cargo pour se jeter en ville à la recherche d'un café, d'un lit, d'une parcelle de confort – déjà sur le pont, ils imaginaient, tripatouillant les billets ou les trois sous qu'ils avaient en poche, un grand verre de pastis, une bière, une chambre, un bain. Un chat roux qu'on avait vu blotti à l'embarquement dans les bras de son maître, un Viennois à la moustache épaisse, puis endormi dans un panier en osier, furetait entre les grandes cuves des cantines dont les fonds rôtissaient au soleil sans qu'il fût envisagé de les nettoyer avant de les remplir à nouveau, et s'extrayant d'entre les baraquements du pont, effrayé par on ne sait quoi, si ce n'est son ombre, sauta par-dessus bord et finit sa course dans l'un des bassins du débarcadère. À grands coups d'épuisette et de filets lancés par les sous-officiers, le chat, pareil à un ragondin, se débattait en miau-lant entre deux pleines gorgées d'eau croupie… Après que l'on eut tenté en vain de l'attraper au rythme des cris terrifiés du Viennois affolé, un pointu partit du quai à la rescousse de l'animal. Aux dires du capitaine Ferdinand Sagols, à la barre du navire, commandant d'un équipage foutraque transpor-tant passagers et cargaison interlopes, on n'eût pu rêver entrée plus triomphale dans la rade d'Oran. Dans ces mêmes eaux, un an plus tôt, l'amiral anglais Somerville minait la passe du port, torpillait les navires français à Mers el-Kébir, au nord-ouest de la ville ; c'était d'abord le cuirassé *Provence* qui s'échouait pour ne pas sombrer, suivi de près par le croiseur *Dunkerque*. Seul le *Strasbourg*, au prix d'une manœuvre périlleuse, parvenait à prendre la mer. Le cuirassé *Bretagne*, cul à quai, empêché de riposter, touché par une salve de la marine britannique, sombrait avec neuf cent quatre-vingt-dix-sept marins, enterrés dans le cimetière d'Oran.

Les passagers autorisés débarquaient escortés par les mendiants des bas quartiers de Sidi El Houari. Victor Serge notait dans son journal : *Les Français descendent seuls, nous prisonniers à bord. Réfléchir à l'absurdité de la xénophobie chez un peuple de basse natalité, saigné par deux guerres, qui a plus d'un million des siens en divers pays étrangers, tributaire chez lui de la main-d'œuvre étrangère. Peuple d'origine extrêmement composite et qui doit certainement la richesse de son tempérament, les facettes de son intelligence à cette originalité composite. Nationalisme réactionnaire, réflexe de débilité. Sensation de captivité sur ce camp de concentration flottant, avec ses cales puantes. Absurdité d'un bateau immobile à l'abri dans un port. Être en partance, lancé sur la mer, justifie tout.*

*

Histoire de P. Le petit vieux qui lance du premier étage des bouts de papier pour attirer les chats. Puis il crache dessus. Quand l'un des chats est atteint, le vieux rit.

Au balcon de l'appartement de la rue d'Arzew, Albert Camus, dos à la balustrade, alluma une cigarette avec la fraise rougie de la précédente, se retourna, se pencha et jeta dans la ruelle le mégot encore fumant. Dans ce sourire à peine contenu, on reconnaissait la belle matinée, la besogne heureuse et l'homme oublieux de la sourde inquiétude. Entre les cours d'histoire et de géographie donnés aux Études françaises, un collège privé de la rue Paixhans, en face du lycée Lamoricière, Camus écrivait beaucoup, lisait peu sinon des ouvrages sur l'histoire des grandes pestes, dont il annotait abondamment les marges et recopiait avec soin les chronologies, les relations des évêchés, les récits de mémorialistes. Il s'ennuyait à Oran, la ville ne l'intéressait pas et, quand il tentait de cerner son mépris, il parlait alors d'*indifférence*, le mot revenait dans sa bouche avec la force de l'évidence, du mot juste traduisant le malaise et la nostalgie dont il s'arrachait à grand-peine le soir venu. Il était de retour en Algérie et pourtant tout l'exaspérait, il déjeunait parfois en compagnie d'un collègue, au Belvédère, restaurant dans le quartier des Planteurs, sur le flanc du Murdjadjo, près de la pinède, là il s'adonnait à son passe-temps favori, lire le quotidien en bonne compagnie. Cette *indifférence*, disait-il, il la combattait par la tenue de son journal et de sa correspondance – avec Jean Grenier en particulier –, la rédaction d'articles, et l'organisation d'un vaste projet avec son ami Pascal Pia, la création d'une revue littéraire, *Prométhée*. Il emportait dans les cafés les pochettes de copies à corriger qu'il expédiait par paquets de dix. Le 21 février, il notait dans son carnet :

Terminé Sisyphe.
Les trois Absurdes sont achevés.
Commencements de la liberté.

Francine, son épouse, était assise à son secrétaire dans l'autre pièce. Le 14 janvier, ils avaient embarqué à Marseille sur le *Président-Dal-Piaz*, s'étaient éloignés de la France pour s'installer à Oran, un temps. La famille avait bien fait les choses, un appartement cossu les y attendait, des draps frais et propres, une chambre d'amis dont on espérait secrètement qu'elle accueillerait bientôt un enfant, une grande table ronde en bois clair dans le salon, un bureau pour Albert à simple tiroir, une lampe d'avocat et une bibliothèque vide. Christiane, la mère de Francine, s'était affairée pour décorer sobrement l'appartement – elle savait qu'il fallait s'en tenir à l'ameublement. Le 3 mars, Camus se promenait sur la plage de Mers el-Kébir, le long des collines, il croisa un chien errant, lança un bâton sur la dune, le laissa vagabonder à ses côtés, et à la fin de la balade il l'adopta. Il le nomma Proto.

Au crépuscule, Camus flânait le long des quais jusqu'au bassin Poincaré. Il cheminait sans décider d'un trajet sinon un parcours simple et sans but qui n'entravait pas sa pensée, une promenade jusqu'à la berge aller-retour. Le port offrait une respiration sur l'ailleurs, il s'extrayait de ce labyrinthe de traboules circulaires. Il s'aventurait souvent jusqu'au bout de la jetée, s'asseyait sur l'un des blocs en désordre, regardait les bateaux entrer et sortir, puis la nuit tombée s'attablait au bistrot des docks. S'il craignait d'oublier ce qu'il avait en tête il s'y précipitait, sinon c'était à pas lents, comme obéissant à un rituel, qu'il poussait la porte, s'installait à gauche, à l'extrémité du comptoir, à l'angle de deux rues, face à la manufacture de tabac Bastos, et noircissait une page après l'autre. Il s'abreuvait de l'actualité à la une, l'inexorable avancée du chaos, prévoyait d'écrire *L'Absurde et le Pouvoir*, une réflexion sur Hitler. L'idée le dégoûtait avant même de s'y atteler, envahi par une sorte d'*à-quoi-bon* qui, s'il ne s'en méfiait, assombrirait son cœur, annihilerait ses forces. Il sentait bien que la fiction seule pourrait sonder ce vide, la laideur, travestir le tout en une histoire, un *prétexte*, en somme, offrir à Oran ce qu'elle ne savait pas tenir en elle, un roman. Y jeter par la force de l'imagination, car rien ici, pensait-il, ne sollicite l'esprit, la maladie, la peste comme un révélateur du mal et de l'impuissance à y répondre. *La Peste* « Peste ou aventure (roman) » en guise de programme. Libéré de l'écriture de *Sisyphe*, il remontait un énorme caillou.

Lors de sa promenade, il assista mi-amusé mi-gêné à l'accostage dans la rade de la calebasse fumeuse du *Paul-Lemerle*, un drôle de vapeur, le vestige bruyant d'une époque imbécile. Combien étaient-ils sur ce rafiot ? Trois cents, quatre cents peut-être, autant d'anonymes, une maille indémêlable de récits distincts, contradictoires, la concentration d'une société perdue, en réduction, mouvante... la catastrophe et l'inhérent combat des probabilités regroupés sur le pont d'un bateau. Il couchait sur le papier un développement à son histoire, ce jus tiré de la documentation accumulée, sédimentée, de l'observation des cafés, de l'ennui et de ses obsessions. Il tentait d'y déceler une ligne directrice, un sens au cœur de l'agonie.

4

Pinardier & baleinier

Les rumeurs naissent puis disparaissent, se font et se défont. On prêtait de lourds projets à la bêtise, on s'y accrochait, on échafaudait des théories sur des bribes de conversations attrapées au vol, parfois dans une autre langue. On racontait que le jeune chercheur logé en cabine était un espion nazi, on l'avait vu pas plus tard qu'hier sur le pont supérieur en train de lire un document truffé d'annotations bizarres, un plan de navigation ou une liste de suspects, sur ce dernier point les avis divergeaient. Un Tunisien qui partageait sa cabine confiait qu'il tapait un compte rendu sur une machine à écrire de marque allemande A.-G. vorm. Seidel & Naumann. Il se disait professeur, spécialiste des tribus amérindiennes du Brésil. Il était descendu avec les Français, on craignait désormais qu'il fît son rapport au commissariat du port et qu'on débarquât sans ménagement les socialistes berlinois. Il y avait la photographe aussi, toujours fichée avec une gamine, une lesbienne, disait-on, et une moucharde qui plus est. On s'alertait, on s'épiait et on ne manquait jamais une occasion de se perdre en conjectures, en soupçons, de trouver un coupable, de désigner un traître, de chercher un salaud. Le 28 mars, la rumeur gagnait les passagers les plus raisonnables, comme une traînée de poudre, atteignait l'étuve de l'entrepont, brûlait de se répandre, et enflammerait, si on ne l'arrêtait pas, le bateau tout entier. Pour les passagers, détenus à bord, enclos par la rambarde comme par un barbelé invisible, la matinée était interminable, pénible. Même s'il ne venait à l'idée d'aucun des captifs de s'échapper, les militaires surveillaient le quai. Impossible de savoir quand repartirait le cargo. Penché par-dessus bord, on tentait de glaner des informations, interpellait les gardes mobiles qui ne répondaient pas. Le cuisinier confiait au groupe de tête : « Les Anglais contrôlent la côte marocaine, pas un bateau ne s'avance sans avoir été visité. Comme le Capitaine s'y refuse, lui qui a en horreur les Anglais, on attend, il parle de revenir à Marseille s'il le faut. » Dans la nuit, ce furent d'abord des chuchotements, suivis du bruit des poulies et du va-et-vient du maître de manœuvre. Les canots de sauvetage avaient été recouverts de bâches épaisses et, objets de toutes les spéculations depuis le départ, firent la navette entre le *Paul-Lemerle* et le *Sidi-Mabrouk*, l'autre bateau à quai. On débarquait la cargaison suspecte à Oran. Il y eut aussi, dans la nuit, des échanges sur les quais, près des hangars du bassin, avec les officiers du P.45, un vieux baleinier déguisé en navire de guerre. On vit monter à l'aube du deuxième jour un des marins à bord du *Lemerle*, et remettre au capitaine Sagols une lettre cachetée. La curiosité des enfants avait eu raison du secret. Ils étaient partis à l'assaut des canots de sauvetage dans la pénombre, avaient soulevé un peu effrayés et excités les bâches, d'abord à distance puis s'y étaient engagés de tout leur corps, n'y trouvant rien d'autre que filets emmêlés. Au fond des barques, des galets de plomb lourds, poids des nasses. Les gamins en parlaient les yeux éblouis, on comprit à les entendre qu'il devait s'agir de filets anti-sous-marins munis de flotteurs. D'autres brodaient sur l'évasion des lingots d'or de la Banque de France, éparpillés à la débâcle en cent lots, de dispersés dans les colonies, acheminés par la mer, de l'Algérie au Finistère, murmurait-on, aux Antilles sous la protection de l'amiral Robert. Il ne serait pas absurde, ajoutaient-ils, d'imaginer que camouflée dans ce rafiot, se cachât une partie du trésor, voguant au nez et à la barbe des Allemands et des Anglais, avec cette roublardise bien française.

Le *Gouverneur-Général-Cambon* quitta le port, aidé de deux remorqueurs. Dans le bassin Aucour, au niveau de la criée, des Arabes portaient les marchandises des bateaux de la Compagnie des chargeurs réunis. Parmi les rouliers des mers, on trouvait des grumiers qui acheminaient le bois coupé d'Afrique, un pinardier aussi, navire-citerne des vins d'Algérie. André Breton remontait sur le vapeur, ironisait sur la ville, morne et banale, une sous-préfecture, racontait-il à Victor Serge, avec ses colons faussement affairés, ses femmes voilées et ses indigents aux regards noirs. Les ruelles parfois étroites comme des meurtrières, pleines de chausse-trapes et d'angles morts, et dont on ne voit pas bien le bout, perdu dans d'interminables lignes de fuite. Il s'attardait à décrire un château berbère sur les monts, et en face la cathédrale d'Oran avec son bulbe énorme, coiffe boursouflée et empoussiérée ; les magasins vides et l'air vicié. De la liste, il n'en avait barré qu'un tiers, tout au plus, dépité et confus, il pariait sur d'autres escales pour faire le plein avant la grande traversée.

Côtes algériennes
29 mars 1941

Après deux jours de pourparlers, le *Capitaine-Paul-Lemerle* s'arrachait de la rade d'Oran dans la soirée, accompagné d'une escorte symbolique de trois navires formant convoi. En haute mer, le baleinier P.45 ralliait le cortège, armé de trois piteux canons de 75 et de vétérans de la guerre de 14 équipés de mitraillettes. Lam, aux avant-postes des pourparlers la nuit précédente, ricanait sur le pont avec Etxeberria, un Basque. Ils devisaient en espagnol de l'état des troupes et de l'équipée malaisée claudiquant vers Gibraltar. Un contingent de vieillards, galvanisés par la haine de l'Anglais, prêts à en découdre avec des armes enrayées, aussi peu efficaces que les fusils dont à Madrid ils disposaient lorsque contraints au tour de garde, ils étaient chargés de tirer en l'air à l'heure du laitier, ainsi que l'on surnommait les avions de Franco bourrés d'explosifs. Le Capitaine du *Paul-Lemerle* avait refusé de suivre les recommandations transmises la veille et l'avant-veille à l'opérateur. C'était ainsi, le long des côtes, en cabotant par cinq, en Pieds nickelés, qu'il filerait jusqu'à l'océan, empêché de débarquer en chemin, ou de jeter quoi que ce soit en mer, filets anti-sous-marins ou mines magnétiques. La chose était entendue à bord parmi les passagers, gibiers de camp de concentration déportés vers la Martinique. Ils avaient été convertis sur l'eau en boucliers humains.

Claude Lévi-Strauss avait par deux fois traversé l'Atlantique sur la ligne des Amériques, certains membres de l'équipage étaient d'ailleurs de vieilles connaissances, des compagnons de route, qui, en dépit des conditions, avaient à cœur de maintenir un certain *standing* au seul habitué à bord ; parmi ces égards inattendus, ou privilèges indus, c'est selon, un lit dans l'une des deux cabines réservées à l'équipage lui revenait de droit. C'était un jeune homme divorcé ou plutôt sur le point de l'être, il portait une barbe fournie et des lunettes à monture épaisse, l'alliance des deux le distinguait autant qu'elle accentuait son étrangeté. Un air réservé, une grande timidité revêtaient pour ceux qui l'approchaient une forme de sévérité, pour d'autres une maladresse gauche. Un sérieux professeur ou un drôle de zigue. Il n'avait rien d'un explorateur, tant mieux car ce n'était sans doute pas ainsi qu'il se serait présenté, d'ailleurs il n'aurait su comment se présenter… Professeur sans doute, oui, un professeur en chemin pour les États-Unis. Un chercheur, un écrivain, sans doute pas, même s'il gardait enfouie dans sa sacoche vingt-sept pages d'un roman inabouti, *Tristes Tropiques*, il ne savait qu'en faire. Espérait-il que cette traversée l'inspirerait au point de le terminer ou tout du moins d'avancer plus qu'il ne l'avait fait jusqu'à présent ? Un début emmêlé, un plan provisoire, des notes éparses. Il jetterait bien l'intrigue et l'histoire par-dessus bord pour ne garder que la description d'un coucher de soleil. C'était en février 35, sur l'un des cargos de la compagnie, à destination de Santos, qu'il avait tenté de dépeindre au mieux les nuances et les degrés croissants de l'animation du ciel au large de l'Afrique. C'était, s'en souvenait-il, tenter d'en dessiner la figuration centrale, forme de puzzle en s'attaquant pièce après pièce à ses bordures, en les juxtaposant jusqu'à épuiser le regard, englober la sensation jusqu'à l'éteindre. Ce moment de *grâce*, le mot revenait, s'était évaporé, il avait pu terminer ces pages, mais durant ce voyage il ne retrouva jamais de mêmes dispositions d'écriture. Il en vint à tenter de recréer artificiellement les conditions de cette apparition, à la manière d'un passage secret que l'on n'emprunte qu'en se plaçant à un endroit précis d'une bibliothèque et en tirant un ouvrage de haut en bas. Il espérait ainsi chaque jour. Trente couchers de soleil passèrent, et pas une page ne fut ajoutée au roman. S'accumulèrent des notes sur les Indiens du Brésil, des passages entiers du *Victory* de Conrad recopiés à la main, en priant là aussi pour que les transcriptions agissent comme un sésame. Déprimé, il arpentait les coursives du paquebot perdu dans des élucubrations pareilles au reflux des vagues, sans relâche. Il s'accrochait à l'idée du roman, persuadé qu'il lui était donné, c'était prouvé, les feuillets dactylographiés dans sa sacoche en témoignaient, de l'écrire. Il se savait capable d'un morceau de bravoure, l'expression galvaudée avait le mérite de distinguer la hardiesse ou le courage de s'emparer du sensible pour le faire sien, le maîtriser, l'encadrer en frappant sur sa machine pour qu'enfin la maudite réalité rende gorge et s'excuse de ne pas être plus malléable. Ce qu'il ne supportait pas chez l'homme, ce côté maître et possesseur de la nature, il s'y rangea dès qu'il put sans heurter le monde alentour, le mouvement, la lente et inexorable course des choses, l'arraisonner à son vocabulaire, ajuster la puissance évocatrice de son verbe, puiser une force toujours renouvelée dans les métaphores ou le symbole. La traversée de 35 fut, on l'aura compris, une révélation, où il s'était senti écrivain autant que savant, c'était aussi un aveu d'échec – une délicate torture, et ce un mois durant, sans qu'il fût possible d'y remédier. Il avait fini par saboter l'histoire, l'action de ses personnages et, chaque fois qu'il tentait de les réanimer, il finissait par les broyer, leur prêter des pensées stupides, mais surtout artificielles (stupides, pourquoi pas, mais qu'elles ne sonnent pas faux !), et en venait à tout faire valdinguer la page terminée, de la seule manière qu'ont les écrivains de se venger, qu'ils soient bons ou mauvais (et en ceci ils sont égaux), en déchirant, déchiquetant, transformant en confettis la feuille, descendue plutôt deux fois qu'une à la benne. Qu'en était-il de l'intrigue ? Claude aimait la raconter, à la différence des écrivains d'expérience qui ont appris qu'un roman n'est pas une idée ni une bonne histoire mais un affreux machin compliqué qui s'évente à mesure qu'on en parle, de sorte que le seul bon conseil qu'on pourrait donner à un scribouillard serait, si persuadé qu'il soit de son récit, de n'en parler jamais, sinon terminé, et d'ailleurs, d'ajouter qu'il serait préférable de biffer le dernier pan de phrase, ou de s'en tenir au silence. En un sens, il y aurait une loi comme on désigne en physique une récurrence causale, que l'on pourrait énoncer ainsi : le nombre de fois où l'on évoque l'idée, l'intrigue d'un roman en gestation, est inversement proportionnel à sa réalisation effective. Mais personne avant nous-même – mais qui sommes-nous, sinon une forme de narrateur, ou du moins de petite voix, en surplomb, à côté, sous l'eau, une perspective face à l'ensemble, sans impact aucun sur la destinée (déjà déroulée) de nos personnages – n'avait prévenu Claude de la loi de l'écrivaillon. Aussi le retrouvait-on sur le *Mendoza* détaillant au Capitaine ce qu'il adviendrait de ses personnages, ce qu'il inclurait de fabuleusement novateur dans ses descriptions, et même, si on l'écoutait attentivement, le thème sous-jacent qu'il faudrait, une fois qu'on aurait le manuscrit en main, une affaire de mois tout au plus, y déceler : la critique virulente d'un monde en déliquescence, le rythme fracassé dans le bouquet stupéfiant d'un boléro, une cacophonie finale effarante et terrifiante de cuivres comme la préfiguration de grands périls. Encore aujourd'hui, sur le *Paul-Lemerle*, l'idée ne l'avait pas tout à fait quitté, et il ne fallait pas le pousser davantage pour l'entendre en parler avec un reste d'enthousiasme, masqué déjà profondément par l'agacement d'un projet avorté ou peut-être, inatteignable. L'idée du roman était née de la lecture dans un journal d'une brève, une escroquerie commise sur une île du Pacifique avec un phonographe pour faire croire aux indigènes que leurs dieux revenaient sur Terre. Les personnages du livre seraient des réfugiés politiques d'origines diverses fuyant l'occupation allemande. Ils essaieraient de créer une civilisation, et des drames surviendraient entre eux. On comprendrait à la fin que jamais réalité ne se donne dans l'expérience. En quête de vérité nous ne créons qu'illusions.

*Brumes sur la mer, mer grise le soir, ce pourrait être
la Baltique, que j'ai vue plus ensoleillée. Côtes du Rif.
Un pays fait pour s'y battre avec acharnement, avec
amour, haute façon de se sentir vivre.*

*Melilla, ville sans intérêt, dans une baie. D'ici partit
Franco... Plus loin, les hauteurs nues de la côte sont
mouchetées de buissons et elles ont des courbes ani-
males. Montagne à la peau de panthère.*

*Nous sommes dans un convoi de cinq bateaux. Celui
qui escorte les quatre autres est un comique rafiot de la
« marine de guerre », chalutier sale, plaqué de rouille,
armé de plusieurs petits canons. Longue attente en
rade, près de la côte, près de Melilla. Signaux. Le rafiot
de guerre se promène autour de nous. Vers le soir,
repartons en sens inverse, dans la pluie. On dit que des
difficultés ont surgi à Gibraltar.*

*Nuit tombée, je contemple les feux du bateau qui
chemine parallèlement à nous. Étoiles, mon ciel fami-
lier déjà bouleversé. Le Taureau dessine un V per-
pendiculaire sous le zénith. Pléiades distinctes. Je me
guidais sur elles dans les nuits de neige en rentrant à
Orenpossad. Je les désignai à Laurette sur le chemin
d'Air-Bel. Saturne et Jupiter se voient au-dessus du
croissant de la lune. Ces visages du ciel sont tout à
fait inexprimables. J'espère qu'il y aura des temps où
les hommes auront avec eux une plus profonde, plus
constante intimité. Je n'ai pas encore vu les nébuleuses,*

je sais seulement qu'elles existent, je devine à peine celle d'Orion. La plupart des hommes d'aujourd'hui vivent sans voir les univers qui sont au-dessus de leurs têtes et qu'ils pourraient voir. Mer douce immensément mouvante, émouvante. On est si plein de pensée que ce n'est plus de la pensée, mais des vagues et des vents de l'esprit. Il pleut par moments. Ni triste ni anxieux, tendu, et de ta présence.

Passons devant de petites îles granitiques, nues, les Chafarines, Maroc espagnol, où il y a un phare et derrière le phare une maisonnette avec une fenêtre éclairée.

Côtes du Rif
31 mars 1941

La mer rétrécit, nationale à deux voies sans raccourci ni déviation, tout droit le long d'une côte aride, vers une seule sortie : Gibraltar. Les passagers s'autoproclamaient experts, désignaient les dangers, repéraient les signes annonciateurs, discutaient des trajectoires, conseillaient manœuvres et itinéraires. Deux cent cinquante membres d'une nouvelle société, flottante, échouée en mer, qui gagnait on ne sait quelle terre, s'éloignait d'une Europe en feu. Ils ressemblaient aux habitants de Pompéi, spectateurs depuis les embarcations de la destruction de leur monde. Un désastre au ralenti, rythmé par les escales. Le journal passait de main en main, pouvait atteindre une semaine plus tard son dernier lecteur – un vieillard écroulé dans son transatlantique au pied des échelles se plongeait dans la lecture du *Sémaphore* du 24 mars, relevait avec fierté le nom du *Paul-Lemerle* parmi les navires mentionnés. Les nouvelles fraîches d'Oran ne lui parviendraient que le 6 avril, alors, qui sait, seraient-ils loin de l'Afrique. Pour les journalistes, les hommes d'affaires, les officiers ou les curieux de la marche du monde, un système de transmission rudimentaire de l'information s'était improvisé sur le pont supérieur, on y conversait des dernières actualités, on débattait stratégie militaire, approvisionnement et équipement, abreuvé par les dépêches qu'écoutait à dix-huit heures le Capitaine et que les privilégiés du petit pont pouvaient entendre et relayer. L'information filtrée par la vichyssoise parvenait à une première oreille, si elle se trouvait dans cette partie du bateau, déjà prête à l'accepter sans broncher, voire à la déformer légèrement d'un *tout fout le camp* de circonstance, d'un *franc-mac* opportun ou d'un *sale rosbif* bienvenu en eaux troubles. Ce qui restait des événements passés au tamis de la censure, des opinions et de la bêtise redescendait par la passerelle du centre, s'échangeait comme par un fil tendu entre deux pots de yaourt, glissait jusqu'aux coursives, atteignait en fin de soirée les mères espagnoles qui n'y pigeaient pas une ligne, la Yougoslavie envahie trois fois en l'espace de deux jours. De nouvelle société elle n'en avait que la forme, la migration et le mouvement. Pour le reste, à la vitesse de la réaction, l'égalitarisme né de l'état de saleté et d'impréparation fit place à une féodalité puis, par l'effet d'une révolution historique en accéléré, à un capitalisme sauvage architecturant le navire, compartimentant les hommes, reconfigurant des classes qu'on croyait oubliées. Éternel retour du même, entre le pont central, la passerelle, l'entrepont, les coursives, la chaufferie, les cales ou le pont supérieur, s'était instituée une répartition des passagers, bien heureux de se regrouper par familles, par pairs. Tous prêts à raccommoder sur une planche pourrie qui ralliait le Nouveau Monde un système éclopé. L'aristocratie financière avait bien vite tiré son épingle du jeu et s'arrogeait une place à l'écart, près des officiers et du commandant. On croisait le marchand de tableaux, le diamantaire, l'industriel, l'homme d'affaires, toute une haute société dépoitraillée, en bretelles et bras de chemise, affalée, ronflant sec et bavant contre la toile du transat dans lequel ils s'étaient recroquevillés comme dans un lit de fortune, mais une haute société tout de même, avec ses codes et ses attributs. On parlait de son quartier, de la vie d'avant, des Champs, des vacances sur la côte et du Grand Hôtel de Saint-Jean-Cap-Ferrat, l'argent on le sait est un formidable espéranto, il abolit les frontières, clôture un monde à l'inverse. Alors quand il n'y eut plus rien à monnayer on monnaya ce rien. Et le troisième jour de la traversée, le cuisinier fit cantine, une cuisine-épicerie roulante où l'on put à la vue de tous détourner le rationnement, instituer le marché noir, et pour cinq francs s'acheter du pain frais en rab, pour dix à quinze francs un authentique plat de viande, pour deux francs une tasse de jus marron gris appelé café. Au cinquième jour, le Chinois du commandant, pas mauvais bougre pas mauvais commerçant non plus, établissait un système de pension complète qui se substituait de fait à la ration quotidienne. C'était réduire la portion des plus faibles et rétablir les privilèges de la bedaine. Il ne fallut pas attendre une semaine pour voir ces messieurs dames prendre le thé à l'abri du soleil. On y jouait au bridge, on y parlait business et contrats. Bientôt un Tchèque plus rusé qu'un autre sortit une roulette et par l'assomption de la débrouillardise s'inventa seul croupier des Champs-Élysées. Car c'est ainsi qu'on nommait le coin des riches sur le cargo, « Les Champs-Élysées », le petit royaume d'une première classe aux cheveux sales, parfumée à l'odeur de pisse. Montparnasse, la Villette et la place Rosa-Luxemburg remontaient la crasse jusqu'à la chaufferie, arrosaient le salon Vinteuil improvisé d'un halo de souillure, baignaient le tout d'un semblant de parité. Les réfugiés allemands les surnommaient les *Wirtschaftsmigranten* – émigrés économiques –, à l'inverse, pour les nantis, les émigrés politiques étaient autant de dangereux trotskistes, spartakistes, communistes. Après Oran, ivre de son coup de force, le Capitaine invita à sa table les membres de ce semblant de *Café Society*. Pour un soir, à l'ombre de la terrasse, un ex-banquier allemand et sa femme, un ancien propriétaire d'usine en Flandres dont la cheminée s'était écroulée, tuant deux personnes sous les obus allemands, un diamantaire d'Anvers en exil – on le disait riche à millions et assuré d'une fortune effarante protégée dans les coffres d'une banque de New York –, ils conversaient de la paix allemande, du sens de l'honneur, de la racaille, de la faillite du Vieux Continent et des Anglais qu'on abhorrait pardessus tout, plus que les juifs d'ailleurs.

*

André Masson et sa famille n'avaient pu monter à bord du *Capitaine-Paul-Lemerle* le 24 mars, trois jours plus tard, le peintre recevait à la villa Air-Bel une lettre de Vichy : *Le Ministère des Affaires étrangères prie les Services des Transports Maritimes d'accorder passage jusqu'aux Antilles à M. André Masson, artiste peintre, invité par le Musée d'Art moderne de New York. Le service des Œuvres Françaises à l'Étranger s'intéresse vivement qu'il puisse être admis dans le prochain bateau.* Le 31 mars, André, Rose et leurs deux enfants, Diego et Luis, s'embarquaient sur le cargo *Carimaré* au départ de Marseille, à destination de Fort-de-France.

On s'alarmait : passerons-nous Gibraltar ? On entendit plusieurs détonations au loin, le bruit d'un canon, la réplique et le pilonnage d'une position. Le navire fit marche arrière, l'escorte se dérouta, on écouta les ordres des officiers sur le pont de commandement. En contrebas, l'agitation des marins se changea en torpeur pour la foule des passagers massés à l'entrepont. On évoquait l'accrochage à l'entrée d'Algésiras entre un navire français et un vaisseau britannique, l'incompréhension, les coups de semonce de l'un, la reculade de l'autre. On assurait, de source directe du Capitaine, un déchargement obligatoire avant le franchissement du détroit. En fin de matinée, on informait les passagers du *Paul-Lemerle* d'une escale à Nemours, sous-préfecture à la frontière marocaine. On leur apprit au port l'incident, quatre bâtiments de commerce, qui faisaient la navette de Casablanca à Oran, avaient été attaqués dans les eaux françaises par un vaisseau britannique. Protégé par le contre-torpilleur *Simoun*, de la Marine, le convoi était parvenu à se réfugier dans le port de Nemours. La veille, en représailles, la ville avait subi un violent bombardement. On parlait de dix tués. Breton descendit, traîna l'après-midi sans rien y trouver sinon un rade de garnison, un ennui terrible, une guerre arrêtée, un porte-avions échoué dans le désert, enfoncé de travers, et des officiers ivres pour ne pas sombrer. Une chaleur accablante au mois de mars, et à l'angle d'une rue et d'un terrain vague, une librairie, en devanture *Monna Vanna*, *Ubu enchaîné*, un *Traité sur la flagellation*. Il s'amusa d'une si libre association. Jarry pervers ? La présence ici, dans ce *coin de France morte sur un coin d'Afrique tuée*, Ubu dessiné par Jarry, planté dans la vitrine, le chapeau pointu, les ouvertures des yeux trouées dans le tissu, abaissées ou relevées, comme un sourire inversé, le costume arrondi dessinait à la plume Sergent-Major des cercles concentriques. La main dans la poche du tablier, débonnaire, prêt à éructer *Merdre* à tout bout de champ, bras dessus bras dessous avec la Mère Ubu. Parmi les occupations de la villa Air-Bel, la communauté s'était amusée à dessiner un jeu de tarot revu et corrigé par les surréalistes. Oubliée l'armoirie de l'Ancien Régime, des ordres et des symboles de cour, place à d'autres valeurs et demi-dieux. Deux séries rouges et deux séries noires allaient prendre respectivement étendards, la flamme désignait l'amour, la roue sanglante, la révolution, l'étoile noire, le rêve et la serrure, la renaissance. Tandis que l'as, le roi, la dame (les valets avaient été supprimés) seraient remplacés par des génies, sirènes, mages dont l'imagerie puiserait dans le panthéon du groupe : Baudelaire, la Religieuse portugaise, Novalis pour la flamme, Sade, une héroïne de Stendhal, Lamiel, Pancho Villa et la roue de la révolution, Lautréamont, Alice de Lewis Carroll, Freud en bonne étoile, Hegel, Helen Smith, Paracelse pour la serrure.

Le joker n'était autre que le Père Ubu, dessiné par Jarry. Dans la valise de Breton, le jeu de Marseille, tiré au sort, André dessinait la serrure et le poulpe de Paracelse, André Masson s'emparait de Novalis et de la Religieuse portugaise, Jacques Hérold Lamiel et Sade, Jacqueline Lamba fit tournoyer la roue de bois des anciens temps, et Baudelaire par la même occasion, tandis que Brauner avait la lourde tâche de figurer Hegel et Helen Smith, Oscar Domínguez campait l'étoile noire du rêve, Freud, Wifredo, Alice et Lautréamont, et Ernst faisait briller sur une carte de la taille d'une main l'as de la flamme et Pancho Villa.

Il entra dans la librairie, paya dix francs l'exemplaire cent fois lu d'*Ubu enchaîné* qu'il feuilletterait, peut-être, à bord du cargo, le Capitaine à l'esprit. Pour l'instant, il était plongé dans un autre livre : *Les Lois du hasard.*

Côtes du Maroc espagnol
2 avril 1941

Il était un quartier du bateau qu'on appelait Belleville. Il suffisait de s'y promener pour reconnaître qu'au bas des échelles on n'était pas loin de se trouver en haut des Buttes, les mêmes visages qu'à l'angle de la rue des Pyrénées ou sur le terre-plein du boulevard du Temple. Près du carré des enfants, entre l'étable et les toilettes collectives, s'étendait le quartier des immigrés allemands – on y parlait de l'assassinat de Trotski, du pacte germano-soviétique, de la fin des illusions. Si l'on continuait plus avant, tout contre les cales, entre la cuisine roulante et le robinet, on pénétrait dans une autre zone, la Villette. Un dortoir en plein air couvert de linges et de draps frottés dans les baquets au savon noir et étendus entre les tours de cordes, les enfants s'y inventaient des aventures comme sous une cabane de tissus et de taies d'oreillers, les autres s'y arrêtaient pour une sieste, heureux de s'abriter du soleil et du vent. On apercevait le coin des femmes espagnoles, un enfant par bras, dont l'un agrippé à la poitrine tétait le sein.

La tête plongée dans la chambre de son appareil, un Ikarette, on l'avait aperçue, arpenter le navire, saisir un visage sans l'arrêter, surprendre un geste à la dérobée. Germaine Krull aussi reconnaissait dans les artères dessinées par le remue-ménage des gosses excités, sous les galeries couvertes d'étendages, les places formées par les cercles de militants, les jardins où des femmes en culotte s'allongeaient pour bronzer, la transposition en décalque d'un peu de ce Paris qu'elle avait ausculté avec son appareil dix ans plus tôt, en compagnie d'Eli Lotar. À rebours resurgissait tout un pan de sa vie, la naissance de la revue *VU* et les commandes de Lucien Vogel – les reportages sous les ponts et les grues, à capturer les têtes de poulies, vis, câbles et pistons, les rouleaux de fer et les escaliers branlants ; les silos et installations industrielles harponnés en contre-plongée, dans l'ombre, campant entre les tuyaux de singulières visions. Et toujours, la surprise dans le labo de la cuisine, de voir surgir dans les bains des grandes roues d'acier ou des pieds d'échassiers aux articulations d'écrous. C'était « Les Fers » de « Krull-Métal » – une femme-machine telle qu'elle s'était figurée dans *Autoportrait avec Ikarette* – le visage caché derrière l'objectif, les mains à peine couvertes, la fumée de cigarette mordant la bordure, le cadre d'une image surmontée d'un fil d'étain – à l'aube, tandis qu'Eli dormait, elle explorait le bas de Montmartre, traversait Montorgueil à l'heure du marché, sympathisait avec les vendeuses et les porteurs de quatre-saisons. Elle visitait les seigneurs de la Cloche, autour de Saint-Eustache, sur les quais de Seine, au niveau de Montebello. Les pages de *VU* exposaient l'école de Paris : Brassaï, Cartier-Bresson, Kertész, Bellon ; Man Ray commençait ses expériences de surimpression et ses montages ; Walter Benjamin terminait *Le Livre des passages*, elle l'illustrait à sa demande de prises de vue de la galerie Vivienne, du Caire, des Panoramas. Elle avait déjà forci, enveloppé ses cheveux d'un turban, une cigarette fichée au coin des lèvres, la cendre écrasée de tout son poids. Il suffisait de passer d'une échelle à l'autre du bateau pour traverser l'Europe, de croiser bourgeois déclassés, intellectuels *décadents*, artistes *dégénérés* – des inconnus porteurs de l'histoire d'un peuple ; une concentration unique en un lieu clos des forces de l'agonie, de ce que l'on nomme énergie du désespoir. Germaine Krull pensait tirer un reportage à la manière de son ami Jeff Kessel, *À bord du Paul-Lemerle* pourrait en être le titre, elle en écrirait la légende. On se doutait bien depuis dix ans au moins que tout ça finirait mal, était-il seulement possible de s'imaginer un jour, soi-même, fuir comme une bête traquée ? Une démocratie foutraque et une galerie de personnages hauts en couleur, une masse compacte et fabuleuse à empoigner, l'abrégé en noir et blanc d'une époque, comme un de ces tableaux de Babel avant la chute, une tour écroulée sous des détails fournis. Elle était un de ces personnages, ses amis l'appelaient Chien Fou, rien ni personne n'avait pu la résoudre à n'emprunter qu'une route, et l'idée même de ne pas accepter l'appel de l'inconnu la terrifiait au point de s'y engager au gré des aléas, de la certitude du danger. Était-il possible de vivre autant de vies en une. Fallût-il pour y parvenir se jeter à corps perdu dans l'existence, ne pas en demander son reste, se perdre plus d'une fois, ne rien prévoir sinon l'inattendu et tenir le pas de côté comme seul aiguillon au coin du chemin, se perdre encore, encore jusqu'à ne plus se reconnaître et là, peut-être, renaître. Miser tout pour tout perdre et tout gagner. Éviter les compromis, les petits arrangements, rester ce Chien Fou, une dégaine de sale type ou de gamine un peu dingue, un accent pas possible, et une manière bien à soi de ne pas s'embarrasser des ennuyeux. Être celle que l'on n'attend pas. À partir des chemins de traverse construire une éthique, respecter une promesse. Le soir, dans la cale, après avoir

regardé le croissant de lune entre les nuages, l'Ikarette rangé dans la valise, elle notait dans un cahier
d'écolier un mot entendu, le nom d'une femme ou
d'un homme rencontré, un lieu traversé, la matière
de futures légendes en négatif. Dans la chambre
noire, produire de l'instant.

On ne se lassait pas de raconter quand, aux abois,
l'air hébété et sans y réfléchir, on s'était sauvé, on
l'avait été, on ne s'était pas vu l'être. Il y avait pour
les émigrants prisonniers du bateau, condamnés à se
côtoyer, une délectation à relater le péril, le drama-
tiser, l'ennoblir, romancer son sauvetage, partager
ce sentiment d'avoir échappé au pire, d'être déjà des
survivants, des rescapés d'un naufrage plus vaste.
On se savait d'ailleurs en sursis, prêt à être débarqué
n'importe où, arraisonné, torpillé, détourné, ramené
à la case départ. Non plus qui êtes-vous mais comment vous êtes-vous sauvé ? Ainsi se jaugeait-on à
bord du *Paul-Lemerle*. Et à ce jeu Germaine Krull
étirait son récit, en variait les effets, rejouait la scène
et convoquait la bonne fortune, l'astrologie s'il le
fallait. Assise sur l'un des bancs alignés le long des
tables installées près des cantines, à ses côtés Oskar
Goldberg, un théologien, Siegfried Pfeffer, un
membre du KPD, Alfred et Friedel Kantorowicz, et
une jeune Luxembourgeoise dont elle s'était enti-
chée à l'embarcation et qu'elle protégeait depuis
lors comme une petite sœur. Passer le temps, oublier
l'angoisse du jour – ce bateau qui faisait demi-tour,
reculait, et ces mêmes paysages comme un air de

déjà-vu, la frontière algérienne franchie dans l'autre sens, une manœuvre, une déroute, la fin d'un voyage. Pour qui aime les coups de théâtre, l'histoire de Germaine Krull était un modèle du genre – au point qu'on puisse en douter – mais ce n'était pas crucial, ce qui comptait, au-delà de l'intrigue, des rebondissements, de la dramaturgie propre à son histoire, c'était la force de conviction, le ton, le spectacle et son divertissement, qu'elle offrait à son auditoire. Elle s'y employait, commençait irrémédiablement par cette attaque définitive, comme une maxime : « Qui ne sait jouer ne peut pas perdre et qui ne sait perdre ne peut pas jouer », et puis elle ajoutait : « J'ai vécu quatre années entre Monaco et Monte-Carlo et je m'étais jusqu'alors interdit d'entrer au casino avec plus de vingt francs sur moi, j'étais bien trop joueuse, prête à perdre aussitôt le jeton gagné, incapable d'être raisonnable. Pourtant, ce jour-là, j'entrai avec mes cent derniers francs, misai tout à la roulette sur un chiffre qui n'en est pas un et quittai la table mon salut en poche. La vie est surprenante… Je cherchais comme tout le monde un visa, je travaillais à l'époque pour le magazine du casino de Monaco, puis comme correspondante pour l'Agence France-Presse. Joris avait gagné les États-Unis et avait juré sur la Bible aux services de l'immigration qu'il n'était pas marié. Il m'était donc impossible de rejoindre les USA sans le rendre parjure. Je tentai d'aller à Londres, impossible, puis j'entendis parler de cet ambassadeur du Brésil à Vichy qui admirait mon travail et possédait tous mes livres, les monographies avec Simenon, Mac Orlan, Suarès ou Matisse. Je lui écrivis, il me répondit immédiatement que le visa était sur son bureau, signé. Il devait bientôt partir pour Paris, puis le Brésil. J'étais sans passeport, un ami se rendit à Vichy pour le récupérer. Mais les conditions avaient changé, il me fallait désormais payer pour obtenir le visa. On parlait de cinq mille francs… Je ne vivais que de ce que Joris m'envoyait, et c'était loin d'être suffisant. Je décidai de tout jouer à la roulette, je misai mes cent derniers francs sur le zéro, mon favori. Il sortit trois fois de suite. Mon salut s'est joué sur trois zéros. » On applaudirait presque, la chute était si surprenante. Au temps où elle était installée chez Maurice Privat à Monte-Carlo, elle s'était passionnée pour l'astrologie. Elle était capable de dérouler un thème astral, jouait les diseuses de bonne aventure sur le pont, mais ne se risquait jamais à présager l'échec de la traversée.

Les époux Kantorowicz prenaient la suite et relataient l'épisode du contrôle des passeports au commissariat du port, le nom d'Alfred sur la liste, puis celui du colonel Riverdi prononcé comme un mot de passe, en dernier recours. La douleur encore vive, ils expédièrent l'histoire et s'attardèrent en revanche sur une drôle d'anecdote, l'obtention de leur visa. Ils avaient vécu à Sanary puis la situation s'était dégradée après l'entrée en guerre, s'étaient réfugiés à Marseille, cachés dans la cuisine de la villa Valmer. Le comité de secours des intellectuels allemands en exil rassemblait leurs papiers, organisait la fuite. Ils avaient obtenu leur visa de sortie, attendaient le visa de transit entre New York et Veracruz, et malgré les lettres de recommandation d'Hemingway, du consul Bosques, de leur amie Ellen Wilkinson, ministre de la Home Security sous Churchill, l'affidavit traînait de bureau en bureau. On exigeait encore un parrain, un riche Américain pour se porter garant. Le comité d'aide se chargeait de le recruter, le nom était inscrit ensuite sur le passeport. On leur apprit qu'ils avaient été parrainés tous deux par Melwyn Douglas, un acteur hollywoodien qui venait de jouer dans le film *Ninotchka* aux côtés de Greta Garbo. Ils parlaient en riant de cet oncle d'Amérique, un jeune homme plein de promesses. Une semaine avant le départ du *Paul-Lemerle*, tandis qu'ils se baladaient sur les quais, ils étaient tombés sur son nom inscrit en grand sur l'affiche du film programmé le soir au cinéma du port, *Règlement de comptes*. Ils avaient payé leurs billets, et s'étaient amusés durant la séance à juger d'un œil sévère son jeu d'acteur, l'obligeait à une sorte d'examen, concluait au moment du générique que, oui, il avait assez de charme, de talent et d'humour pour avoir l'honneur d'être leur parrain.

Oskar Goldberg et Siegfried Pfeffer avaient été du départ avorté du *Bouline*, une embarcation de misère battant pavillon belge partie dans la nuit du port de Marseille pour rallier Gibraltar en longeant la côte espagnole, arraisonnée par la police de surveillance maritime en face de la plage des Catalans.

Vingt-deux passagers dont dix militaires polonais, des apatrides et des juifs de Belgique. L'Emergency Rescue Committee avait déboursé pour eux deux les vingt mille francs qu'exigeait le passeur, et l'association dirigée par Varian Fry, cinq mois plus tard, payait leurs billets à bord du *Paul-Lemerle*.

La petite du Luxembourg avouait qu'elle n'échappait à rien sinon à l'ennui, son fiancé vivait au Venezuela, elle ne partait que pour le rejoindre. C'était le seul bateau en direction des Amériques, et elle l'avait pris, trouverait en Martinique un autre navire, puis ils se marieraient. C'était si banal s'excusait-elle, honteuse.

*

La veille, Peggy Guggenheim en compagnie de Victor Brauner visitait Max Ernst à la villa Air-Bel et lui achetait pour deux mille dollars de peintures. Pour fêter la vente et ses cinquante ans, Ernst les invitait à dîner le 2 au soir dans un restaurant du marché noir sur le Vieux-Port. Au moment de se quitter, Max glissait dans l'une des poches du manteau de Peggy la clef de sa chambre.

Le commandant Ferdinand Sagols ne s'imaginait pas jouer à cache-cache avec les Anglais, longer le rivage marocain, camouflé par le train d'une escorte clownesque, traître pour les uns, audacieux Capitaine pour ses matelots, sauveteur, passeur ou collabo aux yeux de ses passagers. Rien ne le prédestinait à s'asseoir à la table, à avancer l'un des pions de ce jeu tactique en Méditerranée puis en pleine mer, à éviter torpilleurs, périscopes et pavillons militaires. Capitaine au long cours sur des paquebots de la marine marchande avant guerre, seul le rétablissement contre toute attente des liaisons commerciales entre les îles et la métropole l'invitait à naviguer, en dépit d'autres menaces, plus retorses que les tempêtes. On parlait de ce croiseur allemand, un cargo armé et camouflé pour attaquer les lignes de commerce, lâché sur les flots, prêt à canonner à l'entrée des ports et au milieu de l'Atlantique. Des bateaux explosaient au passage d'une mine, d'autres coulaient, frappés par un sous-marin, comme le *City of Benares*, touché par une torpille, gisant avec ses passagers au fond de l'océan. La guerre de course faisait rage, le *Paul-Lemerle* et son commandant, jetés entre deux tranchées, devaient rallier Fort-de-France avant la fin du mois d'avril pour y débarquer deux cent cinquante passagers. C'était à se demander si le risque n'était pas bien grand pour une si pauvre cargaison. Aux commandes d'une bassine rouillée, navire de charge en fin de course, rafistolé, vaisseau des morts qui n'avait rien à envier au *Karaboudjan* du capitaine Haddock, Sagols se rêvait un autre destin. Il avait grandi à Maureillas dans les Pyrénées, un village coincé entre le lac de Saint-Jean et la frontière espagnole, derrière le col du Perthus. Une suite d'opportunités, un comportement exemplaire, des dispositions à commander, un caractère d'entêté et la croyance en l'esprit de mérite républicain l'avaient conduit à gravir un à un les échelons au sein de la Société générale des transports maritimes à vapeur jusqu'à devenir capitaine au long cours. Sagols était le premier marin du village, et, coup double, à trente-cinq ans, promu commandant, fierté de sa famille et de la commune. Par le hasard des affectations, il s'était retrouvé sur la ligne des Amériques, dix années entre Marseille, Fort-de-France, Brest, Pointe-à-Pitre, Le Havre, Cayenne. Entre deux traversées, au café de Rivesaltes, le village où il résidait depuis son mariage, il régalait les habitués de ses récits des îles, évoquait la touffeur des Caraïbes au carême, les averses tropicales, des seaux d'eau déversés aussitôt le nuage apparu, disparu avec, le bagne de Saint-Laurent-du-Maroni et les nègres de Guyane, farouches, ceux de Martinique, de grands enfants et leur île : la honte de la France. Il n'oubliait jamais de rapporter une caisse de bouteilles de rhum. Il aimait ce statut qu'offrait le grade, l'autorité naturelle, la déférence de l'équipage et le respect des passagers. Il était revenu de la guerre victorieux et patriote, fier d'avoir appartenu aux vengeurs de 70. Il s'était rangé à l'armistice de Pétain, sa haine du Boche avait migré au rythme du pilonnage de la marine française en détestation farouche de l'Anglais, ce menteur, ce diplomate, ce fourbe marin usant d'ordres et de contrordres pour mieux dicter sa loi. La douleur vive de Mers el-Kébir, indélébile pour la plupart des marins, soutenait le bien-fondé d'une l'alliance franco-allemande en mer. Pétain était pour Sagols l'homme de la situation, il tiendrait tête à Hitler et pourrait remettre sur pied la France, bientôt débarrassée des jean-foutre, paresseux et pacifistes de 40, endormis du Front populaire, vaincus avant de s'être battus. Et des racailles, sémites et autres dégénérés de races mêlées, fainéants, l'essentiel de sa cargaison ce coup-ci. Les mêmes qu'au camp de Rivesaltes. Des fuyards et des lâches, des rats, tous prêts à inoculer ailleurs le virus du socialisme, œuvrant à leur enfer sur Terre de magouilles et de dépravation métissées. Des juifs allemands, polonais, des artistes de tout bord, aux faciès louches d'Ibériques, d'Italiens, de Chinois même, une armée corrompue dont il faudrait s'assurer, la ligne passée, qu'elle ne s'installerait pas dans nos territoires mais filerait plus loin salir leur asile. Sagols prenait à cœur la mission secrète de la traversée : sous couvert de tolérer l'émigration, ils transporteraient vers les colonies un matériel de défense sous-marine attendue par la marine française d'outre-mer assiégée. Le Capitaine tenait une double comptabilité dont le journal de navigation était le témoin. Rien à signaler en onze jours de traversée, il avait pourtant freiné la cadence, décidé d'allonger le trajet de deux escales en Algérie et s'assurer depuis Oran les services d'une escorte de fortune. Un registre falsifié, une cargaison suspecte, cales et canots à double fond, les carnets de l'opérateur radio contraint en temps de guerre à déguiser les échanges, le *Paul-Lemerle* avançait masqué. Sagols haïssait les Anglais au point de saborder son navire s'il venait à être arraisonné, avait-il annoncé assez fort pour être entendu des passagers. La liste d'équipage dans le journal passerelle était aussi truquée, les noms consignés pour partie au bon vouloir des officiers, tout comme les ordres aux manœuvriers selon son bon vouloir, et les opérations de chargement-déchargement caviardées avant l'embarquement : nulle trace des filets et des mines, ni du chargement à Oran ou de la marchandise débarquée à Nemours après la volte-face en pleine mer. Le Capitaine tenait, en marge du livre de bord et du journal de mer, un autre compte rendu pour les autorités, une liste de suspects, y notait les altercations et les propos séditieux, antipatriotiques, nourrissait sa prose de délations éventuelles. Le 1er avril, Sagols relevait l'échange de coups de canon entre un bâtiment anglais à la poursuite d'un convoi français et le fortin sur les hauteurs du rivage. Il y expliquait sa décision, à la suite de l'incident, d'effectuer un demi-tour pour une escale à Nemours, et d'y décharger par précaution les filets à la nuit tombée. Le 2 avril, il notait les réclamations d'un littérateur pédant, un dénommé Breton qui, soi-disant au nom des passagers, se plaignait de l'alimentation. On avait menacé d'abord de débarquer les mécontents à Casablanca, puis de fermer la cantine et de ne plus vendre de pain. Les passagers s'étaient aussitôt tus et avaient accepté leur sort. On promettait de charger à la prochaine escale des bœufs et des moutons dans l'étable construite sur le pont, près des toilettes collectives, et bientôt les assiettes seraient plus garnies. Le 3 avril, onzième jour en mer, à huit heures, le bateau pénétra dans le détroit de Gibraltar, au loin des croiseurs anglais et un porte-avions, le port espagnol d'Algésiras. À onze heures, au partage des eaux, le convoi défila au large de Tanger et dans un océan agité célébra le franchissement d'une première étape, la sortie de l'Europe, l'océan.

5

Les animaux impurs

Casablanca
4 & 5 avril 1941

Les officiers de quart se muaient en fonctionnaires tatillons et consignaient à chaque escale les
entrées et les sorties. Toujours la même comptabilité protocolaire, le même décompte et les mêmes
appelés. À Casa, de bon matin, rebelote, les Français,
une quarantaine, seuls autorisés à descendre, se
rangeaient le long du parapet, déclinaient un à un
nom, prénom, profession, âge et lieu de naissance.
Un officier cochait la liste tandis que son collègue
confrontait la photo d'identité au visage qui lui faisait face. Claude Lévi-Strauss ne s'était pas précipité
à l'appel, il n'avait pas cherché à prendre place en
tête du cortège, mais, plutôt – après douze jours en
mer, exaspéré des tremblements des bons Français,
de la transe collective et des hurlements de joie ou
de terreur, les « oh », « ah » entonnés en chœur,

cette façon de trépigner, de taper en cadence sur le plancher –, s'était mis sur la pointe des pieds pour s'apercevoir qu'en effet rien ne bougeait. Il s'y plaça, récalcitrant, dix minutes après le début du contrôle, et à sa droite, par-delà la rambarde, il aperçut un pan du gigantesque cuirassé *Jean-Bart*, qui trônait dans l'un des bassins industriels de la Maison-Blanche, la carlingue peinte à moitié d'un orange lancéolé. Un type aux larges épaules dans un costume de lin blanc cassé le devançait, la file s'égrenait au rythme des noms ânonnés et des passeports tamponnés. C'est alors qu'il entendit le nom « Breton » puis le prénom « André » sans les associer d'emblée, comme prisonnier d'un temps d'arrêt. Breton négociait à cinq mètres de là avec l'un des indigents du quai. On l'observait transmettre ses consignes, deux feuilles saturées de vert, pliées en deux et un billet de cinquante francs pour les courses, le solde pour le service, à livraison, à la fin de la journée. À bord de cette guimbarde de malheur jetée vaille que vaille sur les eaux, se trouvait ainsi André Breton, et il s'étonnait non pas de la folle situation, mais de son retard à s'en apercevoir. Critique sur ce qu'il estimait être une propension infantile à considérer le surgissement de l'inattendu comme le signe d'une élection, pire comme une manifestation sensible de la pensée magique, maladie de l'esprit à juger les effets en dépit des causes, il ne put s'empêcher de s'émouvoir de la coïncidence. Il admirait cette disposition inédite à faire entrer dans la littérature, comme par effraction, ce qui était dehors sans toutefois s'enchaîner à la besogne absurde d'une rigoureuse notation. Il avait été subjugué par ses fulgurances, ses intuitions, et il gardait en mémoire l'idée qu'il faille piocher ailleurs qu'en soi l'écho de ses propres obsessions : *Un journal du matin suffira toujours à me donner de mes nouvelles*, avait-il noté. Sa place en cabine l'isolait, il s'y enfermait pour lire et écrire, ne sillonnait le bateau qu'en de rares occasions, souvent contraint, devenu pareil à un passager clandestin, et n'avait rencontré en dix jours qu'un Béké en route pour son île, un juif tunisien et deux filles de son âge. Il s'approcha du grand homme, se présenta, intimidé, bredouilla, le tout dans le désordre, maladroit. Breton, en dépit d'un *côté grand siècle*, de ce que l'on supposait de jugement sévère ou de distance naturelle, imposait d'emblée une certaine courtoisie, affable, curieux de tout, amalgamait à l'instant même où son regard se posait sur vous une extrême attention à une délicate ironie. Claude, présenté à Jacqueline Lamba, l'épouse, et à la petite Aube, cheminait plus longtemps à leurs côtés. Breton désignait ainsi le bon compagnon, *la rue comme seul champ d'expérience valable* ; et dès lors, soit il écartait, sans heurt, soit il prenait le bras, poursuivait et, sans questionner, écoutait. Claude cherchait un bon mot, une anecdote qui fasse mouche, tandis qu'ils flânaient d'un seul pas, emmêlait dans son esprit sa lecture du *Manifeste* et celle de *Nadja*, il se grattait la barbe.

Ils s'arrêtèrent à l'entrée de la médina et poussèrent la porte d'un restaurant de poissons au bout de la corniche d'Aïn Diab. Claude se gardait bien de parler de ses essais d'écriture, de la pièce inachevée *L'Apothéose d'Auguste* ou de l'incipit de son roman – il savait trop ce que Breton pensait de *l'affabulation romanesque* –, des cinq heures de la marquise *versus* des livres battant comme des portes. Il racontait, le temps d'un déjeuner, sa guerre, si tant est qu'on puisse l'appeler ainsi. Une guerre sans combattre, drôle quand on s'en souvient, irréelle à l'instant vécu. Agent de liaison, aux avant-postes d'une supposée ligne de front en face du Luxembourg, il relatait les ordres incohérents d'une soldatesque singeant les instructions de capitaines attardés, gestuelles mal apprises, l'impression tenace de participer à la répétition d'une mascarade. Claude en parlait comme d'une longue promenade. Poste 193, agent de liaison W du 2ᵉ bataillon du 164ᵉ RIF, derrière la ligne Maginot, sans instructions sinon d'attendre d'autres recrues. Il finit par battre la campagne des Ardennes, se promener le jour en forêt, la tête ailleurs, sans officier ni capitaine, libre comme un braconnier. « Quand les Allemands engagèrent l'offensive, les agents de liaison d'un bataillon écossais débarquèrent, les Black Watch de la Royal d'Écosse, et nous fûmes évacués sans avoir entendu ne serait-ce qu'un coup de fusil, sans avoir vu ne serait-ce qu'un combat », et il ajouta, comme pour finir sur un bon mot, « la guerre comme à la cueillette aux champignons. J'aurais pu y composer un herbier, la nature était belle et accueillante, le silence jamais rompu, sinon par le bruit de ses pas et du vent dans les grands chênes ». Il décrivit la défaite et la balade sous un soleil de plomb, à la recherche de son régiment, d'abord dans la Sarthe, puis à Bordeaux, le cantonnement ensuite, après être descendu en gare de Béziers, sur le causse du Larzac, l'épi fiché en cigarette et les godasses trouées comme un saisonnier, prêt à faucher les blés et à vendanger le raisin. Ainsi, la France, carte crayonnée de champs et de cours d'eau, d'embouchures de fleuves récités devant le tableau noir, de fromages et de sous-préfectures, meule à ciel ouvert, grenier d'abondance où des troupes affranchies furent lâchées en défroque d'uniforme, dormirent à la belle étoile dans les vallons, descendirent le matin dans les villages, avec la rosée comme seule toilette, traversèrent le temps d'un été de la sainte défaite. Ils avaient joué à la guerre, s'étaient bien vite lassés, avaient balancé l'uniforme, marché la chemise ouverte en fredonnant le « Merle moqueur ». Breton l'interrogeait sur sa destination – New York à l'invitation de la New School for Social Research, une université populaire pour les employés désireux de suivre des cours du soir. Sa place, planche de salut, il la devait au soutien des professeurs Robert Lowie, Alfred Métraux, John P. Gillin et de Georges Devereux, un spécialiste des Indiens Mohaves dont Breton avait lu certains travaux. Claude avait bénéficié de l'aide de la Fondation Rockefeller, une bourse de cinq mille dollars sur

113

deux ans et mille dollars affectés aux frais du voyage. La conversation s'orienta à la fin du déjeuner sur l'influence du primitif sur les mouvements d'avant-garde. En avril 39, au retour d'Amérique du Sud, tandis que Claude préparait au musée de l'Homme sa thèse sur les Indiens du plateau central du Brésil, et déballait dans les sous-sols les objets rapportés de la dernière expédition, vannerie et céramiques des tribus, il raillait avec ses collègues les visiteurs assidus, peintres et poètes, qui glosaient sans rien connaître des arts premiers, il y reconnaissait le dévoiement d'une science par les effets de manche d'artistes en mal d'inspiration, surréalistes et cubistes, rien d'autre qu'une manifestation de l'exotisme. Librement, il en parlerait comme d'une mode ; devant un auditoire dont il ne pouvait s'assurer de l'implication, il critiqua plus volontiers l'autre tare de l'avant-guerre, le récit de voyageurs, une propagande de faux-monnayeurs prêts à transformer le plomb en or, travestissant comme par magie l'attente en frénésie, gommant l'ennui, maquillant le tout en un roman d'aventures. Ils se moquèrent ensemble des récits de Paul-Émile Victor, des carnets d'Alain Gerbault. Ils promirent de poursuivre la conversation à bord.

Relégué sur le *Paul-Lemerle*, *camp de concentration flottant*, Victor Serge et quarante de ses camarades accueillaient en soirée une assemblée d'exilés, société des nations d'un autre bord alertée, de poste restante en télégramme, de l'arrivée de l'opposant au stalinisme, dénonciateur des purges de Thermidor.

Je pars sans joie. J'eusse mille fois préféré demeurer si c'était possible : mais avant que surviennent les événements libérateurs, j'ai quatre-vingt-dix-neuf chances pour une de périr dans quelque sordide captivité. Cette Europe, avec ses Russies fusillées, ses Allemagnes piétinées, ses pays envahis, sa France effondrée, comme on y tient ! Nous ne partons que pour revenir... On recevait, entre la cheminée et les chaloupes du pont supérieur, un jeune socialiste italien, un franc-maçon, un socialiste français. *Nous parlons de perspectives ; ils attendent. Les gens sont veules, mais commencent à comprendre.* Une armée prête à se lever, dans l'attente d'ordres, de batailles à livrer, qui n'était que l'ombre d'elle-même – tous abêtis par la chute des républiques bourgeoises, assommés par le pacte de l'étoile rouge et de la croix gammée, ahuris par les assassinats politiques. Serge haranguait la foule, le cœur n'y était pas, plus – les vaincus d'hier regroupés comme par ironie –, et ici les républicains du POUM trahis à Barcelone, ou là les spartakistes allemands écrasés à Berlin, les anarchistes italiens, les socialistes français et les sans-lutte, les sans-grade, apatrides, juifs, en route, acculés au port, toujours en route, arrêtés sur le pont, bientôt loin. Pour combien de temps ? On apprenait que l'Allemagne et l'Italie avaient déclaré la guerre à la Yougoslavie.

*

Le port de Casablanca était protégé d'un côté par la grande jetée, un barrage de mille cinq cents mètres, de l'autre par la jetée transversale aux Roches-Noires, un bras de mer lesté de cailloux au large. Au milieu, un énorme engin, le *Jean-Bart*, reposait. Un pont d'acier long de deux cent cinquante mètres, flambant neuf, surplombé d'une immense cheminée circulaire comme un silo, des tourelles çà et là, imposantes, chromées, rafistolées par endroits, les ouvriers soudeurs à pied d'œuvre, des échafaudages accolés au bâtiment, il fallait se figurer un tel cuirassé, échappé de l'enceinte fortifiée de Saint-Nazaire, en une nuit, du 18 au 19 juin, qui ralliait Casablanca, en évadé. La construction du *Jean-Bart* en mai 36 répondait à la surenchère italienne et allemande, aux conférences de Londres, fiasco de la diplomatie, l'escalade du tonnage et petit à petit, de croiseur en porte-avions, l'organisation d'une bataille navale avec de vrais gros joujoux. Il était surdimensionné dans ses plans et avait nécessité l'installation d'une baignoire pour son seul gros cul, le terre-plein du bassin inondé le 6 mars 40 en prévision d'une sortie en mer le 1er octobre. Devant l'avancée allemande, les trois mille cinq cents ouvriers des chantiers avaient tenté d'achever, jour comme nuit, la construction d'un interminable vaisseau. Dans le bassin, les soudeurs de l'Arsenal, les matelots-ouvriers s'étaient activés de toute part, tandis que l'architecte s'était désespéré d'une course contre la montre qu'il ne pouvait gagner. On avait monté dans la précipitation les chaudières, l'appareil

moteur et les transmissions, une partie de l'armement, les transmissions intérieures. Enfin, les 6 et
7 juin, les deux hélices, des pales larges comme des
camions, furent installées, tandis qu'en contrebas
mille hommes avaient creusé la tranchée et les canaux
de sortie afin que le *Jean-Bart* pût quitter Saint-
Nazaire entre le 18 et le 22 lors des grandes marées.
L'arrivée des Allemands à Rennes avait précipité les
manœuvres ; à moitié construit, le cuirassé dut s'engager dans la travée, les pièces détachées embarquées
dans sa traîne sur des cargos. Deux jours durant, ce
fut un concert ininterrompu de marteaux, les illu-
minations d'étincelles de soudure, le spectacle de
casques brillants agrippés aux tourelles, six mille bras
actionnés en cadence. Le commandant, décidé coûte
que coûte à prendre la mer dans la nuit ou à saborder
son navire, reçut l'ordre de rallier Casablanca. Les
combats s'engagèrent sur la route de Nantes le 18 au
matin. Le *Jean-Bart*, protégé par quatre blockhaus,
débuta au même moment les manœuvres. Dans la
nuit, les remorqueurs firent pivoter l'énorme masse
de vingt degrés et l'orientèrent dans l'axe du chenal
avant de l'y engager. C'est alors que, touchant au
but, à quatre heures du matin, dans la tranchée, à
quelques centaines de mètres de la mer, le souffle
de l'armée allemande dans la nuque, le *Jean-Bart*
s'échoua par l'avant sur la gauche. Ce fut la panique.
Ce qui n'était que mouvements ordonnés devint l'espace d'une minute désordre furieux. Les techniciens
reprirent la main, laissèrent les sergents s'ébaudir et

mandement hurler. Ils positionnèrent autrement les remorqueurs et, après trois quarts d'heure,
relevèrent le *Jean-Bart* titubant, l'accoudèrent au
chenal et l'envoyèrent une tape sur le cul avec les
premières lueurs de l'aube dans l'estuaire de la
Loire. À 4 h 30, les pales des hélices martyrisaient les
machines et les turbines Parsons à peine déballées, et
le navire voguait à une vitesse de vingt nœuds dans la
rade. Le cuirassé essuya les frappes de trois bombar-
diers, à mille mètres d'altitude, qui balancèrent sur
le fugitif leurs munitions – à 4 h 40, un bruit ahuris-
sant transperça le ciel puis une bombe de cent kilos
explosa entre deux tourelles, soufflant quelques cloi-
sons. À 6 h 30, le *Jean-Bart* fut rejoint par une escorte
de deux torpilleurs, le *Hardi* et le *Mameluk*, et poursuivit son chemin jusqu'au pétrolier *Tarn*, pour un
ravitaillement en pétrole et en eau. Loin du feu allemand, le commandant du cuirassé déclina la proposition des bâtiments britanniques de l'escorter jusqu'en
Angleterre. Ce fut de la débâcle le seul triomphe, on
en fit les gros titres, on salua le courage de la marine,
on broda à l'envi sur les prouesses de l'équipage,
comme le montage au large d'un compas gyrosco-
pique. À son arrivée le 22 à Casa, on fit place dans le
port au vestige brillant de la flotte et à son équipage
qu'on porta en triomphe. Le *Jean-Bart* trôna le temps
qu'on oublie ses exploits. Il devint un bâtiment parmi
d'autres, on tenta d'achever sa construction, on abandonna vite, on finit de le peindre en jaune ocre.

En contrebas du *Jean-Bart*, dans le bassin Delande, à l'ombre de la carène du cuirassé, là où de grandes balles d'alfa attendaient leur chargement, on assistait à une foire aux bestiaux. Transportés à la grue, on y soulevait, gigotant, harnachés et beuglant, entre le quai et le pont du *Paul-Lemerle*, deux bœufs, une vache et trois moutons. Le chargement des bêtes prenait des allures de show, les gamins espagnols aux premières loges dans le bateau assistaient à l'élévation d'un bœuf dans les airs et à sa danse, les pattes dans le vide, affolé. Sur le plancher, libéré de son harnais, il baissait la tête, ahuri, la tournait à gauche à droite à s'en tordre le cou, prisonnier, entouré de part et d'autre des dockers, des matelots, comme un veau toréé, l'un tirait la queue, l'autre s'arrimait aux cornes en riant. Et ainsi de suite jusqu'à la livraison totale de la cargaison. On les lavait à grande eau, on étalait la paille dans l'étable, on chargeait le foin dans une case attenante et on les enfermait, pour un long voyage, animal de trait ou d'abattoir, steak sur pattes ou citerne à lait. Le prêtre lut des versets de la Genèse, comme l'on bénirait un bateau.

Et ainsi, ils prirent tous la mer, tout *un océan à traverser*.

En bon théologien de tradition rabbinique, Oskar Goldberg décortiqua dans un midrash l'épisode de la Genèse. On ne sait si c'est l'odeur pestilentielle des baraquements de toilettes ou des cuves qui inspira la dispute, sinon qu'il prit la suite du prêtre et poursuivit en exégète dans une lecture habile de la gestion des déchets et de la répartition par niveaux de l'arche de Noé : les déchets et les eaux usées étaient stockés sur le plus bas des trois ponts ; les humains et les animaux purs occupaient le deuxième ; tandis que les animaux impurs et les oiseaux étaient relégués au niveau le plus élevé. Dans son argumentation, il précisa pour mieux s'en détacher qu'une tradition divergente situait les déchets au pont supérieur, d'où ils étaient rejetés à la mer par une trappe spécialement aménagée. L'arche formait, selon le tableau qu'il peignait, une boîte rectangulaire dotée d'un toit incliné. On parlait bien de trois étages dans le *Paul-Lemerle* – de sept paires, on ne saurait dire –, mais l'on vit tôt s'installer une organisation par quartiers, la Villette, la place Rosa-Luxemburg, Montparnasse, les Champs-Élysées et Belleville. La cale n'était plus un refuge mais une étuve humide où la paille pourrissait sous des litières rabotées, la chaleur était insupportable sur le pont – météorologues amateurs, les passagers déduisaient au matin le sens du vent, pariaient à la mi-journée

120

sur l'inclinaison du soleil, et bien à l'abri, assis contre le parapet ou blottis dans l'une des chaloupes de sauvetage, un drap tendu, protégés de l'odeur des soutes, de l'eau sale, de l'étable et des baraquements de confort, chérissaient leur chance, défendaient leur royaume. Sur le pont près de la cheminée, il y avait une table et nul ne savait pourquoi. L'unique table. Elle surplombait le bateau et offrait une vue en plongée imprenable sur le grouillement et l'agitation de la ruche, encadrée comme en marie-louise par les vagues et les ressacs. Le soleil y frappait plus fort qu'ailleurs, le vent s'agitait en tous sens, de bas en haut, d'est en ouest, agaçait jusqu'aux plus patients, affolait jusqu'aux plus énervés. L'absence de bastingage ajoutait à l'inconfort de sorte que ne s'y risquait qu'une faune étrange, les intellectuels, à qui la seule présence d'une table suffisait à faire oublier les désagréments. L'université populaire du *Pôvre merle* ouvrait ses portes, on y débattait de tout et de rien, et comme au *Speaker's Corner* de Hyde Park où tout sujet de la Couronne peut s'arroger, pour peu qu'il se place sur un plot, une chaise, une caisse, le droit de tenir discours, conférence, de confier sa recette des scones comme son mode idéal de gouvernement, pour qui veut bien l'entendre. À la table de la cheminée, on pouvait ainsi discourir sur la IVe Internationale, le sens du roman, l'art du développement de la pellicule photographique, du *Voleur* de Georges Darien ou de la poésie de Swift, des peintures corporelles des femmes caduveos, des toiles de Picasso ou de la trahison fasciste de Dalí, devant un noyau serré de gens de toutes nationalités, qui s'élevaient à l'art de la conversation, de la dispute, du débat, de la contradiction. On refaisait le monde, on le réinventait, on en contestait même l'existence et la forme à condition que l'argumentation et le talent de l'orateur pussent offrir à l'auditoire un temps d'oubli, une fraternité de la parole, un gai savoir. Le tout emmaillé de lectures de bouts de roman, de vers éparpillés dont on se souvenait, tissant un cadavre exquis de mémoires mêlées. On convoquait l'assemblée au crépuscule, après le dîner, s'illuminait alors Montparnasse. À tour de rôle, des peintres, écrivains, acteurs et réalisateurs de cinéma, hommes politiques et savants, sur le coin d'une seule table, élevaient la voix, dominaient le sifflement du vent dans les cordages, le clapotis des vagues contre les flancs du bateau et le brouhaha qui montait des autres ponts. Assis par terre à la turque, appuyé contre la cheminée en tire-bouchon, debout dans les chaloupes, on écoutait un épisode du feuilleton russe de la révolution, un portrait du chef de la police de São Paulo, le récit de l'exil à Guernesey, le saccage du café Maldoror, l'incendie du Reichstag. Sur les rivages, les dunes avachies, la mer mêlée au sable, le trapèze d'Orion à l'heure bleue se dessinait, l'exaspération de la touffeur du jour se dissipait, une douce brise s'engouffrait sur le pont, le cours du soir pouvait commencer. André Breton programmait un compte rendu de l'essai de

Marigny de Grilleau, *Les Lois du hasard*, le sous-titre sur la couverture promettait à l'assemblée réunie : *Le Gain scientifique – À la Roulette ou au Trente et Quarante*. Breton précisait l'avoir acheté, par hasard bien évidemment, dans une librairie sur la place de la Vieille-Charité, et que le livre avait été publié en 26 par un éditeur marseillais de l'avenue du Prado, les établissements Moullot. Il portait un titre frappant et la promesse d'un élixir fortifiant – le vocabulaire scientifique en garantissait le sérieux. « Il s'agit non moins de maîtriser les rythmes de la fatalité périodique, car sachez-le, mes frères, le hasard n'existe pas ! Voilà la grande nouvelle ! Tout est rythme et périodicité ! » Après avoir lu l'avant-propos où il était question d'*unité de bénéfice*, de *gain de compensation* et d'*écarts convergents*, Breton éleva la voix et, pour les dissipés, promit la fin de l'hégémonie de la banque, la révolte des joueurs, la véritable fortune, mes amis, la fortune ! Et pour un bateau subdivisé en quartiers parisiens mais aussi en jeux de cartes – en parties de bridge, belote, rami, tarot – et de hasard – roulette, dés, trente et quarante –, la conférence du 6 avril eut de quoi rassembler. On ne comprit rien à la méthode Grilleau mais on rit beaucoup. On en retint qu'il fallait pour contrer l'aléatoire œuvrer à le contourner par la tenue d'un *carnet personnel*. L'orateur insistait d'une voix grave : « Le carnet est tout, la table n'est rien, car toutes les tables sont indifférentes puisque vous n'avez pu relever tous les numéros de toutes les tables. » La belle affaire !

*

Après l'escale à Casablanca, Lévi-Strauss avait été présenté aux anciens pensionnaires de la villa Air-Bel, Wifredo Lam, Helena Holzer, Victor Serge et son fils Vlady, il faisait figure de bienvenue nouveauté tant la cohésion du groupe semblait en passe de se disloquer. Encore fallait-il connaître chacun d'entre eux pour percevoir la lassitude, l'agacement, et entendre derrière les avis tranchés sur tel ou tel sujet une sourde opposition, une inimitié toute prête à virer à l'affrontement. Victor Serge n'acceptait plus les leçons littéraires de Breton, son côté révolutionnaire de salon, ses actes de sédition bourgeois, ce qui semblait supportable au Château dans ses jeux devenait sur le bateau, en compagnie de ses camarades, vain, grotesque parfois, d'une gênante pédanterie souvent. Tantôt il écrivait dans ses carnets, tantôt il s'efforçait d'achever un roman. Breton avait tranché, et ne s'était pas gardé de l'affirmer haut et fort, que ce soit à Air-Bel ou lors d'une des conférences improvisées là-haut sur le thème du roman : il s'agissait d'abattre la contre-révolution du réalisme, l'affreux pis-aller réactionnaire qui ronge la littérature, toutes les affabulations objectives, grotesques sous couvert de vérité ; le tout symptôme du pire des maux : l'esprit de sérieux. Il s'appuyait sur des exemples de cette littérature *malade* tirés à droite à gauche, il fallait être idiot pour ne pas remarquer les attaques à l'œuvre de Serge, insignifiante à ses yeux. Aux vexations s'ajoutaient la nostalgie de l'exil et l'éloignement de Laurette. À Casablanca, une lettre, qu'il lisait et relisait, en colère de sa décision, l'amour arraché. On le retrouvait marchant de long en large, seul, mélancolique, et bientôt il s'écartait de Montparnasse et de son activisme de café du commerce et s'en allait traîner plutôt son air prostré à la Villette, sur le pont avant, participait aux débats spontanés qui rassemblaient les Allemands proscrits, les Espagnols et les Basques républicains, les Russes de l'opposition communiste, les Polonais – il passait, en un sens, d'un escalier l'autre, de la Sorbonne du ciel au Komintern des mers, où les controverses faisaient autrement rage : on s'écharpait sur l'invasion de la Yougoslavie et le pacte germano-soviétique. Parfois, il s'arrêtait place Rosa-Luxemburg, il observait, sans s'immiscer dans la discussion, les membres du KPD en fuite s'invectiver ou voter à main levée des motions de censure, des condamnations par contumace. Il écoutait Kantorowicz au milieu, sévère, implacable, présider aux sessions parlementaires des apatrides allemands. Vlady, son fils, s'ennuyait à mourir, ne supportait déjà plus ces vieux messieurs, traînait ses vingt ans comme un lourd fardeau et dessinait sans cesse. Breton s'en était moqué, des croquis qui ne rimaient à rien, avait-il jugé, après s'être penché dans son dos.

De la musique d'ambiance. Vlady avait menacé de lui casser la gueule, son père l'avait calmé.

De son côté, Breton ne parvenait plus à cacher son vague à l'âme, s'inquiétait de la traversée, supportait mal les conditions et s'en plaignait. Il n'écrivait plus, se disputait parfois avec Jacqueline, elle s'éloignant, puis revenant, lui observant la mer et les étoiles avec Aube. Le récit des expéditions de Claude passionnait Breton, qui le pressait de les raconter à la veillée à ses compagnons. Il en percevait l'ironie mordante, qui ne cachait rien de l'ennui et de la déception inhérents à ce type de voyage, mais acceptait de bonne grâce l'exercice, usait de ressorts semblables, multipliait les noms d'escales, parait son récit de sonorités espagnoles ou indiennes. Il évoqua l'organisation sociale des Bororos, dont il dit qu'ils étaient un morceau de roi pour les ethnologues – l'expression plut à Breton, en ceci que leur organisation compliquée se trouve inscrite dans le plan même du village. Et ironique, Claude ajoutait, un peu comme l'organisation de notre rafiot. Un grand village circulaire, toutes les huttes sont disposées sur le pourtour avec au milieu une hutte beaucoup plus grande que les autres, qui est la maison des hommes, le club masculin où les célibataires dorment, où les hommes mariés travaillent. Il précisa alors qu'il s'agissait d'une société matrilinéaire, où les huttes familiales appartiennent aux femmes et où les hommes par conséquent habitent chez elles. Ils ne sont chez eux que dans leur club central. En plus de cette étonnante répartition,

chaque hutte ou groupe appartient à un clan particulier, dans un ordre rigoureusement prescrit, et le
village est divisé en deux moitiés, les hommes d'une
moitié ne peuvent épouser que les femmes de l'autre,
et réciproquement, de sorte qu'un homme né dans
une moitié grandit dans la hutte de sa mère, mais
quand il se marie, il traverse cette frontière idéale du
village et va habiter chez sa femme qui est de l'autre
côté.

Claude parfois s'aventurait à exprimer sa conception du roman, peut-être avait-il dit « roman » ou
peut-être n'avait-il rien dit, qui substituerait au
voyage linéaire une géographie intérieure, et tro-
querait la notation pour le glissement spontané de
la remémoration, userait d'une prose faite de souvenirs entremêlés, se pillerait, victime consentante du
collage de ses propres documents. La conversation
gagnait en intensité, sans qu'il sût bien où Breton
irait – ils se quittèrent en fin de soirée, Claude promit
de coucher sur le papier ses interrogations. Il est des
questions qui ne peuvent se passer de l'écrit – Breton
accepta d'y répondre.

L'océan se teignit d'un bleu noir, le ciel d'outremer, le tout recouvert d'un épais drap de grande
nuit étoilée. Victor Serge, à moitié endormi dans son
transatlantique, couvert de son manteau de camelot
gris, relisait la lettre de Laurette. On l'observait tri-
turer la mince enveloppe, passer l'ongle dans la
fente, allant et venant, d'un bout à l'autre. Il pensait
à leur balade le long du Rhône, aux Alyscamps, un

soir d'été venteux. La digue bordée par les remparts romains, ils s'étaient amusés à s'inventer d'autres prénoms. Ce dont il se souvenait, c'est qu'ils avaient ri. Un temps suspendu, une parcelle de passé arrachée de haute lutte et offerte au présent. Il suffisait qu'il y plonge et aussitôt il voyait la robe jaune aquarelle de Laurette et sa main posée sur sa taille, recouverte par le léger pli du tissu. Le mistral sifflant dans les travées, sous le pont de Trinquetaille, quand le fleuve s'arriole, lorsque subitement le vent bifurque, se retourne, au ras de l'eau, les vaguelettes formées plus tôt, plus loin, par la force d'une rafale s'opposent en petites montagnes à d'autres vaguelettes dessinées à l'instant par la bourrasque. La lettre était parvenue aux bons soins de M. André Breton, à la poste de Casa, par l'un des avions de l'Aéropostale de Camp Cazes. Les premières lignes, il se les chuchotait :

Victor aimé, je reçois seulement aujourd'hui tes lettres d'Oran. Je viens de les lire d'une traite, assoiffée que j'étais de toi. Tout ce que tu me dis est si beau que j'en suis tout émue. Je ne comprendrai jamais le miracle qui t'a fait m'aimer. Quand je pense que tu aurais pu ne pas exister dans ma vie, j'en suis effrayée, c'est comme si j'étais venue au monde aveugle et sourde. Je vis pour toi et tâcherai de m'améliorer pour être digne de toi. Ce mot est laid et me paraît un peu bête, mais je n'en trouve pas d'autre pour exprimer ce sentiment d'«immérité» que j'éprouve malgré

tout devant ton amour si grand, si beau, si profond,
cet amour qui est à ton image, qui n'est autre que toi-
même. C'est curieux, depuis que je t'ai perdu de vue,
l'autre jour, au port, je vis dans une sorte de nuage. Je
suis sans poids, je flotte et il m'a été impossible jusqu'à
maintenant de me concrétiser, de m'arrêter sur quelque
chose. Aussi n'ai-je pas écrit un mot, bien que pas un
moment je n'aie cessé de penser à toi. Tes lettres m'ap-
portent un peu de ta présence et me permettent de me
ressaisir, de voir plus clair en moi.

Au large du Sahara, Rio de Oro
7 avril 1941

Comme l'on se précipite, après avoir sué sang et
eau et arraché à la page blanche un raisonnement,
pour transmettre à l'assesseur la leçon d'agrégation,
Claude soumit en fin d'après-midi sa note à Breton.
Réveillé tôt, enfermé dans la cabine le jour durant,
il tentait de briller, notait pêle-mêle dans un carnet
des idées jetées en vrac, charpentes supposées d'une
argumentation sur le sens de l'œuvre d'art et la place
du document. Et ce n'est que certain du cheminement d'un point à l'autre, l'esprit prêt à parer les
coups ou à avancer les contradictions, qu'il l'écrivit
d'un trait, ratura deux mots, ajouta en lettres majus-
cules un titre :

NOTE SUR LES RAPPORTS
DE L'ŒUVRE D'ART
ET DU DOCUMENT
ÉCRITE ET REMISE À ANDRÉ BRETON
À BORD DU
CAPITAINE PAUL-LEMERLE

Dans le Manifeste du surréalisme, *A. B. a défini la création artistique comme l'activité absolument spontanée de l'esprit ; une telle activité peut être conçue comme résultant d'un entraînement systématique et de l'application méthodique d'un certain nombre de recettes ; néanmoins l'œuvre d'art se définit – et se définit exclusivement – par son caractère de liberté totale. Il semble que, sur ce point, A. B. ait sensiblement modifié son attitude (dans* La Situation surréaliste de l'objet*). Cependant, le rapport existant, selon lui, entre l'œuvre d'art et le document n'est pas parfaitement clair. S'il est évident que toute œuvre d'art est un document, peut-on admettre, comme l'impliquerait une interprétation radicale de sa thèse, que tout document soit, par là même, une œuvre d'art ? En parlant de la position du* Manifeste, *trois interprétations sont en réalité possibles.*

1/ La valeur esthétique de l'œuvre dépend exclusivement de sa plus ou moins grande spontanéité ; l'œuvre d'art la plus valable (en tant que telle) étant définie par la liberté absolue de sa production. Toute personne, convenablement entraînée et(ant) susceptible d'atteindre à cette complète liberté d'expression, la production poétique est donc ouverte à tous les hommes. La valeur documentaire de l'œuvre se confond avec sa valeur esthétique ; le meilleur document (jugé tel en fonction du degré de spontanéité créatrice) est aussi le meilleur poème ; en droit, sinon en fait, le meilleur poème peut être, non seulement compris, mais produit par n'importe qui. On peut concevoir une humanité dont tous les membres, exercés par une sorte de méthode cathartique, seraient poètes.

Une telle interprétation abolirait l'ensemble des privilèges électifs compris jusqu'à présent sous le nom de talent ; et si elle ne nie pas le rôle de l'effort et du travail dans la création artistique, tout au moins les déplace-t-elle à un stade antérieur à celui de la création proprement dit : celui de la recherche difficile et de l'application des méthodes pour susciter une pensée libre.

2/ L'interprétation précédente étant maintenue, on constate néanmoins, a posteriori, que les documents obtenus d'un grand nombre d'individus, si, du point de vue documentaire, on peut les considérer comme équivalents (c'est-à-dire résultant d'activités mentales également authentiques et spontanées), ne le sont cependant pas du point de vue artistique, certains d'entre eux procurant une jouissance, les autres pas. Comme on continue à définir l'œuvre d'art comme un document (produit brut de l'activité de l'esprit), on admettra la distinction sans chercher à l'expliquer (et sans en avoir la possibilité dialectique). On constatera l'existence d'individus poètes et d'autres qui ne le sont pas, malgré l'identité complète des conditions de leurs productions respectives. Toute œuvre d'art continue d'être un document, mais il y aura lieu de distinguer, parmi ces documents, entre ceux qui sont aussi des œuvres d'art, et ceux qui ne sont que des documents. Mais comme les uns et les autres restent définis comme des produits bruts, cette distinction, s'imposant a posteriori, sera considérée en elle-même comme une donnée primitive, échappant, par sa nature, à toute interprétation. La spécificité de l'œuvre d'art sera reconnue sans qu'il soit possible d'en rendre compte. Elle constituera un « mystère ».

3/ Enfin, une troisième interprétation, tout en maintenant le principe fondamental du caractère irré- ductiblement irrationnel et spontané de la création artistique, distingue entre le document, produit brut de l'activité mentale, et l'œuvre d'art qui consiste toujours en une élaboration secondaire. Il est évident, toutefois, que cette élaboration ne peut être l'œuvre de la pensée rationnelle et critique ; une telle éventualité doit être radicalement exclue. Mais on supposera que la pensée spontanée et irrationnelle peut, dans certaines condi- tions, et chez certains individus, prendre conscience d'elle-même et devenir véritablement réflexive, étant entendu que cette réflexion s'exerce selon des normes qui lui sont propres, et aussi imperméables à l'analyse rationnelle que la matière à laquelle elles s'appliquent. Cette « prise de conscience irrationnelle » entraîne une certaine élaboration du donné brut, elle s'exprime par le choix, l'élection, l'exclusion, l'ordonnancement en *fonction de structures impératives. Si toute œuvre d'art continue d'être un document, elle dépasse le plan documentaire, non seulement par la qualité de l'expression brute, mais par la valeur de l'élaboration secondaire, qui n'est d'ailleurs dite « secondaire » que par rapport aux automatismes de base, mais qui, par rapport à la pensée critique et rationnelle, présente le même caractère d'irréductibilité et de primitivité que ces automatismes eux-mêmes.*

La première interprétation n'est pas en accord avec les faits ; la seconde soustrait le problème de la création artistique à l'analyse théorique. La troisième, par contre, semble seule susceptible d'éviter certaines confusions, auxquelles le surréalisme ne paraît pas avoir toujours échappé, entre ce qui esthétiquement valable et ce qui ne l'est pas, entre ce qui l'est plus et ce qui l'est moins. Tout document n'est pas nécessairement une œuvre d'art, et tout ce qui constitue une rupture peut être également valable pour le psychologue ou pour le militant, mais pas pour le poète, même si le poète est aussi un militant. L'œuvre d'un débile mental a un intérêt documentaire aussi grand que celle de Lautréamont, elle peut avoir une efficacité polémique supérieure, mais l'une est une œuvre d'art, l'autre pas, et il faut avoir le moyen dialectique de rendre compte de la différence, *comme aussi de la possibilité que Picasso soit un plus grand peintre que Braque, Apollinaire un grand poète et Roussel pas, Salvador Dalí un grand peintre en même temps qu'un écrivain détestable, ces jugements n'étant indiqués qu'à*

133

titre d'exemples, mais des jugements de cette forme, bien que peut-être différents ou contraires, n'en devant pas moins constituer le terme absolument nécessaire de la dialectique du poète et du théoricien.

Comme les conditions fondamentales de la production du document et de l'œuvre d'art ont été reconnues comme identiques, ces distinctions essentielles ne peuvent être acquises qu'en déplaçant l'analyse, de la production au produit, et de l'auteur à l'œuvre.

6

Un bœuf sur le pont

Côtes sahariennes
8 avril 1941

Désormais un bref bulletin de position était affiché sur la passerelle. Le bateau longeait les rives de l'Atlas. Si l'on devait chercher un monde nouveau, on accosterait ici, persuadé d'avoir posé un pied sur Mars, perdu dans un mirage. Accoudé à bâbord, on se décourageait d'un paysage statique, ocre et fatigué, un décor de théâtre, où des variations peintes sur bois sont actionnées en coulisse ; à tribord dominait la fausse espérance d'un océan interdit, agrippé, cabotant sans jamais se jeter dans le grand bain. À l'entrepont, on bousculait les officiers en un semblant de mutinerie, soldé par la menace d'un débarquement au camp de Dakar. On s'assagissait aussitôt, emprisonné sur cet affreux mobile, enveloppé d'un cagnard bleu pétard, d'une voûte trouée d'étoiles à minuit. Les gamins titillaient les bœufs, un bâton glissé dans

135

l'embrasure de l'étable. Les plus agités grimpaient sur le toit qui manquait de s'effondrer comme on le ferait aux arènes, en haut des torils, caressaient les cornes, entre deux planches branlantes, menaçaient les animaux réduits à mugir de colère et d'agacement. Après Casa, on s'était énervé de les entendre plutôt que de les voir découpés en morceaux dans l'assiette. Le chargement n'avait rien changé à la bouillie, la viande avait même disparu, ne restait dans les gamelles que des nouilles et des légumes. Il fallut une délégation spéciale, dépêchée par la majorité des passagers, pour que le Capitaine et son équipage consentissent à tuer l'un des bœufs.

La mise à mort eut lieu à l'aube, on y assista comme l'on vient à la grève, heureux et impatient. Le cuisinier assomma la bête, la saigna de bas en haut, puis la suspendit, la tête à demi arrachée par l'entaille profonde d'un couteau démesurément long, accrochée à une potence de cordes et de poulies dressée entre les W-C et le lavoir. Les enfants réunis autour s'époumonaient au spectacle, défiaient la bête trois fois morte d'une claque, sitôt se cachaient dans la rangée, fiers et apeurés, trempaient le doigt dans la palette rouge sang qui avait goutté sur le plancher et s'essuyaient dégoûtés. Ce fut une fête pareille à une foire, le grand jeu de la mort et de la vie, dans une arène de peu. L'énorme marmiton à petite face fendit la foule sous les applaudissements des gamins, ramassa le pot sous la tête ensanglantée et clou du spectacle avala à grandes lampées le récipient de sang chaud. Il s'essuya du revers de la main, puis badigeonna son tablier dégueulassé. En arc de cercle, derrière les bottes de foin, surplombant la piste ensablée, les enfants du premier rang comme les parents acclamaient le boucher comme on ovationnerait le numéro de l'homme fort du cirque, vêtu d'une peau de panthère, soulevant sans suer les poids et les haltères. De la rambarde de l'entrepont jusqu'à l'étage du commandant, c'était ravi qu'on assistait à la purge.

Villa Cisneros
9 avril 1941

Seizième jour en mer. Un supplicié dont le cadavre décharné pourrirait au bout d'une corde, les viscères à l'air, ainsi le bœuf resta suspendu un jour et une nuit, le temps d'en terminer la découpe au matin. Gisant dans l'espace exigu entre les deux parois de bois pourri des toilettes et des douches, asphyxié et déjà imbibé des odeurs, comme le vin de son fût, la bête s'animait, clignotait de mouches lovées dans ses entrailles et de guêpes virevoltant tout autour de sa carcasse, en zigzag, ivres de pourriture. Le fumet rendit vite insupportable la vie des passagers sur le pont, ceux qui, hier, imploraient un sacrifice, protestaient désormais et exigeaient qu'on jetât la barbaque par-dessus bord. Breton, au pied de la passerelle, contemplait les *viandes grotesques,* variation marine d'un *bœuf écorché*. Se souvenait-il de l'histoire des morceaux de carcasse qu'on livrait à l'atelier de Soutine de la rue du Saint-Gothard – on disait qu'il cherchait à se débarrasser d'un cri étouffé de l'enfance et du regard joyeux d'un boucher égorgeant une oie et la saignant. Il s'entraînait plutôt à composer de mémoire une toile du Louvre, le *Bœuf* de Rembrandt – nature vivante débitée – renversée comme la structure d'un lit, quatre pattes en l'air, des yeux d'os brisés peints à grosses touches – l'éventration en une série de tons ocre et cramoisis, et dans l'embrasure d'une porte, la tête d'une servante, un regard arraché au noir de la nuit. Dans l'enchevêtrement d'escaliers et de grues, il étudiait au loin le bœuf saigné qui pendouillait bêtement, encadré d'un bleu vif comme ces pigments peints sur les pierres polies mises bout à bout en tournesol que l'on nomme zellige. Il se perdit d'associations d'idées en échos lointains. Il réfléchit un temps, nota dans un carnet : *Un bœuf écorché, resté suspendu de la veille, les pavillons à l'arrière du navire, le soleil levant.*

*Au large des îles du Cap-Vert
10 avril 1941*

Il tendit une enveloppe épaisse et partit se coucher. C'était une réponse à la note, une feuille pliée en deux d'une écriture serrée et empressée, s'y détachaient des mots soulignés. Claude se précipita dans sa cabine, s'allongea et lut d'une traite. Il reprit, s'arrêta un temps, réfléchit. Au milieu de la guerre, dans un des rares bateaux en partance pour les Amériques, il entamait une relation épistolaire, de la main à la main, sur les rapports entre beauté esthétique et originalité absolue. Il se dit que seul le péril peut offrir de si joyeux contrepieds.

RÉPONSE D'ANDRÉ BRETON
À LA NOTE MANUSCRITE
DU 7 AVRIL 1941

La contradiction fondamentale que vous soulignez ne m'échappe pas : elle demeure en dépit de mes efforts et de quelques autres pour la réduire (mais elle ne m'inquiète pas, ne saurait me confondre car je sais qu'en elle réside le secret du mouvement en avant qui a permis au surréalisme de durer). Oui, naturellement, mes positions ont sensiblement varié depuis le 1er manifeste. À l'intérieur de tels textes-programmes, qui ne supportent l'expression d'aucune réserve, d'aucun doute, dont le caractère essentiellement agressif exclut toute espèce de nuances, il est bien entendu que ma pensée tend à prendre un tour extrêmement brutal, voire simpliste que je ne lui connais pas intérieurement.

Cette contradiction qui vous frappe est, je crois bien, la même que Caillois, je vous le disais, a relevée si sévèrement. J'ai tenté de m'en expliquer dans un texte intitulé « La beauté sera convulsive » (Minotaure

139

n° 5) et repris en tête de L'Amour fou. *Je cède en effet tour à tour – à deux entraînements très distincts : le premier me porte à rechercher dans l'œuvre d'art une jouissance (c'est le seul mot juste, vous l'employez, car l'analyse de ce sentiment chez moi ne me livre que des éléments para-érotiques); le second, qui se manifeste indépendamment ou non du premier, me porte à l'interpréter en fonction du besoin général de connaissance. Ces deux tentations, que je distingue sur le papier, ne sont pas toujours bien démêlables (elles tendent aussi à se confondre dans maint passage d*'Une saison en enfer*).*

Il va sans dire que, si toute œuvre d'art peut être considérée sous l'angle du document, la réciproque ne pourrait aucunement se soutenir.

Examinant successivement vos trois interprétations, je n'éprouve aucun embarras à vous dire que je ne me sens absolument près que de la dernière. Quelques mots, cependant, à propos des précédentes :

1/ Je ne suis pas sûr que la valeur esthétique *de l'œuvre dépende de sa plus ou moins grande spontanéité. J'avais beaucoup plus en vue son authenticité que sa beauté et la définition de 1924 en témoigne : « Dictée de la pensée… en dehors de toute préoccupation* esthétique *ou morale. » Il ne peut vous échapper que l'omission de ce dernier membre de phrase eût été de nature à priver l'auteur de textes automatiques d'une partie de sa liberté : il fallait commencer par le mettre à l'abri de tout jugement de cet ordre si l'on voulait éviter qu'il en subît la contrainte* a priori *et se comportât en conséquence. Ceci n'a malheureusement pas été pleinement évité (minimum d'arrangement du texte automatique en poème : je l'ai déploré dans ma lettre à Rolland de Reneville publiée dans* Point du jour *mais il est aisé de faire la part de ce souci et d'en abstraire l'œuvre considérée).*

2/ Je ne suis pas si sûr que vous de la très grande différence qualitative qui existe entre les divers textes tout spontanés qui peuvent être obtenus. Il m'est toujours apparu que le principal *élément de médiocrité susceptible d'intervenir était dû à l'impossibilité où beaucoup d'êtres se trouvent de se placer dans les conditions requises pour l'expérience. Ils se contentent d'enregistrer un discours décousu, dont les coqs à l'âne, le saugrenu leur font illusion mais, à des signes aisément décelables, on peut constater qu'ils ne se sont pas réellement « jetés à l'eau », ce qui suffit à écarter leur prétendu témoignage. – Si je dis que je n'en suis pas si sûr que vous, c'est surtout que j'ignore comment le* soi *(commun à tous les hommes) se trouve réparti (également ou, si c'est inégalement, dans quelle mesure ?) entre les hommes. Seule une investigation de caractère* systématique *et qui laisse provisoirement de côté les* artistes *pourrait nous renseigner à ce sujet. La hiérarchisation des œuvres surréalistes ne m'intéresse guère (à rebours d'Aragon qui affirmait autrefois : « Si vous écrivez de manière purement surréaliste de tristes imbécillités, ce seront de tristes imbécillités ») ; de même, comme je l'ai donné à entendre, que la hiérarchisation des œuvres romantiques, ou symbolistes. Ma*

classification de ces dernières œuvres se distinguerait
foncièrement de celle qui a cours et, surtout, j'objecte
à ces classifications qu'elles nous font perdre de vue
la signification profonde, historique de ces mouve-
ments.

3/ L'œuvre d'art exige-t-elle toujours *cette élabo-*
ration secondaire ? Oui, sans doute, mais seulement
dans le sens très large où vous l'entendez : « *prise de*
conscience irrationnelle », *et encore, à quel échelon de*
conscience cette élaboration s'opère-t-elle ? Nous ne
serions, en tout cas, que dans le préconscient. Les pro-
ductions d'Hélène Smith en état de transe ne peuvent-
elles pas être tenues pour des œuvres d'art ? Et si l'on
parvenait à démontrer que tels poèmes de Rimbaud
sont de purs et simples rêves éveillés, les goûteriez-vous
moins ? Les relégueriez-vous dans le tiroir aux « *docu-*
ments » *? La distinction continue à me paraître arbi-*
traire. Elle devient à mes yeux spécieuse quand vous
opposez Apollinaire poète à Roussel non-poète ou Dalí
peintre à Dalí écrivain. Êtes-vous sûr que le premier
de ces jugements ne soit pas trop traditionaliste, ne
tienne pas trop compte de la « *vieillerie poétique* » *?*
Je ne tiens pas Dali pour un grand « *peintre* » *et ceci*
pour l'excellente raison que sa technique est manifeste-
ment régressive. Chez lui, c'est vraiment l'homme qui
m'intéresse, et son interprétation poétique du monde.
Aussi ne puis-je m'associer à votre conclusion (mais
ceci vous le saviez déjà). D'autres raisons plus impé-
rieuses militent en faveur de sa non-acceptation de
*ma part. Ces raisons, j'y insiste, sont d'*ordre pratique

(adhésion au matér. histor.). L'allégement de la res-
ponsabilité psychologique est nécessaire à l'obtention
de l'attitude initiale dont tout dépend, soit, mais la res-
ponsabilité psychologique et morale au-delà : identifi-
cation progressive du moi conscient avec l'ensemble de
ses concrétions (c'est bien mal dit) tenu pour le théâtre
dans lequel il est appelé à se produire et à se repro-
duire, tendance à la synthèse du principe du plaisir
et du principe de réalité (pardon de rester encore au
bord de ma pensée sur ce sujet) ; mise en accord à tout
prix du comportement extra-artistique et de l'œuvre :
anti-valérysme.

Pleine mer
11 avril 1941

On lui donnait du docteur, du maître, ou simplement du monsieur Smadja avec cette déférence
qui sied à ceux dont l'aisance et le pouvoir sont des
attributs. On vit même le Capitaine le saluer d'un
Smadja et d'une tape dans le dos. Certains en parlaient comme d'un homme en fuite, d'autres en
voyage d'affaires. On alla jusqu'à l'imaginer en mission, et le flou autour de sa situation le promut agent
double, triple, dont on serait bien en peine de désigner le bord – intermédiaire du Néo-Destour tunisien, agent des renseignements, mouchard à la solde
des Allemands, espion surveillant les passagers et la
cargaison de bons pétainistes, ou gaulliste œuvrant

sournoisement pour le compte des Britanniques. Sa façon de naviguer en eaux troubles, de prendre le thé avec les industriels, habillé à la dernière mode, bon partenaire de bridge, affable, courtois et taquin, amuseur des dames et amateur de cigares, de traîner le soir à Montparnasse, de régaler l'assemblée de son bel humour, estimé des surréalistes et compagnon de conversation du taiseux Victor Serge, de deviser à l'aube, dans le carré des officiers, face à la mer aux côtés du commandant, de déambuler sur les quais d'Oran ou de Casa, serrant la main du patron du café, embabouinant jusqu'à l'amiral, Henri Smadja, appelons-le ainsi, même si son nom absent des registres ne pourrait s'énoncer avec la plus grande certitude, était l'homme dont on se méfiait mais l'ami de tous. Un paradoxe vivant et un personnage de roman. Nul ne savait comment, une place l'attendait à l'embarquement dans l'une des deux cabines disponibles, il y avait installé un bureau-dortoir sur la couchette supérieure, à côté d'un jeune savant et d'un Béké démobilisé de retour au pays. Sa valise, mallette ou attaché-case ouvert sur le lit, un oreiller calé dans un coin, des livres alignés sur le rebord du hublot, et ses notes, contrats, certificats étalés sur la couette rêche. Il était insaisissable, s'adaptait à chaque instant à la discussion, variait légèrement son récit, de sorte qu'il paraissait impossible de l'entendre vous conter d'un seul tenant son parcours. C'était toujours par bribes, un pan d'histoire par-ci, une indiscrétion par-là, et déjà il vous questionnait sur votre vie et vos projets. Il n'affirmait rien, ne répondait pas sans qu'on en prenne ombrage, il embarquait la conversation ailleurs, en un instant, une digression subtile et l'interlocuteur en oubliait jusqu'à sa question. Ce n'était ni un menteur ni un hypocrite, c'était bien plus, c'était Smadja. Il avait ce faux air de Jules Berry, le patron de la maison d'édition Batala du *Crime de Monsieur Lange*, spirituel, matois, dont on tairait le vice pour peu qu'il vous offre de son temps. Juif tunisien, il avait été médecin, riche propriétaire terrien et producteur d'olives. Il s'était inscrit au barreau, et n'aimant rien moins que l'ennui et l'inaction il s'était lancé en politique de la manière dont les hommes de peu de conviction s'y prennent, défenseurs, disent-ils, de la liberté de la presse et de l'opinion, il avait fondé un journal. C'était *La Presse de Tunisie*, anti-Front populaire, procolonialiste. Mais le journalisme ne saurait suffire à qui veut conquérir les urnes, il faut un club de football. Camus y apprit la morale, Smadja le populisme. C'est ainsi qu'il s'empara de la présidence de l'Union sportive tunisienne, doyen des clubs du pays, multiconfessionnel, vainqueur sous son règne de trois titres de champion et de cinq coupes nationales. Il devint membre du Grand Conseil. L'abrogation du décret Crémieux l'avait contraint à fermer fin 40 *La Presse* et à démissionner de l'UST. Il ne partait que pour revenir, aussi disait-il organiser ses affaires, à New York, dans les prochaines semaines. On se questionnait pourtant sur la roublardise du bon-homme, qui allait et venait d'un bout à l'autre du rafiot, sans montrer patte blanche, débarquait sans passeport, entrait et sortait de la cabine du commandant, passait d'une langue à l'autre, de l'arabe des docks au catalan des réfugiés. Selon qu'on lui prêtait de grands pouvoirs, Smadja était un espion. Pour d'autres, c'était un simple margoulin, un commis voyageur sans scrupules. Claude, qui l'appréciait, n'en pensait pas moins, Victor Serge également – ils avaient tous deux vécu une scène identique, où il était question de toiles et de valise, ils divergeaient sur le nom du peintre. Smadja avait d'abord conduit Serge dans sa cabine, puis, baissant la voix et sur le ton du secret, lui confiait : *Ah, je vous promets que vous allez voir une merveille !* Il sortait de son bagage, recouverte d'une pile de chemises, une petite toile, qu'il avait achetée d'occasion à Alger. Elle était authentique, assurait-il, une toile de maître négociée cinq cents francs… Serge reconnut un portrait de Berthe Morisot, *daté de 1873, une femme couchée, vêtue, des bleus chauds, un Manet.* Puis, tout en se vantant de la culbute, dix, cent, mille fois son prix, scrupules de mercanti, il parlait ruine et sauvetage de la culture : *Cinq cents francs, cinq mille ou cinq millions, je m'en moque, mais acheter, sauver un tableau, y trouver de la joie, sauver un moment de son âme au moment où le grand bateau* Civilisation *risque de couler à pic avec toutes ses Sixtine et ses laboratoires Curie.* Ils s'accordaient

146

sur le modèle, mais, pour Claude, à n'en pas douter, c'était un Degas. Ils discutèrent ensuite d'*Olympia* et du peintre que l'on perçoit dans le tableau, et le regard électrisé du chat sur le lit. Ils ne parlèrent ni de Soutine ni de Rembrandt.

7

Langoustine des prés
& poissons volants

Pleine mer
12 avril 1941

On essuya une tempête, ce fut un avertissement. La benne était lourde et vieillotte, elle tanguait, les vagues se déversaient avec aisance, nettoyaient l'étable et rinçaient le pont. Trois gamins casse-cou défiaient l'océan arrimés aux écoutes, une femme qu'on disait folle, assise dans un transatlantique à l'entrepont, dormait, on la retrouva trempée au petit matin. On racontait avoir entendu à la radio qu'un cargo britannique, le *St. Helena*, avait coulé au large de Freetown, torpillé par un sous-marin allemand. L'eau bleuâtre s'infiltrait à grands seaux dans la cale, un bruit sourd semblait prendre sa source dans les coups de lame, à intervalles réguliers. Les officiers ricanaient de la panique générale. Après la ligne, prévenait l'un d'eux, arrêtés au Pot au noir, une ceinture de bonaces au calme effrayant, lézardée de nuages absurdes, une eau virant en un instant mazout, suspendue, évaporée et pourtant épaisse, *un espace clos et non plus au large*, on oublierait le temps. Un sas d'où l'on aurait extirpé l'air, expié les fautes d'un monde, aspiré l'élan d'un autre. Le vent forcirait sans cesse, s'agiterait une mer vicieuse, hérissée, se lèveraient une succession de vagues tordues aux grands creux, des scélérates – la saison des ouragans était passée et l'on pourrait traverser sans encombre, pour peu que l'on respectât la mer. Il énuméra les mots interdits à bord, en tout cas pour l'équipage, de vieilles traditions qui remontaient aux caravelles. L'usage du mot corde proscrit, on parlait de filins, manœuvres, bouts ou écoutes – le mot s'employait uniquement pour pendre les mutins, et alors seulement évoquait-on, la corde du pendu. Il détaillait les rites et les coutumes, la légende de matelots fantômes et de voiliers perdus, de quarantièmes rugissants et de cinquantièmes hurlants. Pâques approchait, c'était un vendredi saint, et dimanche sonneraient les cloches et gambaderaient les lapins. « Oh grand Dieu, pas les lapins, s'il est un animal maudit, c'est le lapin, le diable des navigateurs. On n'en parle qu'à demi-mot, au mieux on l'appelle par un autre nom, l'animal aux grandes oreilles, le cousin du lièvre, le coureur cycliste, le zébro, le pollop, la langoustine des prés même ! C'est notre chat noir, c'est pire qu'un prêtre, c'est pire qu'une femme à bord ! Ça date du temps des cargaisons qu'on saisissait avec des cordages de chanvre, c'te bête-là les rongeait, la marchandise foutait le camp, valdinguait dans les cales, déstabilisait le navire jusqu'à parfois le faire chavirer. Dans les bateaux en bois, c'étaient les planches de bordage en étoupe de chanvre qu'il rongeait... Alors Pâques en mer, oubliez... Mais dimanche, on s'amusera autrement, ce sera le grand carnaval. Demain, dimanche, vous franchirez la ligne ! » Il expliqua à ceux qui n'avaient jamais traversé l'Atlantique ce que signifiait franchir la ligne, il parla de la fête de Neptune. « Vous verrez, c'est la fête, même le Capitaine y participe, on se déguise, on danse, on chante jusqu'à ce que la nuit vienne. » Les passagers déjà baptisés lors d'autres voyages racontaient à leur tour l'ivresse et la douce folie, les danses d'Amphitrite et les chants du roi Neptune, la bouffonnerie du juge et de l'évêque de la ligne, l'astronome de pacotille et les hordes de bons sauvages, l'immersion dans la piscine ou l'onction à la lance à incendie, la chasse aux trésors et le tir à la corde, des épreuves de goûter d'anniversaire, et au crépuscule, le music-hall improvisé, les chants, sketches, ritournelles et saynètes de boulevard. Ils se dirent que, guerre ou pas, ils s'amuseraient, que danser dans les flammes est un ultime défi lancé au malheur. Ils organisèrent, confinés dans la cale, le déroulé des festivités, les parades et les numéros d'opérette, se répartirent les tâches, la construction du bassin de toiles ou l'estrade du juge, la fabrication de chapeaux en papier et de tridents en carton, la préparation de la tambouille de papier mâché pour les grands sceptres.

Ils sortirent à midi.

Premiers poissons volants. Ils bondissent hors de la vague et la survolent d'un long mouvement ondoyant, zigzaguant, vraiment pareils à des oiseaux. Sans doute en chasse ou chassés.

Hier c'était l'hiver, demain sera l'été.

Pot au noir
13 avril 1941

L'horaire était réglé sur la timonerie, l'opérateur calculait la position et annonçait, assuré de son coup, que le *Paul-Lemerle* franchirait la ligne du Tropique vers dix-sept heures. Les officiers de quart comme les manœuvriers organisaient l'après-midi de fête. La foule s'était amassée pour entendre les instructions, les Polonais traduisaient aux Allemands qui traduisaient aux Français, qui avaient déjà compris et traduisaient aux Espagnols les consignes éparpillées et embrouillées mais, au plus grand étonnement des matelots, respectées à la lettre. En une matinée, la moitié du navire avait pris les allures d'une salle de spectacle, dont la scène épousait l'arrondi de la proue, au milieu du pont, un bassin se remplissait d'eau de mer, le bruit des pompes se joignait au vacarme. Abrutie par le soleil et l'humidité, les tempes vrillées par une vilaine migraine, Anna Seghers observait le va-et-vient agité des dames du pont. Les femmes espagnoles avaient refusé de participer à la fête, elles avaient déclaré d'une seule voix qu'elles ne chanteraient pas tant que les hommes restés à quai ne leur seraient pas rendus, et même qu'elles ne chanteraient plus. À la proue du cargo, on entassait les tonneaux, les chiens et les gosses comme l'on fait place nette un soir de Noël dans les salons et que l'on cache aux enfants l'arrivée des cadeaux. Elles proposèrent de garder la marmaille. On sifflerait l'arrivée de Neptune et d'Amphitrite, les chérubins alors débarqueraient en cortèges de diablotins. Après le déjeuner, le rythme s'accéléra, la fête se devait d'être grandiose, on dressa le chapiteau tandis qu'en coulisse un grand Marseillais, appelé à être le maître de cérémonie, passait en revue un à un les numéros. Dans les hauteurs, suspendu à une tourelle, celui que l'on ne tarda pas à surnommer le Tchèque volant tournoyait dans les airs, assuré par le harnais du bétail. Il descendait à mi-hauteur à l'aide d'une poulie qu'il maniait bizarrement sans gants, lâchait par secousses la bride, et tendait les bâches à chaque extrémité, *zzzziiiiiiippppppppppp*, entendait-on dans un bruit aigu de bouts. Le ciel eut l'air blafard un temps, se couvrit en un instant, arrosa le plancher de gouttes lourdes, détrempa le pont, puis s'évapora sur le sol et dans le ciel. L'eau de pluie lava l'eau de mer, on sécha habillé. En contrebas, les adolescents en caleçon de bain s'arrosaient dans la piscine. Chaque coin du navire s'activait pour parfaire le cérémonial. Près des écoutilles, à l'atelier tailleur, on terminait la robe du juge, on raccommodait une écharpe rouge et les boutons d'un veston bleu marine, la chemise de nuit de Neptune et son ample pantalon, des braies. À l'entrée des cales, l'atelier sculpture et menuiserie battait son plein, Lam rabotait un pieu et dressait le décor de bois d'un petit théâtre de Guignol. Plus loin, à l'entrepont, l'atelier perruque était sens dessus dessous, à court de chanvre, on ne termina pas la longue barbe de Neptune qui ressemblait à celle du père Noël, ou plutôt, bonnet pointu en papier sur la tête, à la barbiche du saint Nicolas des Alsaciens.

Débuta une chasse au trésor. Du seul trésor qui pût compter à bord, ni d'argent, ni d'or, ni de babioles, mais de paquets de cigarettes et de boîtes de sardines qu'on cacha dans les recoins du navire, comme les œufs de Pâques dans des pots de terre. On courut en tous sens, inspectant jusqu'aux cales, les doigts sous la rampe du parapet ou sur le pont supérieur dans les écoinçons des canots. Les vainqueurs paradaient clope au bec ou deux doigts dans l'huile et, gueule en l'air, se bâfraient de sardines. On entendit la cloche et un matelot hurla qu'on franchissait la ligne tel le finish de la course de l'aviron sur la Tamise. On libéra les enfants et on ouvrit le bal. Parti des coursives, Neptune s'avançait triomphalement, souverain, au bras d'Amphitrite en peignoir blanc, dans sa traîne, les enfants hurlaient et

le bruit de la cloche rythmait la fanfare. Les attendaient au bord de la piscine les passagers néophytes,
candidats au baptême, et les assesseurs de la ligne,
juge et évêque. Nymphes et follets se ruaient des
escaliers au pont. Les marins traquaient les récalci-
trants, les ramenaient de force à l'avant du bateau,
on ne rigolait pas avec le jugement de son âme.
Voici que la cérémonie débutait, solennellement le
grand Marseillais imposa le silence, jouait des basses
en aggravant le ton, d'un bout à l'autre de l'arène :
« Mesdames et messieurs ! » Puis, il rappelait les
règles du rituel – les barrières et les grades n'exis-
taient plus, en ce mardi gras de libations, les marins
et les passagers se mêlaient en une foule compacte,
singeaient l'Olympe et sa cour. Encore fallait-il pour
traverser la ligne payer son tribut au roi des océans et
recevoir le baptême, immergé dans l'eau du bassin.
On les convoqua un à un à la barre, un à un plongés
dans l'eau, un à un reçus à l'examen. On y jeta même
l'avocat viennois chauve. Puis les mouillés bientôt
plus nombreux poursuivirent les secs, et lorsqu'il
n'y eut plus personne à chasser on prit le commandant, en bel uniforme, qu'on immergea respectueu-
sement, doucement et tout entier. Peut-être Claude
s'amusa-t-il d'un exemple atypique de syncrétisme
mêlant les divinités de l'Olympe au vicaire du Dieu
chrétien et à l'autorité temporelle du commandant
et du juge. Peut-être même avait-il pensé au concept
de *rites de passage* d'Arnold van Gennep dont il avait
enseigné les mécanismes à ses étudiants brésiliens de

São Paulo en 35, lors d'un cours sur les formes élémentaires de la vie sociale et religieuse. Peut-être même s'était-il penché vers Serge ou Breton, peut-être avait-il glosé sur le sujet, expliquait que dans le monde ancien les portes des villes, les bornes ou les limites d'un territoire avaient un caractère sacré, et que les franchir nécessitait une série de précautions. Un peu comme ici le passage d'un monde à l'autre. Peut-être avait-il raconté l'histoire du roi de Sparte qui, partant à la guerre, s'arrêtait à la frontière de la cité pour procéder à des sacrifices. Ensuite seulement il pénétrait dans cet entre-deux où se déroulaient les combats. C'est sur ce motif, celui du franchissement d'un seuil, qu'il aurait peut-être conclu sur son caractère intangible, un élément commun entre les civilisations et les cultures et les siècles, à partir duquel on pourrait comparer des rites qui paraissaient de prime abord sans rapport entre eux, tels les cérémonies de mariage, les baptêmes, les circoncisions, les rites de purification, les cultes totémiques, les initiations chamaniques, les rites de fécondité ou cette fête de Neptune.

La nuit tomba, on s'habilla de vêtements propres, on peigna les garçons, on noua un ruban dans les cheveux des filles, on se fit beau pour la générale, première et dernière au théâtre du pont. Un réflecteur éclairait la scène, d'un seul feu de phare aveuglant. Curt Courant, chef opérateur de Fritz Lang, de Tourneur et de Renoir, rien de moins, s'était mué pour l'occasion en porteur de torche d'une machinerie informe – en hauteur, il substituait aux poursuites une seule lumière latérale, un fort rayon qui découpait des ombres sur les toiles tendues et donnait à la représentation son côté burlesque. L'auditoire accroupi assistait à une suite d'improvisations en toutes langues, en bulgare, en anglais, en russe, un monologue furieux en français dont on n'entendit que la colère, une chorale russe qui entonna *Volga Volga*, trois couplets de matelots, une fillette espagnole récita un poème, deux Serbes, médecins et diplomates dans la vie, parodièrent la société du *Paul-Lemerle*, mimèrent les brimades et les ordres dans un français phonétique fait d'onomatopées, et on entendit au milieu des éclats de rire, les impératifs baragouinés : « PAPIRES MESSIRES ! VIZA É SUFE-CONDUT ! » ou : « À TABLE – ZOUPE – À TABLE. » Deux Marx Brothers, vedettes de la soirée, qu'on applaudit à tout rompre, dans un finale chantant. Un Polonais ferma le bal sur un air d'accordéon, une plainte qui s'étirait dans le lointain.

8

Les Jars d'Anna

Pleine mer
14 avril 1941

Qu'emporte-t-on dans l'instant ? Quand il faut, du jour au lendemain, plier bagage et laisser son monde derrière soi sans espoir d'y revenir. L'objet le plus précieux et pour lequel on rebrousserait chemin en dépit du danger, ou monnaierait à son voleur le rachat de son larcin ? Aurait-on conscience de l'irréversible ? Aurait-on l'intuition immédiate de cet objet ? C'était une question obsédante pour Anna Seghers ; s'y jouait, disait-elle, au-delà de l'idée convenue de possession, dans le feu de l'action, une part de vérité, ce qu'on ne peut cacher. Confus dans son esprit, c'était pourtant crucial. Une machine à écrire, un acte de propriété, un tableau, un bijou, une photographie, une montre, une lettre, un coquetier, qu'importe l'objet sauvé. Si l'on devait, au seuil de l'exil, n'en choisir qu'un, lequel serait-ce ? Elle imaginait que l'inventaire des deux cent cinquante objets des deux cent cinquante passagers serait un réservoir de nouvelles, retracer le parcours de chacun camperait une épopée collective.

Elle se souvenait de ce matin du 10 juin 40, les rues désertes de Bellevue, le brouillard sur les vallées de la Seine, et les informations diffusées par le poste de radio : l'entrée en guerre de l'Italie et les réfugiés toujours plus nombreux sur les routes. Rodi, son mari, arrêté en avril et détenu dans le stade de Roland-Garros, avait été déporté au camp du Vernet-d'Ariège dans les Pyrénées. Vers onze heures, Jeanne Stern de retour de la rédaction de *L'Ordre* l'avait avertie : « Anna, l'armée allemande vient de percer la dernière ligne de défense sur le front. Dans peu de jours elle sera à Paris. Tu dois partir tout de suite avec les enfants et essayer de passer la Loire pour être en sécurité. » L'après-midi même, Anna, Ruth et Pierre se mettaient en route, le barda sur le dos, kilomètre après kilomètre, vers Orléans. Dans les valises, des vêtements pour dix jours, un masque à gaz et une couverture – Pierre emportait ses lunettes d'astronomie et une housse de coussin en soie rouge écarlate, brodée d'un grand dragon jaune et orange, ainsi qu'un exemplaire du *Merveilleux Voyage de Nils Holgersson à travers la Suède* de Selma Lagerlöf ; Ruth, une poupée de chiffon qu'elle portait à la bouche à en user le tissu ; Anna, ses carnets de notes et des livres, l'*Iliade* et l'*Odyssée* dans la traduction en allemand de Johann Heinrich Voss, les romans

160

de Conrad, *Lord Jim* et *Typhon*. Ce n'est qu'en route, loin déjà, qu'elle s'aperçut, tandis que Pierre, en culottes courtes, guidait la tribu sur les départementales, carte Michelin dépliée, avoir oublié dans le tiroir du bureau le manuscrit de *La Septième Croix*. Elle avait par sécurité envoyé une copie à Franz Carl Weiskopf à New York, le priant de trouver un éditeur, une à Wieland Herzfelde aussi, et une autre avait été confiée à un ami de Rodi, Fernand Delmas, pour qu'il en traduise une dizaine de feuillets. Le dernier exemplaire, elle l'avait caché dans l'appartement parisien de Bruno Frei, déporté au Vernet. Ces duplicatas de son roman, plutôt que de la rassurer, devinrent le motif de son inquiétude. Et si, pensait-elle, tous disparaissaient, ce livre serait-il perdu à tout jamais ? Elle doutait sans rien en dire – après une journée de marche, le pavillon de Meudon paraissait si loin. Ce roman dédié aux antifascistes – comme ceux, nombreux, en proie à la persécution dans son pays –, Anna Seghers l'avait conçu comme le livre de l'exil, une allégorie écrite avec rage et nostalgie. Rage à l'écoute des récits de persécution qu'elle recueillait dans la communauté des exilés, la barbarie implacable et la terreur sourde. L'un de ces témoignages avait servi de trame et de titre au livre, on racontait qu'un commandant de camp de concentration avait ligoté sur des croix des évadés repris. De ces crucifiés pour l'exemple, elle imaginait le récit de l'évasion de sept Allemands affectés à une colonne d'extermination d'un camp de Rhénanie. Un acrobate, réfugié sur

161

un toit, descendu par des balles de policier ; un vieux paysan mort d'épuisement et d'émotion en apercevant son village en haut d'une colline ; un bourgeois craintif qui se rend à la Gestapo ; dans son roman, un seul des fugitifs parvenait à échapper à la machine policière et à passer la frontière hollandaise, c'était la septième croix, vide, *Das Siebte Kreuz*, l'espoir.

Épuisés, sans nourriture, après plusieurs journées de marche, dépassés par l'offensive de la Wehrmacht, ahuris au milieu d'un flot d'autos à l'arrêt, de tanks perdus dans les champs et de bicyclettes lestées comme des charrettes de foin, Anna Seghers avait décidé qu'ils rentreraient à Paris. Ce fut en auto-stop à bord d'un camion de militaires en déroute, à l'arrière d'un fourgon. Elle lisait aux enfants le dernier chapitre de l'*Odyssée*, l'épisode du lit creusé dans le tronc d'un olivier. Il faisait beau, le vent secouait les cheveux, couchés sur la tôle vrombissante, entre les sacs, légers, ils goûtaient au parfum de l'aventure. Ils entrèrent dans Paris par la porte d'Italie, descendirent les Gobelins déserté, ils finirent par atterrir dans un hôtel près du carrefour de l'Odéon, une petite chambre rue Saint-Sulpice. Anna Seghers se savait recherchée par la Gestapo mais sous son nom d'écrivain, aussi avait-elle un temps d'avance. Pour ses voisins de Meudon, c'était les Radványi, Netty et László, deux Hongrois qui s'appelaient entre eux *Netty* et *Tschibi*. Assez vite, elle envoyait Pierre récupérer la copie du manuscrit confiée à Bruno Frei. Il revint, penaud, l'immeuble avait été soufflé par la première bombe allemande tombée sur Paris. On parlait aussi d'appartements pillés, d'immeubles réquisitionnés. Il devenait urgent de se rendre au pavillon de Bellevue, d'en rapporter des vêtements pour l'hiver et l'original de *La Septième Croix*. Else, une amie polonaise, accompagna Pierre. Ils rentrèrent piteux, une valise pleine de pulls, de pantalons et de couverts mais sans manuscrit. Le voisin, l'ancien directeur de la manufacture de Sèvres, leur avait expliqué que la Gestapo était passée en juillet. Apeurée, craignant d'être suivie et arrêtée, Else avait décidé de brûler immédiatement le paquet de feuilles dans le calorifère de la cuisine, « pour qu'il ne tombe aux mains des nazis », s'excusait-elle. Anna l'écoutait, en larmes. On ne pouvait compter que sur soi-même, pensa-t-elle, furieuse de ne pas avoir emporté un double lorsqu'il était encore temps, de ne pas s'être rendue elle-même à Meudon. Il ne restait que l'exemplaire de traduction de Delmas, elle espérait en secret qu'il ne soit pas déjà de l'autre côté de la ligne. Anna se promettait de rejoindre un village des Pyrénées aux abords du camp du Vernet, et d'en sortir Rodi et déguerpir de ce satané pays. Ils finirent par atteindre Le Vernet, non sans difficulté, gagnant Moulins à travers champs, le long d'un sentier de bûcheron, puis, imprudents, Vichy, enfin, en train, via Saint-Germain-des-Fossés, Limoges, Agen et Toulouse. Au bout de ce périple, ils descendirent en gare de Pamiers, à quelques kilomètres du Vernet. Anna obtint la permission de rendre visite à

Rodi. S'entassaient dans le camp des vagues successives d'immigrés, les républicains espagnols et les combattants des Brigades internationales, les antifascistes, les *étrangers indésirables* qui fuyaient l'Espagne, l'Allemagne, coincés dans les contreforts des montagnes. Rodi avait pour compagnons l'écrivain Friedrich Wolf, Max Friedemann et bien sûr Bruno Frei, qui apprit de la bouche d'Anna la destruction de son appartement, de ses livres et de sa correspondance.

Ils s'installèrent au numéro 4 de la rue du Portail-Rouge, appelée la maison de « Madame Jeanne », du nom de leur hôte, une cartomancienne de Pamiers. Les enfants à l'école communale, Anna s'asseyait au bistrot du village et retrouvait ses habitudes, un café et un verre d'eau et la paix des heures durant. Les livres avalés deux par deux et l'écriture peu à peu s'imposeraient pour affronter d'interminables soirées. Le bruit ne l'importunait jamais ; les conversations seulement si elle en était le sujet. Elle empruntait à la bibliothèque municipale les volumes de *La Comédie humaine*, décortiquait les rouages de l'armature narrative, obnubilée par la façon dont Balzac isole un événement, le pose au centre du roman et y jette ses personnages. C'était une langue aussi dont elle s'était imprégnée, recopiant dans ses cahiers des pans entiers de *La Maison Nucingen* ou de *La Fille aux yeux d'or. Ah ! sachez-le : ce drame n'est ni une fiction ni un roman.* All is true, *il est si véritable, que chacun peut en reconnaître les éléments chez soi, dans son cœur peut-être.* Et voilà qu'elle tournait autour de l'idée d'un roman – tout comme une allégorie avait pu traduire la violence de la persécution nazie, elle travaillait, compilant notes et journaux, à un roman sur la fuite et l'exode. Elle dessinerait les chemins d'un départ forcé, d'un pays à l'autre, clos en un instant comme une souricière. Les perquisitions, les manuscrits perdus, retrouvés, les tableaux cachés, volés, les bibliothèques abandonnées, brûlées, les infâmes lignes de démarcation, les frontières dressées. *Acculer : Pousser dans un endroit où tout recul est impossible. Mouvement involontaire vers l'arrière sous l'effet de la houle, du vent.* Elle notait la définition d'un verbe français qui, dans ses acceptions diverses, semblait traduire au mieux le sentiment d'impuissance que tous partageaient, en un vocable de la chasse et la marine mêlées. La langue allemande, pensait-elle, permet beaucoup plus à l'écrivain, elle est pour celui qui la maîtrise d'une fabuleuse complexité, offre des trésors de vocabulaire qui donnent corps à des impressions diffuses, sans approximation ni périphrases – elle tenait l'inventaire de ces mots-valises étirés qui cernent quelque chose d'indicible en accolant un mot à un autre jusqu'à former un tout unique – ainsi au bistrotier avait-elle expliqué qu'il existait un mot dans sa langue pour décrire ce plaisir automnal et irrépressible de donner un coup de pied dans un tas de feuilles mortes : *Herbstlaubtrittvergnügen* – juxtaposition de quatre vocables formant définition : automne – feuillage

165

– coup de pied – goût. Il y a un mot pour tout, disait-elle et cherchait pour son roman la fidèle description de l'absurde situation des exilés fuyant l'Allemagne un jour, accueillis en France, emprisonnés d'abord parce qu'allemands, ennemis de l'intérieur, et désormais gibier de camp, traqués et chassés parce qu'opposants d'un régime devenu allié. Mot-valise sans traduction : exil – accueil – ennemi – prison – transit – fuite.

Un transit, c'est l'autorisation de traverser un pays, s'il est bien établi qu'on ne veut pas y rester. Au mois de décembre, Anna Seghers recevait, fruit des démarches, un visa mexicain et de sortie « pour se rendre aux États-Unis et au Mexique, via Marseille ». László Radványi était transféré le jour de Noël aux Milles, près d'Aix-en-Provence, un camp pour les étrangers munis d'une promesse de visa. À Marseille, au consulat du Mexique, Gilberto Bosques tamponnait son passeport – de son vrai nom, attestant qu'elle était bien Anna Seghers, l'écrivain. Ses notes se précisaient : *acculer au port* – dans les hôtels de Belsunce, les restaurants de Noailles, aux Brûleurs de loups, au Ventoux, en attente d'un visa, d'un bateau, d'une issue de secours ; *acculés au port, acculés au suicide.* Ainsi apprenait-elle la mort de Walter Benjamin, Ernst Weiss, l'histoire de leurs manuscrits, perdus, retrouvés, sauvés. C'était sans doute cela dont il fallait se faire le témoin. Écrire le roman d'un chemin de croix, des pèlerinages dans les ambassades et consulats, et l'attente sans fin, comme dans un purgatoire, dans les couloirs ou dans les bureaux des compagnies maritimes. Elle finit par assembler le tout en un seul mot : *Transit*, inscrit en haut d'une page de brouillon. *Ceux qui fuyaient tous les périls réels et imaginaires de ce monde.* Elle se mit à l'écrire au présent, Marseille serait ce cul-de-sac où les histoires se croisent. Dans les salles d'attente, les cafés minables, les bureaux d'associations d'aide aux réfugiés, on entendait le récit qu'elle souhaitait depuis lors écrire. Elle remplissait avec frénésie un journal, persuadée qu'elle y puiserait la matière de *Transit* – qu'il suffirait, l'intrigue posée, de rétablir les temps et les pronoms, de changer les noms des personnages et des rues – Weiss deviendrait Weidel, la ruelle minuscule de l'hôtel Aumage. Des pans entiers de leur périple se fondaient en un roman de l'exil, dont elle espérait une fin heureuse. Deux jours avant le départ du *Paul-Lemerle*, ils dînaient avec Kantorowicz et sa femme Friedel à la pizzeria du port – *La pizza, c'est une drôle de pâtisserie. Ronde et bigarrée comme une tarte. On s'attend à quelque chose de sucré, et l'on mord dans le poivre. On regarde ça de plus près ; alors, on s'aperçoit que ce n'est pas du tout truffé de cerises et de raisins secs, mais de paprika et d'olives. On s'y fait. Mais voilà que même ici ils exigent, pour la* pizza, *des tickets de pain.*

Vingt et unième jour en mer. Anna travaillait encore à l'ébauche du roman. À ses côtés, Ruth dormait, Pierre lisait un Tintin. Pour rire, elle lui répétait le slogan en tête de colonne : « Qui n'a peur de rien, mais de rien ? C'est Tintin ! Et qui le suit partout, mais partout ? C'est Milou ! » Elle était plongée dans son carnet, au fond d'un transatlantique, elle *s'isolait d'elle-même et de l'océan – mal vêtue, les cheveux en désordre sous un mouchoir gris négligemment noué, elle se parlait à elle-même, le regard égaré, le visage tourmenté – Parfois, elle tirait de ses vêtements un gros cahier d'écolier et se mettait à écrire au crayon en remuant les lèvres.* Le papier, notait-elle, parmi toutes les matières du monde, semble particulièrement difficile à brûler ou à détruire. Elle se pencha vers Pierre.

« Le héros de l'histoire, le narrateur, doit-il à la fin partir ou demeurer en France ?

— Il devrait rester ! » répondit son fils sans hésiter.

Anna était d'accord. Elle écrivit d'un trait l'ouverture de son roman. Le *Montréal*, un cargo parti de Marseille, sombre entre Dakar et la Martinique. Le narrateur s'adresse à vous, lecteur, il est attablé à la terrasse d'un restaurant du port, il vous propose de vous asseoir, vous invite à partager un dîner, un verre de rosé et une part de pizza, et puisque vous vous ennuyez, il vous offre d'écouter son histoire.

Vous savez bien vous-mêmes ce que ça vaut, ces rencontres fugitives dans les gares, les antichambres des consulats, le bureau des visas, à la préfecture. Comme c'est fugace, le bruissement de quelques mots, comme le froissement de billets qu'on change à la hâte. Seulement, parfois, on est frappé d'une simple exclamation, d'un mot, que sais-je ? d'un visage. Rapide et fugace, ça vous traverse de part en part. On lève les yeux, on tend l'oreille, et voilà qu'on est empêtré dans une histoire. Je voudrais bien, une fois, tout raconter à quelqu'un d'un bout à l'autre. Si seulement, je n'avais pas peur d'embêter le monde. Vous n'en avez pas soupé, vous, de ces récits bouleversants ? N'en avez-vous pas assez de ces histoires palpitantes de mort qu'on frôle et de fuite éperdue ? Moi, pour ma part, j'en ai vraiment soupé. Et si quelque chose peut encore m'émouvoir aujourd'hui, c'est un métallo qui me raconterait combien de mètres de fil de fer il a torsadés dans sa longue vie, ou encore le halo de lumière sous lequel des enfants font leurs devoirs.

Pleine mer
15 avril 1941

Vingt-deuxième jour en mer. Entre les transatlantiques alignés, les joueurs d'échecs et de bridge ont disposé pour leurs parties des tables, ou plutôt des caisses renversées. Messieurs-dames sérieux, dans le silence, on les entendait parler d'une même langue silencieuse, celle du jeu. Il n'était de lieu plus partagé, plus cosmopolite sur le bateau, on pouvait y voir un Hollandais en route pour Java affronter un industriel belge ruiné qui rêvaient de caoutchouc et d'Amazonie ; assister à une partie entre M. Harcourt, riche propriétaire d'une manufacture à Lille retrouvant femme et argent à New York – les deux y étaient bloqués –, et le champion incontesté du navire, un Tchèque, ancien ingénieur de Škoda, fabricant de canons, qui filait vers les Amériques, mieux vaut ça que de travailler pour les Allemands, l'entendait-on dire, lui l'étrange canonnier qui n'aimait pas la guerre, malgré ou à cause de son métier, on n'aurait su dire. Parmi les compétiteurs de ces nombreux tournois d'échecs organisés le long de la traversée, Pierre Radványi, le fils d'Anna, était un excellent joueur. Ce matin-là, du haut de ses quinze ans, il défiait un autre habitué, Dyno Löwenstein. Tous deux fils d'émigrés allemands, ils partaient à contrecœur ; entre deux coups, ils parlaient volontiers de leur ville. Dyno de Toulouse, Pierre de Meudon-Bellevue. De ces fins d'après-midi du dimanche chez les Radványi, lorsque les amis de la famille arrivaient à la maison et que l'écrivain Egon Erwin Kisch contait ses histoires extraordinaires, la manière qu'il avait de mimer les scènes devant la cheminée. Il y avait aussi Otto Katz, un autre écrivain tchèque qui l'avait emmené au cinéma des Champs-Élysées avec sa petite sœur Ruth assister à la projection du premier grand film en couleurs de Walt Disney, *Blanche-Neige*. Un autre soir, le même Katz, racontait-il, l'avait invité à dîner en compagnie du chanteur noir Paul Robeson et son fils, un garçon du même âge. Pierre, que sa mère appelait Peter, était un jeune homme vif, débrouillard, charmant. Il assistait à toutes les conférences du pont supérieur, assis en tailleur. La dernière en date, un exposé sur les travaux de Pavlov. Il rapportait aussi dans les cales les dernières nouvelles du front captées par la radio de l'opérateur, le pilonnage de Belfast par la Luftwaffe, la prise de Sarajevo par les troupes allemandes, les forces alliées attaquées sur le mont Olympe, ou à l'ouest des côtes du Portugal le naufrage du cargo *Aurillac*, coulé par un sous-marin italien, ainsi que celui du *Ville-de-Liège* au sud-ouest de l'Islande touché par un U-52.

9

Un groupe de marsouins

Pleine mer
16 avril 1941

La chaleur était telle que la journée, assommés, asséchés, évacués des cales et réfugiés sous les bâches pour ne pas rôtir, les passagers attendaient le soir, allongés sous la tente, s'abrutissaient, seul remède à la lenteur, par une forme d'hibernation inversée, de sieste prolongée indéfiniment. Au crépuscule débutait une autre journée, on s'assemblait sur le pont comme sur la place d'un village un soir d'été, un peu saoul, épuisé de n'avoir rien fait. Le Chinois du commandant régalait de cocktails et de petits plats, on échangeait sur la promiscuité et la mort frôlée, la crainte du naufrage et l'absurde dérive mêlées, des historiettes se firent et se défirent le temps d'une nuit. Vers minuit, les couples d'un soir s'abritaient des regards dans les chaloupes, sous les épaisses bâches, s'agitaient, suaient beaucoup, baisaient un peu, puants mais heureux !

De quel énorme brasier approchons-nous ? L'espace s'emplit de chaleur, mer uniformément grise, temps couvert. Calme dissolvant, puis légère excitation nerveuse. « L'ambiance équatoriale », dit Lévi-Strauss.

Le soir venant, on se sent mieux. Nous nous réunissons – les quarante militants, rescapés de divers camps de concentration, patronnés par l'IRA qui paie leur voyage – à Montparnasse, c'est-à-dire sur la superstructure qui entoure la partie haute de la cheminée et supporte des barques de sauvetage. (Dans ces barques, des couples se cachent parfois la nuit pour faire l'amour.) Les bouches d'aération nous gênent. Pas de rambardes, on voit la mer clapoter, aucun obstacle entre nous et elle. Les visages tendus se découpent en pâleur dans la douce obscurité et l'on se rend compte qu'il vient des constellations déchirées par les nuées une lueur vague et pénétrante. Je parle d'un autre long voyage que j'ai fait, une vingtaine de jours par la mer du Nord et la Baltique, à la fin de l'autre guerre, au commencement des révolutions, au commencement de notre victoire en Russie. Voyage symétrique en somme à celui que nous faisons : nous montions, nous descendons la pente de l'histoire. Et nous remonterons ! Je fais des portraits d'Illitch, sa simplicité, son caractère d'homme moyen, son manque de pose et d'ambition, son dédain de l'effet ; de Léon Trotski, en contraste, étincelant de sarcasme et d'ardeur intellectuelle, nettement

174

supérieur, avec éclat, avec l'élégance, avec la fierté de l'entourage. Je dis que nous sommes des vaincus que comme les combattants d'une immense armée qui a le temps, que nous ne devons pas nous laisser vaincre en nous-mêmes, mais garder les âmes victorieuses, que nous tenons dans nos mains beaucoup d'avenir complètement imprévisible ; et que nous nous sommes prouvé notre capacité de tout affronter, tout subir et tout accomplir.

Pleine mer
17 avril 1941

Dans son journal, Serge s'adressait à Laurette, lui décrivait la traversée étape après étape et parfois au détour d'une réflexion, d'une anecdote, oubliait le *nous* partisan, le *je* des mémoires, et glissait peu à peu vers un délicat *tu*, écrivait *ton courage, ton amour, ton regard*, rêvait qu'elle lève les yeux sur un même ciel, l'imaginait, l'espérait en chemin, l'appelait Laura. À cette existence d'apatride et de révolutionnaire sans papiers, il doutait d'un énième voyage, l'asile au Mexique, là-bas aussi les opposants périssaient de mêmes assassins, franchissaient l'hémisphère pour y trouver, tapis, d'autres agents en sommeil, faux intellectuels, tout prêts à vous planter un piolet dans le dos. Il pensa : tenir un journal est une activité mortuaire. Tout ce que le bateau comptait de camarades ralliait le Mexique. Interdits d'entrer sur le territoire américain, sans autre viatique qu'un visa de transit, Saint-Domingue et la péninsule étaient leur seule planche de salut. On parlait d'une terre aride, on craignait les températures, on ne savait pas bien d'ailleurs, Slaves délocalisés au tropique du Cancer, ou Allemands de la Baltique perdus en Amérique centrale. Sur la passerelle, Jacques Davidoff, un bel homme d'une vingtaine d'années, discutait en russe avec Serge. Il l'avait repéré plus tôt sur le pont, une cigarette à la main, une anglaise, il l'avait observé cheminer, monter les escaliers. Il s'était approché, avait fait mine de s'asseoir, déjà accroupi, le saluant pour lui soutirer son mégot. Il fuma le bout de tabac à s'en brûler les doigts. Ils engagèrent la conversation, deux Russes en exil sur un bateau ont un roman à écrire – Serge fils d'exilés en Belgique, héros de la révolution d'Octobre, opposant au stalinisme, apatride ; Jacques, juif de Grodno, avait fui les pogroms à huit ans, avec les siens, et atterri à Paris. Aujourd'hui, tous les deux en route pour le Mexique. Jacques partait avec ses parents Grisha et Manya, son frère Léon et sa femme Ruti. Ils rejoignaient l'oncle Alberto Kosowski, un improbable parent, oublié de tous. C'était grâce à ce mouton noir expatrié en Amérique centrale qu'ils s'étaient sauvés, « quand vous n'êtes ni artistes, ni universitaires, ni militants, ne reste que la famille pour obtenir un visa. Alberto était l'un des frères de Manya, ma mère. Lorsque j'étais enfant, ma mère n'en parlait jamais, il avait mauvaise réputation. On disait qu'il aimait les femmes, le jeu et la boxe…

Mon grand-père Oscar était un homme religieux, un membre éminent de la communauté juive de Grodno. On racontait qu'après une énième frasque, il avait décidé d'éloigner son fils, de l'envoyer aussi loin que possible, de l'autre côté de l'Atlantique, dans des terres de débauche. En quelque sorte, il le bannit. Mais ce n'était pas dit comme ça, non, plutôt comme un exil volontaire, un choix. L'argent du billet en poche, il partit sans se retourner de Grodno. Ma mère reçut une lettre de son frère deux ans plus tard, il était installé à Mexico, marié, dans l'enveloppe, une photographie de famille, un nourrisson dans les bras. C'est drôle tout de même, à la fin, c'est l'oncle banni qui vole à notre secours ». Serge rit, « cinq ans aujourd'hui que j'ai quitté la Russie. Là-bas, assis dans une chaise longue, c'est Vlady mon fils, il a ton âge. Je te le présenterai ».

À la tombée de la nuit, à l'université populaire de Montparnasse, en haut du bateau, un jeune Allemand tenait conférence sur la préhistoire. André Breton proposait de terminer la séance par une variante du cadavre exquis à l'oral, un jeu de questions-réponses qu'on se pose et qu'on se donne sans entente préalable. Victor Serge répondit à une question qu'on ne lui avait pas posée par une formule prometteuse : « Une défaite que nous transformons en victoire lumineuse. » Par la suite on lui révéla la question : « Qu'est-ce que le matérialisme historique ? »

Le *Paul-Lemerle* évoluait au fur et à mesure de la traversée, tantôt étendage, tantôt péniche, tantôt convoi, cantine, dortoir, bordel même, parfois étable ou cuvette. On y dormait depuis deux jours à la belle étoile, heureux en somme de veiller à la lumière d'un ciel éclairé d'autres astres. On avait plié en deux, trimballé et posé les paillasses des lits superposés sur les pontons, de sorte qu'à l'aube on devait naviguer entre les couchettes, et pour qui aimait humer le grand large au matin, c'était d'abord un drôle de jeu d'équilibriste auquel il fallait se livrer. De temps à autre, une averse s'abattait sur les passagers, des trombes d'eau inondaient à jet continu la vieille bassine, on rabattait alors, surpris, son lit à l'abri, sous des bâches enflées de poches d'eau toutes prêtes à craquer, le ciel se chargeait de laver les sols tandis qu'on patientait sous des préaux de plastique. Parfois, rarement, l'averse s'installait, durait. En un instant, le ciel dégagé, étoilé, se troublait, s'obscurcissait, filtrait la lumière sous le gros projecteur, au loin une tempête se préparait, et la mer immobile s'écorchait en vagues épaisses jusqu'à se mêler sur le pont aux trombes déversées. En un bref moment, comme tout ici, la mer et le ciel écrasaient, broyaient, pliaient sous leurs deux poids la fine silhouette d'acier déposée à la surface. L'averse dura si longtemps qu'elle boucha jusqu'aux tuyaux d'écoulement du pont du commandant, inonda la passerelle et noya les matelas qui y étaient abrités – étendus entre les cheminées du vapeur et les tours de cordage, Serge et Vlady roupillaient à l'aise, heureux du clapotis et drôlement amusés par la panique à l'étage, ici un gosse écopait l'eau avec sa chaussure, là un vieux commerçant chancelait et grelottait, il tenait sa paillasse sur sa tête. Un officier survint et intima aux dormeurs agités le silence : « Eh dites donc ! Vous allez réveiller le Capitaine ! » Serge en première ligne répliqua, s'attirant la désapprobation de compagnons trop inquiets de déplaire aux matelots : « Qu'il vienne un peu voir ses passagers, le Capitaine ! »

RÉCLAME DU 18 AVRIL 1941
PARUE DANS LE *COURRIER DES ANTILLES*
FORT-DE-FRANCE

Un événement dans La vie intellectuelle **Martiniquaise**
Absence de véritable culture
mercantilisme de l'esprit de la conscience
infériorité créatrice
telles sont
les Caractéristiques de la société antillaise
La Revue trimestrielle
« TROPIQUES »
Directeur : AIMÉ CÉSAIRE
se propose de lutter
1) contre le *Paupérisme Intellectuel*
2) contre le *Mépris des couleurs de vie*
3) contre le *Parasitisme artistique*

Au sommaire : articles de philosophie,
de littérature, de musique, poèmes.
La Revue éditée avec goût *est en vente à la librairie CLARAC*
Prix 12 frs.

On vit un groupe de marsouins émerger, ils plongèrent d'un coup sec sous le navire, en piqué. Dans leur traîne se forma à la surface comme un vortex. Presque un mois de traversée, et l'île, pouvait-on lire sur le bulletin affiché, serait atteinte le 20 avril au matin. L'humeur générale était à l'agacement, l'excitation bouillonnait, la distance avait annulé toute mesure, l'impatience l'emportait. Et de cette terre fantasmée nulle n'avait une image nette, un bout de France qu'on se représentait tantôt comme une toile de Gauguin, tantôt comme une Guyane de bagne, d'autres un pays libre déjà américain, la plupart une zone de repli, un peu de confort, une chambre d'hôtel, un bain. Un appontement sur le continent, une escale où il ne faudrait que passer, dériver vers le sud ou remonter vers la Floride et atteindre, au bout du voyage, Ellis Island. En cela les angoisses se classaient en fonction des nationalités, des causes embrassées par chacun. Déjà la veille, Toribio Etxeberria et Juan de los Toyos, deux Basques qui semblaient jumeaux, s'inquiétaient ; du reste, disaient-ils, en mer, nous sommes à l'abri. Peut-être pas des sous-marins ou des naufrages, mais du reste, oui. Le vent des terres, on le devinait plus chaud et vicié d'un je ne sais quoi de bien français, de tordu, de malsain. À vrai dire, la suspicion à bord, la chasse aux mouchards, empruntait davantage à une réalité qu'elle ne relevait d'une paranoïa ou d'un mirage. La chose était probable, aussi fallait-il ne pas trop rappeler son pedigree. Toribio et Juan, rescapés du triage du port – tous deux nés à la fin du siècle dernier, l'un de 87, l'autre de 90 –, avaient été de toutes les luttes, et les avaient d'ailleurs toutes perdues. Mais ils étaient certains que la bataille s'engagerait depuis l'autre continent. Tous deux membres fondateurs du *Partido socialista obrero español,* à l'initiative de la construction des coopératives ouvrières d'Alfa ou de Vizcaya. Vieil homme, plus désabusé que ne l'était son ami voyageur, Toribio râlait face à l'effervescence à bord, il s'attendait à une cage plus étroite, un cul-de-sac, un bagne pour indésirables. Il croulait sous le poids des doutes, des craintes, d'une méfiance somme toute raisonnable, qui tournait à l'abattement, comme si, près du but, l'exil ne pouvait conduire qu'à l'abattoir. Un troupeau au bord du précipice, le vrai prenait les habits du faux, le faux travestissait le vrai, s'en réjouissait. On entendit voleter entre les cordages les oiseaux, et ce serait terre, terre en vue, à qui le premier l'apercevrait, par-dessus bord, penché contre le parapet à l'avant, à la renverse. « Là-bas, comme en France, ce sera le camp, à coup sûr, la Martinique c'est Vichy, en pire, en mieux, parions sur le pire c'est plus sûr. Pour vivre la vie qu'on a vécue, il faut s'en débrouiller, de toutes ces traîtrises. Tu verras, tu verras, ce sont des trouillards. Et le camp de Rivesaltes, une halte après les Pyrénées... On a bien failli y rester ! » C'était le regard un peu éteint, essuyant du bout de sa chemise les verres salis de ses lunettes, qu'il s'inquiétait des tromperies.

On rassemblait à la hâte le barda, on nettoyait son bel habit, sa robe ou sa chemise au lavoir, on y frottait le col et les auréoles sous les aisselles, on se rasait dans la bassine, au bout de miroir, on mettait un peu d'ordre dans ses affaires, on préparait ses papiers, on comptait, recomptait ses économies. Installés derrière un bureau à l'étage supérieur, les officiers de quart restituaient aux passagers les passeports. C'était l'occasion d'entendre la carte sonore de noms égrenés, ici les trente-cinq réfugiés de l'International Relief Association, Kuno Brandel, Hans Titell, Carl Heidenreich, la famille Krizhaber, Alice Fried, H. Czeczwieczka, E. Bersch, K. Braeuning, le couple Orsech, la famille Osner, I. Reiter, H. Langerhans, M. Flake, B. Barth, J. Weber, le couple Pfeffer, Capari, F. Bruhns, F. Caro. On se regroupait par réseaux d'entraide, le comité de secours américain, les associations sionistes ou espagnoles – là, un couple de petits commerçants allemands amis personnels d'Albert Einstein ; à trois pas, l'urologue viennois, né en 1850, rappelait aux jeunots du pont ses états de service en 14, et sa femme, une reine, effondrée dans son transatlantique, trônait. Ici, un banquier catholique autrichien, assurait être protégé par le Vatican, il émigrerait au Brésil. Au diable la saleté et l'indigence, on ressortait les costumes soigneusement retournés sur la doublure, protégés au fond des malles.

Il y avait à bord des femmes jeunes et jolies ; des flirts s'étaient dessinés, des rapprochements s'étaient produits. Pour elles, se montrer avant la séparation enfin sous un jour favorable était plus qu'un souci de coquetterie : une traite à régler, une dette à honorer, la preuve loyalement due qu'elles n'étaient pas foncièrement indignes des attentions, dont, avec une touchante délicatesse, elles considéraient qu'on leur avait seulement fait crédit. Il n'y avait donc pas simplement un côté bouffon, mais aussi une dose discrète et pathétique, dans ce cri qui montait de toutes les poitrines, remplaçant le « terre ! terre ! » des récits de navigation traditionnels : « Un bain ! enfin un bain ! demain un bain ! » entendait-on de toutes parts en même temps que l'on procédait à l'inventaire fiévreux du dernier morceau de savon, de la serviette non souillée, du chemisier serré pour cette grande occasion.

DEUXIÈME PARTIE

Serpents et échelles

… la nuit en feu la nuit déliée le songe forcé
le feu qui de l'eau nous redonne
l'horizon outrageux bien sûr
un enfant entrouvrira la porte…
Aimé CÉSAIRE, « En vérité… », *Ferrements*

Continuer à avancer de la seule manière
valable qui soit : à travers les flammes.
André BRETON,
Martinique, charmeuse de serpents

10

Dans la gueule du loup

Au large des Antilles
20 avril 1941

Dès 5 h 30 le soleil martyrisait le pont, une chaleur écrasante, pesante, brûlant la bâche jusqu'à changer l'abri en étuve – ainsi, à peine couverts d'un trait de lumière, les passagers s'éveillaient et arpentaient le pont comme des revenants, hagards, l'œil perdu au loin, à la recherche de l'île. On vit rassemblé à l'avant du cargo un trio qu'on rêva plaisanter entre chien et loup – André Breton, Claude Lévi-Strauss, Victor Serge. Comme ces voyageurs qui, longtemps après le départ, suivent un point fixe au large et mesurent l'avancée du voyage, ils patientaient, cherchaient dans le lointain le rivage. Ils entendirent dans leur dos des bruits de pas, c'était le Capitaine, il s'approchait, une cigarette fichée au coin des lèvres, la fumée aussitôt avalée par le vent, l'air heureux, satisfait : « La Martinique : la perle des Antilles… et le déshonneur

187

de la France. » Ce fut comme une légende apposée au bas d'une marine. Ils le regardèrent sans répondre. Vers sept heures, l'île leur apparut, une bande olivâtre comprimée par la ligne d'horizon. Ce fut ensuite un rocher, boursouflé, enflé à chaque nœud avalé, qui allait s'imprimant verdoyant sur un patron aux allures de golfe, une côte dessinée sur toute la largeur du bateau comme un plan de coupe, trait pour trait. Le Mont Pelé à Saint-Pierre se dressait à la manière d'une montgolfière perchée dans le ciel, auréolé d'une corolle de nuages bas, un tutu sur les hanches d'un hippopotame. À son pied, assez loin des côtes encore, le *Capitaine-Paul-Lemerle* bifurqua en collant à la rive. Ils entendirent quantité d'échos de cris d'animaux. Les passagers, agglutinés au parapet, basculaient le poids d'un bord à l'autre ; on vit de longues traînées de jungle, puis des cintres creusés dans les recoins du paysage, enfin aux abords du village du Carbet, dont on ne savait le nom, on distingua au large des barques de pêcheurs. Jusqu'à midi, on assista ébahi au spectacle de ces vitrines de Noël d'un magasin pittoresque, le navire parfois ralentissait, allait jusqu'à s'arrêter par endroits, *un village ombré de cocotiers, une chute d'eau sur le sable noir ou le clair papillonnement des petits « gommiers » à voile quadrangulaire.* Vers midi, on devina, ouverte sur une vaste baie pareille à un lac suisse, Fort-de-France. En fait de fort, on parlait plutôt d'un bastion du siècle dernier, masqué par les bâtiments de guerre regroupés à l'entrée du port et en contrebas d'un simple embarcadère en bois. Le bateau s'éloigna plus au sud, entre deux rives, au milieu de la baie. On comprit alors qu'on ne débarquerait pas.

Le nettoyage débuta, les matelots protégés de fichus arpentaient les cales dépeuplées dans un nuage de poussière tournoyant au sol ; d'autres, à grands seaux d'eau de mer, raclaient le plancher jauni d'urine des gosses. On se mettait à l'abri du soleil, sous les bâches, les enfants et les vieillards sur les transats, les autres passagers s'asseyaient sur leurs matelas rabattus, leurs bagages et malles entassés contre les soutes de charbon, et tous se consumaient littéralement. Peu importait le soleil au zénith et l'infâme calvaire, ils durent attendre encore. Ils se tenaient en grappes près de la passerelle. Deux heures plus tard approcha une vedette, dans sa traîne tout un convoi, on devina alors aux casques et aux uniformes un bataillon de la Sûreté. Au moment où l'on finissait par se décourager, où l'on aurait envisagé de sauter par-dessus bord et de nager jusqu'à la plage éloignée, enfin voyait-on les autorités monter à bord. Il y eut un moutonnement confus, diffus, un bruit se propagea. Les gendarmes entourèrent les passagers et formèrent un cortège à l'entrée de la cabine du commandant. Le lieutenant Castaing de la Sûreté générale s'entretenait avec le capitaine Sagols.

Le supplice dura cinq heures. Humiliations et ricanements, à la hauteur de l'état des troupes coloniales, *une soldatesque en proie à une forme collective de dérangement cérébral*. Ils hurlaient, intimidaient.

Lam, qui ne parlait pas bien français, fut interrogé en fin d'après-midi – ils feignirent d'ignorer son visa en règle malgré ses efforts pour se faire comprendre de ses interlocuteurs. On tamponna le document et il n'entendit, ne retint, que le nom du camp de Balata et le prix de la caution. On railla Breton à qui l'on retirait son laissez-passer : *Écrivain. Soi-disant invité à donner des conférences, à publier des ouvrages d'art. Ça leur fera une belle jambe, en Amérique ! Français ? Qu'il descende, mais surveillance discrète.* Ce fut le tour de Claude, recommandé par le Capitaine, qui évita la quarantaine au camp de transit, mais pas les insultes du lieutenant : *Non, vous n'êtes pas français, vous êtes juif et les juifs dits français sont pires pour nous que les juifs étrangers.*

Abruties par le soleil, avec pour mission d'importer la Révolution nationale et de protéger l'or de la Banque de France, les troupes de Castaing, tout pouvoir à bord, se défoulaient, se vengeaient d'une pathétique frustration. Par sadisme et ignorance, ses soldats se moquaient des réfugiés et inventaient des règles et ordres contradictoires. Un règlement d'exportation de capitaux de France interdisait d'emporter plus de cinq mille francs, sinon des chèques de la Banque de Martinique ; à l'inverse, eux exigeaient des voyageurs français une caution supérieure de six mille francs, et de dix mille francs pour tous les étrangers, mesure inique condamnant quiconque à l'indigence ou au travail forcé. De tri, il n'y eut pas vraiment, puisque tous furent envoyés à la

190

Pointe-Rouge, au Lazaret, une ancienne léproserie. Y échappèrent Lévi-Strauss, le Tunisien Smadja après la présentation d'un sauf-conduit, et le Béké de retour au pays, les hôtes du Capitaine en somme. Le bateau se dirigea vers le Lazaret, un bloc qu'on ne distinguait pas dans la nuit noire. On entendit seulement hurler çà et là les hommes du lieutenant. On mit les chaloupes à la mer, on guida malaisément à la lanterne le convoi jusqu'à la plage de la Pointe-du-Bout, où attendaient une trentaine de soldats noirs, sentinelles d'un camp peuplé de prisonniers de guerre polonais et d'émigrés, en attente d'un autre bateau.

La Pointe-du-Bout
Dans la nuit du 20 au 21 avril 1941

Les chaloupes allaient du *Paul-Lemerle* à la Pointe-du-Bout. Par douzaines, on voyait les passagers l'air hébété, transvasés du bateau à l'ancienne léproserie qu'on leur avait désignée assez noblement comme un lazaret. Aube était endormie dans les bras de son père, une poupée de chiffon tout contre son cou, bercée par un léger roulis et le clapotis de l'eau contre la coque du canot. Elle rêvait à la danse de trois lapins dans une clairière un matin de printemps. Lorsqu'elle ouvrit les yeux, Breton la tenait d'une main, tandis qu'un pied encore dans le canot il portait une lourde valise. Il déposa sa fille, à demi

191

éveillée, debout mais chancelante, épuisée et troublée, elle sanglota. Un mois sans toucher la terre ferme, et l'expression d'emblée trompeuse tant le sol sous leurs pieds, un pauvre débarcadère de planchettes tordues, se balançait. Breton s'inquiétait, Jacqueline tout autant, Aube plongeait dans l'obscurité, s'éveillait dans un cauchemar. Tout autour d'elle, imaginez, mille loupiotes de lucioles et mille cris de grillons, à chaque pas le décalque d'insectes énormes projetés sur le pont et le grand orchestre des animaux. Imaginez donc un cauchemar d'enfant. Rappelez-vous, sous le lit, vos monstres étonnants, avaient-ils quelque chose de plus terrifiant que ceux qu'Aube, à cette heure, devine dans l'eau, perçoit au loin dans la mangrove. Une colonne noire la dépassa, trois gardes, un lieutenant mulâtre fit face à son père, éclairé du demi-jour d'une lampe à pétrole. Il ordonna aux passagers d'entrer dans l'enceinte, escortés par une escouade de sentinelles munies de baïonnettes. « On nous traite comme des prisonniers ! » protesta-t-il pour la forme. La cour du Lazaret à demi éclairée, on marchait à tâtons, les soldats eux-mêmes semblaient dépassés, hurlaient à tout-va, levaient le menton pour un rien. C'étaient des gens simples, sans grande valeur, un officier basque démobilisé touchait sa solde, un gamin du Diamant investi d'un uniforme ruminait. Il se mit à pleuvoir, une courte averse, on tenta de s'abriter. Jacqueline désigna l'un des baraquements affaissés au fond de la cour, elle s'avança sur le côté et par l'une des fenêtres vit à l'intérieur le sol jonché de paillasses et des enfants endormis parmi les vieillards. Elle se demanda combien de temps elle pourrait encore supporter tout cela. Après vingt-sept jours en mer, l'hôtel rêvé de Fort-de-France, la salle de bains de faïence et le lit de draps frais avaient muté en une garnison insalubre où l'on dormirait par terre, l'habit plié en guise d'oreiller. Elle en aurait pleuré. Aube était assise sur une valise. Dans le groupe apeuré, une femme devint brusquement folle. Elle attrapa des gravats et les jeta, en hurlant, dans un mélange de jurons et de pleurs. Quand elle eut terminé, elle ouvrit son bagage, en tira une couverture épaisse, abîmée, qu'elle déroula soigneusement au sol. Tremblante, affolée, accablée, elle s'endormit le long du mur, sans plus se soucier des rats qui, de temps à autre, longeaient les murs. À quoi bon se mettre dans cet état, dit une vieille dame à principes, dans une robe de chambre en tartan, il faut bien prendre son mal en patience, répétait-elle, et ainsi, dans la pénombre, de phrases toutes faites en phrases toutes faites, qui n'auraient pas déparé sur le boulevard Saint-Germain, mais qui, ce soir, résonnaient comme une insulte. À quoi bon ? À rien. À quoi bon tout accepter ? À rien non plus. Alors tout est permis à qui veut bien !

Une chose étrange, c'était que les gardes s'avouaient perdus. Ils renouvelaient leurs excuses. Le jeune Basque prit la parole : « Nous avons été avertis cet après-midi, à trois heures, de préparer le logement pour soixante personnes. On n'a que vingt lits, on les a regroupés dans une des baraques, on y a mis comme on a pu les vieux et les enfants. On a récupéré les paillasses du bateau qu'on a entassées dans deux autres baraques. Il n'y a pas d'eau potable au Lazaret, il n'y a que l'eau de pluie collectée par la citerne, et déjà on en manque, alors deux cents… » C'était un bon gars, un peu paumé, en garnison. Il obéissait à un lieutenant qu'il méprisait, il aurait bien balancé l'uniforme, mais bon, on était en guerre, alors déserter… on l'aurait foutu au bagne. Deux autres soldats en faction vidaient une bouteille de gros vin.

Quelques heures s'écoulèrent. Breton debout veillait sur sa femme et sa fille, endormies à ses pieds, harcelées par les moustiques. Ce qui était encore quelques instants auparavant, dans l'obscurité, un dessin aveugle au clair de lune, se complétait à mesure que les lieux s'éclairaient à l'aube. Lorsque le vacarme de la forêt s'éteignit avec les premiers rayons, on observa dans le silence le Lazaret sous un nouveau jour. Des histoires de trésors et de pirates lui vinrent à l'esprit et l'exploration prit des allures d'expédition. Ses yeux s'accoutumaient, il découvrait un terrain vague entouré de pauvres murailles. Éparpillés çà et là, comme les débris d'une explosion, des gens roulés dans des manteaux, couchés par terre. Tout semblait mort. Il en restait rêveur. Le soleil tapait fort et les réveillait un à un. Il s'approcha des fortifications, hautes d'un demi-mètre,

194

pas plus, à la recherche d'une vue d'ensemble. En contrebas, une plage de sable noir ; dans la nuit, elle n'était qu'odeur de vase et d'algues. Du piton de Fort-de-France au bourg de Pointe-Rouge, une langue de terre verdoyante s'étirait en lacet comme un gribouillis. La léproserie avait été construite non loin du village des Trois-Îlets, à la pointe aux Pères de la paroisse du Cul-de-Sac-à-Vache où naquit, dans le domaine de la Pagerie, celle qui deviendrait l'épouse du Premier Consul, Joséphine de Beauharnais. S'il existe, le hasard est joueur. Mais du hasard il ne savait rien, et de coïncidence il n'en aurait vu aucune. Sinon qu'à l'âge de dix ans, Joséphine consulta une voyante créole du quartier de Croc-Souris qui lui prédit qu'elle deviendrait « plus que reine ». Au milieu des savanes, le fortin dominait la baie. Il se retourna, assis sur le muret, le vêtement froissé, la mine fatiguée, l'air défait, il suivait le manège des hommes et des femmes perdus dans l'enclos, le drapeau tricolore qui se hissait. Un camp de concentration en face de l'Amérique. La jungle alentour semblait fourmiller de bestioles, il pensa à l'une des peintures du Douanier Rousseau. L'image bien que convenue traduisait avec clarté le paysage devant ses yeux : *charmeuse de serpents*. Il est des hommes pour qui les mots seuls confortent ce qu'ils perçoivent. Ce matin-là, le ciel était violet.

Actuellement, je m'occupe des voyageurs qui affluent par ici à la recherche d'une nouvelle terre d'élection…

La plupart ont choisi les États-Unis où les attendent les autres membres de leurs tribus. M'occuper de cette vermine du monde, comme les désignait il y a déjà longtemps le duc d'Orléans, me plaît particulièrement. Je jouis en les voyant passer derrière le dernier rempart des Démocraties dans le monde… Ils vont y réaliser un beau travail de dissolution et d'ébranlement… Pauvres Américains devenant après nous le pourrissoir du monde. […]

Au cours des mois passés, j'ai foncé pas mal au poste de la Sûreté Coloniale et Navale du Haut-Commissariat de l'État français pour les Antilles, la Guyane et Saint-Pierre-et-Miquelon.

Si je n'ai pas réussi à faire épingler toutes les ordures de la politicaillerie qui aidèrent par ici à mettre la France là où elle gît aujourd'hui, j'ai eu la grande satisfaction d'en faire éliminer une bonne quantité, qui se trouvaient naturellement tout désignés pour devenir les piliers du nouveau gouvernement de la Révolution Nationale.

Le nettoyage par le haut a du bon, mais il ne suffit pas d'avoir un bon Gouverneur quand toute la machine administrative pourrie est maintenue en service. Nous nous trouvons ici dans des colonies à possibilités locales trop limitées pour recruter du personnel satisfaisant. Il faut des métropolitains sains à tous les leviers de commande... Ils mettent bien du temps à arriver. La réorganisation des Conseils Municipaux m'a permis de faire un assez bon tableau, comme disaient nos messieurs de Sologne. J'ai été un agent de renseignements impitoyable (certainement considéré plus d'une fois en haut lieu comme un « sacré » emmerdeur); je jugeais uniquement les hommes à désigner sur les points travail-famille-patrie... Cette pauvre Martinique est le monument de l'indécence républicaine. Quelle pourriture, quel avachissement (institutions, climat, rhum)!...

Imaginez la lutte que j'ai pu mener et les écœurements ressentis. Ce n'est pas fini hélas ! Trop de gens n'ont pas encore l'esprit de la Révolution Nationale et je m'ancre dans l'idée que ce ne sera qu'avec la trique qu'on leur inculquera aux indifférents et aux canailles. Car pour le moment, je suis navré et même découragé (pour eux) de voir des types relativement bien réagir comme des gens-foutre et je me laisse aller à penser que la trique ne leur ferait pas de mal non plus.

Selon la note du 16 mars du gouverneur de la Martinique, Yves Nicol, transmise au colonel commandant supérieur des troupes du groupe des Antilles à Fort-de-France, les trente-neuf militaires polonais et tchèques arrivés par le S/S *Charles-Louis-Dreyfus* seraient conduits dès le 17 mars, midi, au Lazaret. Ils y seraient hébergés et placés sous la surveillance de l'autorité militaire, selon les dispositions suivantes : deux appels nominatifs par jour et interdiction de quitter les lieux.

Au matin, le commandant du camp, un jeune lieutenant créole, exigea que l'on regroupât les prisonniers sous le drapeau. Après avoir écorché les noms des soldats tchèques et polonais, il appela les passagers, pointa la liste des deux cent vingt-deux noms établie par Castaing sur le *Paul-Lemerle*. L'appel dura près d'une demi-heure. Chacun devait y répondre et se présenter au chef de camp. D'une autorité toute despotique, il offrit un discours inaugural sur la situation aux Antilles, l'amiral Robert et le respect de la France éternelle du Maréchal. Il moqua les fuyards, ces réfugiés soi-disant, qui détalaient, lâches, ils étaient une honte, ils l'avaient voulu la guerre et maintenant… C'était un contingent étonnant, peu discipliné, des gosses couraient tout autour de la muraille, les soldats en faction avaient baissé les armes et somnolaient sur les canons. Le lieutenant, seul, éructait. Il rappelait les règles en vigueur dans l'enceinte du Lazaret, les horaires, l'appel du matin et du soir. Il annonçait que les valises et les malles seraient inspectées dans la journée, les écrits, les revues et autres imprimés en français seraient prohibés, les lettres retournées, les enveloppes confisquées ainsi que les appareils photographiques et autres pellicules. L'appel aurait lieu tous les jours à la même heure. Il leur apprit qu'ils resteraient au Lazaret jusqu'au départ prochain d'un bateau pour New York ou l'Amérique du Sud. Il ne semblait pas tellement optimiste, désignait au large un bâtiment de guerre de la Navy qui patrouillait et bloquait l'entrée de Fort-de-France à l'amirauté. Lorsqu'il eut fini son homélie, il pointa la cantine, une des cases au bord de la mer, et, à la grande joie des fidèles, annonça la distribution du café. Ce fut alors une grande cohue, ils n'en avaient pas bu depuis une éternité, un vrai café entendons, pas ce jus de grains brûlés qu'on servait à Marseille ou ce substitut sans goût ni force qu'on monnayait cher le matin sur le pont, mais un vrai café, un café noir, fraîchement moulu.

Comme sur le cargo, l'assemblée se divisait en différents groupes, les Espagnols d'un côté et les Allemands de l'autre, les émigrés économiques et les intellectuels. Hier, dans la pénombre, d'autres retrouvailles, parmi les réfugiés internés à l'ancienne léproserie, des exilés allemands arrivés par d'autres bateaux. Anna Seghers et les Kantorowicz étaient ainsi tombés nez à nez sur deux amis d'Allemagne, Robert Breuer et Kurt Kersten, l'un journaliste, l'autre historien.

Tous deux avaient été internés dans un camp du nord de la France et s'étaient enfuis ensemble pour gagner Bordeaux. Ils avaient réussi à sauter dans le dernier bateau quittant le port avant l'armistice. Ils décrivirent la rapide traversée du paquebot vers Casablanca, la foule sur le pont, la fin d'un monde, des ministres et des députés en fuite, des hommes d'affaires et des industriels troquant des titres dévalués et des actes de propriété confisqués. Du Maroc, ils avaient décidé de rejoindre l'Amérique via les Antilles par l'un de ces bateaux chargés de rapatrier les militaires martiniquais démobilisés au pays. À Fort-de-France, ils avaient été dirigés vers le camp et depuis y croupissaient. Ils avaient bien écrit à leurs amis aux États-Unis, Thomas Mann, Ernst Lubitsch, Albert Einstein, mais les réponses reçues étaient toutes décevantes, personne n'était en mesure de les aider à obtenir un visa : le gouvernement américain considérait qu'ils étaient déjà en sécurité de l'autre côté de l'Atlantique. Depuis neuf mois, ils vivaient prisonniers dans le Lazaret, un ancien hôpital, leur apprirent-ils. Dans le temps, on y plaçait en quarantaine les marins atteints du typhus ou d'autres maladies, puis, plus tard, les prisonniers revenus de Papouasie-Nouvelle-Guinée. Aujourd'hui, c'était le tour des indésirables échoués sur cette île et qu'un gouvernement réactionnaire parquait le temps de l'escale.

Bloquant la vue une carcasse de navire, scellée de madragues au sol de la plage et visitée par les vagues

200

– du moins les petits enfants n'avaient pas rêvé mieux
pour s'ébattre tout le long du jour –, par sa fixité même
ne laissait aucun répit à l'exaspération de ne pouvoir
se déplacer qu'à pas comptés, dans l'intervalle de deux
baïonnettes.

Il s'était assis, le dos contre le mur de l'une des
baraques, à l'ombre. Il appuyait son carnet contre ses
genoux. Un papier robuste d'un blanc cassé, sec, qui
permettait à la transparence de s'étaler. À ses pieds,
une petite boîte en bois de chêne, ouverte, vingt-
cinq tubes, cinq pinceaux de tailles différentes, une
éponge, un chiffon et une gomme. Un ramequin en
porcelaine empli d'eau de pluie était posé au rebord
du couvercle. D'un trait de pinceau il étalait son
bleu, l'approchait soudain du noir, distillait par fines
couches un nuancier de couleurs, de l'azur clair au
bleuet, de l'outremer au pétrole, d'abord en suspen-
sion dans l'eau, qui s'aggloméraient selon qu'il dirigeait les gouttes en inclinant le bloc. Tout comme ces
sédiments charriés par la rivière en crue, par éclats,
les pigments se fixaient ensuite au creux des aspé-
rités, épousaient les imperfections des crêtes et des
creux, imprimaient dans les strates une vibration,
un léger tremblement. Il noyait le papier, ou bien
l'asséchait, mêlait la technique du lavis à celle du
mouillé, plus énergique. Cela exigeait du peintre une
exécution agile, rapide, sans temps mort, comme un
croquis à main levée. Le papier d'abord se gonflait
d'eau, absorbait sans se déchirer ni se trouer, une

affaire de proportion. Lorsqu'il jugeait le moment opportun pour intervenir, il saisissait dans la boîte le poil de petit-gris, un fin pinceau dont il avait taillé le manche pour le tenir au creux de sa paume et le manier à la surface comme une fine éponge. Des couleurs broussailleuses, pas tout à fait claires pas tout à fait lisses, en taches sombres à la surface. Il attendait qu'elles s'ouvrent comme des soleils et passait à un autre pan du dessin. Ainsi allait-il d'un bord à l'autre, le paysage devant ses yeux, deux îlets, une cabane en bois à l'extrême gauche obstruait la vue, l'eau vert sombre près de la rive, bleu étincelant au large. Il partit du ciel qu'il peignit blanc, d'abord appliquant un bleu de cæruleum, puis dessécha la surface au chiffon pour retrouver le blanc du papier fatigué, et à son contact y dessiner un aplat de nuages. Il descendit, forma un autre bleu, plus clair, à l'image de l'eau de la baie, translucide et anormalement brillant, un bleu électrique, c'était le mot, qu'il mélangea à un vert sombre, entre la sauge et l'épinard. Il attendit un temps, l'aplat sécha et il affecta, dans les blancs, des tons rouge ocre, plusieurs bulbes plantés au long de la bande de végétation, absorbés, figuraient la toiture des cases du village voisin. Il s'attaqua au premier plan, la cantine du camp, un beige de peau et des ouvertures d'un noir sévère, le sol en jachère recouvert d'un vert militaire et de rochers au bord de la mer. Carl Heidenreich posa le bloc à ses pieds, attendit que le papier séchât et ferma le carnet.

LETTRE DU HAUT-COMMISSAIRE
DE L'ÉTAT FRANÇAIS AUX ANTILLES
ET EN GUYANE FRANÇAISE
À MONSIEUR L'AMIRAL ROBERT
COMMANDANT EN CHEF
DES FORCES MARITIMES
DU THÉÂTRE ATLANTIQUE OUEST
LE 22 AVRIL 1941
FORT-DE-FRANCE

AS : des Israélites
Français et Étrangers, résidant à
Fort-de-France.

En réponse à votre lettre n° 62 AC, j'ai l'hon-neur de faire connaître que sur les 222 passagers du S/S, « Capitaine Paul Lemaire », arrivés le 20 avril 1941, seuls trois d'entre eux se fixent à la Martinique.

1° – Les Français SAINT, André et MERCAN, Albert, démobilisés, rejoignant leur domicile.

2° – l'Espagnol de Miguel Y. Lancho, Jésus, né le 9 octobre 1905 à Badajo (Espagne). Industriel, venant de Casablanca où il réside habituellement, rue Lafayette. Cet étranger qui vient comme tou-riste a été autorisé à résider par autorisation n° 60 du 11 mars 1941 de Monsieur le Gouverneur de la Martinique.

Il réside à l'Hotel de la Paix, 39, rue Schoelcher à Fort-de-France.

Tous les autres passagers ont été internés au Camp du Lazaret où autorisés à résider provisoirement en attendant leur départ dans diverses localités de l'île.

11

Ici sont les dragons

Hôtel de la Paix
Fort-de-France
23 avril 1941

Même si la situation paraissait épouvantable en métropole, même si on évoquait les enlèvements, les rafles, les assassinats, les arrestations arbitraires et l'internement des indésirables et des opposants dans des camps, même si le décret Crémieux avait été amendé et restreignait dès lors les droits des populations juives, scrupuleusement recensées, la France n'avait pas encore décidé – c'était une affaire de mois – de nier aux juifs leur nationalité et de les contraindre à adhérer à une identité unique et religieuse, qu'ils avaient pour la plupart longtemps considérée comme secondaire. En Martinique, les policiers en short, bottes et képi, abrutis par le soleil et le rhum, excités par les réflexes de colons et l'insularité débilitante, oscillaient entre haine de l'Anglais, de l'Américain, du juif, du métèque, du nègre, se vivaient comme l'avant-garde de la Révolution nationale et classaient les juifs par catégories d'israélites. Claude, qui de son propre aveu avançait dans la nuit avec l'insouciance d'une bête d'abattoir, ainsi qu'il s'était rendu, comme il aimait à le raconter, juste après l'été champêtre de la débâcle, à Vichy pour y obtenir l'autorisation de retourner à Paris gagner son poste d'enseignant fraîchement nommé au lycée Henri-IV. Il s'y était présenté par *esprit casanier*, ajoutait-il, comme pour se dédouaner de l'inconsciente démarche. Il racontait que le responsable de l'enseignement secondaire, assis faute de mieux derrière un pupitre de maître d'école communale, éberlué, l'avait sauvé d'un faux pas, tout prêt qu'il était à se jeter, comme on dit, dans *la gueule du loup*. « Avec le nom que vous portez, aller à Paris ? Vous n'y pensez pas ? » s'était-il entendu répondre. Aussi, lorsqu'il fut insulté par le capitaine Castaing, qu'il s'entendit nier sa nationalité parce que juif, il comprit que de *gibier de camp de concentration*, il se trouvait, examiné par les autorités de l'île comme un *bouc émissaire*. La Martinique, isolée du reste du monde, sous surveillance rapprochée des navires de guerre américains, présentait, à cet instant précis de l'histoire, un concentré de tous les maux de la civilisation saturée de déviances et d'idéologies mortifères, d'un fond de culotte d'esprit français et de colonialisme barbare, qui sous couvert de mission civilisatrice rétablissait les ordres et les castes de l'Ancien Régime.

Quand la chaleur retomba, ils gagnèrent la ville. Les routes zigzaguaient, sentiers de terre ou pistes de forêt, ils roulaient à l'aveugle, levaient de temps à autre la tête pour apercevoir la baie et s'y guider comme l'on suivrait le bord d'un lac, *la vieille Ford se hissait en première au long de pistes accidentées.* Le ciel se couvrait, transformait la terre en flaques de boue, la piste en torrent, les argiles de redevenir fluides. C'était carême, disait-on, l'implacable séche- resse, qui même ici est insupportable. Pourtant, il pleuvait. Au volant, Claude continuait d'aller cahin- caha, ébloui d'un paysage qui lui rappelait l'Ama- zonie et la campagne des faubourgs de São Paulo ; il s'étonnait d'y circuler bien des années plus tard, lui qui ne devait son salut qu'à l'improbable hasard des liaisons transatlantiques d'avant-guerre et des rela- tions qui s'y nouent, faute de divertissement. Juif et universitaire, semi-explorateur ou demi-savant, marié et célibataire, apatride ou presque, une sacoche en cuir dégueulant ses feuilles et une imposante malle en transit à la douane du port, Lévi-Strauss, dont le nom, bien avant l'incertain curriculum vitæ, échauf- fait les esprits des apprentis lieutenants de la milice coloniale, paradoxe, était le mieux loti des deux cent vingt-deux du *Pôvre merle.* Il pensait, tandis qu'il s'éloignait, à ceux encore prisonniers là-bas, effaré des conditions d'internement dans ce camp de la Pointe-du-Bout. L'humiliation, pareille aux vexations à bord, et l'impayable arrogance des petits capitaines, de sergents singeant les ordres de sous-lieutenants de pacotille, picaros ou autoproclamés rois de ce no man's land, piste échouée au large des terres, à l'arsenal, assis sur le trésor de la Banque de France, dont le gouverneur rêvait la nuit de pilonner les navires au large de la baie. Combien y ont songé, gredins ou hypocrites malhonnêtes, à mille lieues de leurs forfaits, de régner sur leur bagne – *ici sont des dragons*, comme l'on appose sur des territoires inconnus ou dangereux des cartes du Moyen Âge. Le syndrome du petit chef, si commun à notre monde, revêtait ici une autre dimension, l'injure se mêlait à l'arbitraire, raciale et évangéliste, offrant à quiconque se parait de ses attributs, uniforme, grade et médailles, le sentiment décuplé de l'impunité. C'était hilare qu'on observait le cinéma du chef créole vociférant sur son campement, hilare et attristé. On racontait à Claude l'absurde appel du matin et du soir, le courrier et les livres confisqués, les quinze cents francs de frais d'internement et de caution. On évoqua aussi l'infâme tambouille de patates douces, la bassine de viande congelée et de peaux d'orange, comme un punch salé. Sans douches, les citernes à sec, les plus courageux se jetaient à la mer pour la toilette, les autres, craignant les requins ou Dieu sait quelle autre bête, se badigeonnaient le visage et le corps d'eau de Cologne. En deux jours, à peine, les élégants du bateau, déjà abîmés par la traversée, avaient remonté les ourlets jusqu'aux genoux et la chemise aux biceps, les femmes, la robe maculée de cambouis et la traîne accrochée, déchirée, tachetée de rouge par ces drôles de fleurs suspendues aux fougères. Ils étaient tout bronzés, de vrais moricauds. Les passagers du bateau cohabitaient avec d'autres échoués de l'exil et les soldats polonais et tchèques zonaient et sympathisaient avec leurs geôliers, bons soldats, jusqu'à partager la cahute et la popote. Les plus vaillants, racontait-on, trompaient la vigilance des sentinelles au portail, contournaient la muraille à la nage, en brasse coulée, s'arrêtant cent à deux cents mètres plus loin, partaient s'approvisionner au marché des Trois-Îlets. Pour les autres, la cantine de la case nègre, épicerie du Lazaret, vendait à prix inique sardines, cigarettes et eau minérale. Des dames tout à fait dignes, de celles que l'on observait aux Champs-Élysées sur le pont du commandant jouer au bridge et siroter un cocktail du Chinois, arpentaient le camp, mimaient un tour de garde, demi-folles, le teint jauni et les cheveux en bataille, elles se parlaient à elles-mêmes – des mots répétés comme de soudains cris d'indignation : « Pas possible… Pas possible ! » « Répugnant… Répugnant… » entendait-on si l'on emboîtait leur pas. D'autres vivaient comme une ultime humiliation d'être sous les ordres d'un métis – ceux qui, militants socialistes, prônaient l'égalité à l'assemblée de Montparnasse, décrétaient au Lazaret que la couleur de peau du lieutenant avait été pensée par ce tordu de Castaing, c'est ainsi qu'on l'appelait ici, comme une autre vexation ; que mû par un complexe d'infériorité le créole hésitait entre l'extrême courtoisie et la colère bête, troublé par son inattendu pouvoir. Breuer et Kersten, les amis des Kantorowicz et des Seghers, internés depuis des mois, facilitaient la vie des exilés allemands. Eux deux avaient obtenu la permission de quitter le camp. Ils se rendaient en ville chaque jour, une liste de commissions en main, ils récupéraient les mandats et l'argent envoyés des États-Unis par la communauté.

Au pied du fort Saint-Louis, rincé et transpirant, Claude avait erré, la nuit de son arrivée, le long du débarcadère de la Société des Bateaux à Vapeur. Il s'était arrêté, après avoir traversé un jardin galant bizarrement nommé la Savane, à l'angle de l'ancienne rue de la Liberté et de la rue Victor-Hugo, à l'hôtel de la Paix. Une chambre au troisième étage, un mobilier de bois simple, un ventilateur dont les pales tournoyaient en frottant le plafond comme la roue voilée d'une bicyclette. Il s'était endormi tout habillé, réveillé deux heures plus tard, en sueur, la gorge sèche, les vêtements froissés et le pli du drap marqué sur le visage. Il avait poussé les persiennes, replacé ses lunettes, était sorti sur le balcon en fer forgé, encore égaré, face à huit palmiers et une statue de Joséphine en marbre blanc, aux corniches et pilastres corinthiens. À cet instant précis, peut-être, klaxons d'automobiles et cris de marchands en contrebas, il observa la parade des casques coloniaux kaki comme on eût regardé le va-et-vient des fantômes de Descartes – *sinon des chapeaux et des manteaux, qui peuvent couvrir des spectres.* Non pour

210

crever les baudruches sous les salacots mais mû par la faim et la curiosité, Claude descendit à minuit sous les tamariniers et les sabliers, croisa les marchands de pistaches grillées au kiosque à musique, fila près de la Maison des Sports où l'on pratiquait à la Chiennaille sans pudeur, une passe avec un marin du port, qu'on voyait ensuite remettre son falzar derrière le buste du comte Belain d'Esnambuc.

Au débarquement, Claude avait abandonné sa malle à la douane. Il avait rusé. C'est ainsi qu'il le racontait amusé à l'ingénieur. Après avoir été copieusement insulté à bord par le lieutenant de la Sûreté, convaincu qu'il trouverait à terre douaniers, policiers et soldats du 2ᵉ bureau d'un même tempérament, il avait craint que l'inspection de ses archives de voyages et expéditions ne vire à l'interrogatoire, par ignorance considérées comme des documents d'espionnage. *Fichiers linguistiques et technologiques, journal de route, notes prises sur le terrain, cartes, plans et négatifs photographiques – des milliers de feuillets, de fiches et de clichés –, qui ne manquerait pas de leur apparaître comme des instructions en code (en ce qui concerne les vocabulaires indigènes) et des relevés de dispositifs stratégiques ou des plans d'invasion pour les cartes, les schémas et les photos.* Même s'il apparaissait qu'un espion eût été mal avisé de regrouper l'ensemble de ses renseignements dans un bagage à son nom, Claude ne misa ni sur l'intelligence ni sur le discernement des autorités, mais plutôt, prudent, comme l'on parierait en Bourse à la

baisse, sur leur bêtise et leur acharnement, et déclara
en transit son coffre, dès lors, contraint, pour éviter
qu'il soit ouvert ou abandonné sur place, de quitter
la Martinique sur un bateau étranger, ce qui se révé-
lait, au regard des exigences allemandes et de la surveillance américaine, d'une affreuse complexité. Il
gardait une valise en cuir et ne manquait de rien, si
ce n'est de lectures et de travail. Et qu'est-ce qu'un
chercheur sans terrain ni documents sinon un
libre-penseur ?

Assis à la terrasse d'un café, à l'angle de la rue de
la Liberté et du bord de mer, Claude observait le
Paul-Lemerle, relié aux môles, et les processions de
porteuses de paniers, charbonnières qui franchissaient la passerelle, entre le parc et le bateau à quai.
« Admettez seulement, avait lancé l'ingénieur, que
l'île soit anglaise, ce ne serait pas la même affaire
– l'empire aurait organisé la riposte depuis les
Caraïbes. Ici, on a sorti du jeu de cartes un joker,
qu'on montre à tout-va, comme un laissez-passer.
Tout ce dont on rêvait, justice expéditive, épura-
tion des administrations, destitution des maires
et des élus, par la magie de la Révolution nationale
devient une réalité. C'est le rêve des grandes plantations, une société rurale tout entière organisée de
manière hiérarchique et corporatiste. » L'ingénieur
était arrivé sur l'île à la suite d'une mutation, une
sanction, disait-il, vendue comme une promotion. Il
aimait à bavarder littérature avec Claude qu'il avait
pris sous son aile, et l'aidait dans ses démarches, lui

expliquait les petits trucs pour améliorer son séjour, ou faciliter son départ. L'heure venue du déjeuner, ils bavardaient en terrasse, devisaient face à la baie, protégés du soleil par les toitures et les larges balcons. L'ingénieur était un homme taiseux, renfrogné, il s'ennuyait affreusement. D'une conversation l'autre, l'un décrivait les tribus Nambikwara et Tupi-Kawahib, l'autre le climat au temps Robert, la baie toute prête à s'enflammer, deux mille cinq cents militaires cramaient à quai, deux cent quatre-vingt-six tonnes d'or de la Banque de France cachées dans les mornes en surplomb, des navires désarmés, des croiseurs américains et des sous-marins allemands au large, des espions étrangers, des inspecteurs de la Sûreté générale, un observateur naval en visite, le tout sur une île pareille à une perle puante. Ajoutez-y l'abrutissement général célébrant Pétain en bon papa Noël, et la doctrine Monroe comme un évangile, et vous y êtes. Sur Radio Martinique un message était diffusé en boucle : « Français, vous avez assisté au cours de votre histoire à un miracle, le miracle Jeanne d'Arc. Il vous est donné aujourd'hui d'assister à un second miracle, le miracle Pétain ! » Les bateaux entraient et sortaient, un manège que rien n'arrêtait. L'huile manquait encore, et parfois le journal relatait la mésaventure d'un navire de commerce qui s'abîmait en route, était dérouté ou s'immobilisait, comme ce bananier, le *Fort-Royal*, saisi le 27 mars par une compagnie d'assurances de New York, la Royal Exchange. Personne parmi les dockers ou les fonctionnaires de la compagnie des Messageries ne semblait en mesure de prévoir le prochain départ. On parlait bien du *Duc-d'Aumale*, en réparation dans la forme de radoub de Saint-Louis, les ouvriers s'y affairaient mais on était en peine d'imaginer qu'il puisse prendre la mer sous peu. Les internés du Lazaret en seraient les passagers. Le paquebot s'arrêterait d'abord à Saint-Domingue puis rallierait New York.

Les commerçants de la rue Saint-Louis, les patrons des quincailleries de la rue Antoine-Siger, ou des restaurants du marché couvert pestaient contre la décision du gouverneur d'interner les passagers en transit. C'était une manne inespérée, des pigeons prisonniers, libérez-les et nous les plumerons, implorait-on. Les prisons ne font pas tourner le commerce. On ne manquait pas de le faire savoir – le syndicat de Fort-de-France avait dépêché son président pour une entrevue avec le gouverneur Nicol. Une double peine, une provocation. Pas les indigents, non non, ceux-là, ils pouvaient rester prisonniers des Trois-Îlets, on parlait plutôt de riches voyageurs, peut-être pourrait-on les trier là-bas, leur faire payer une caution, enfin, soyez raisonnables, œuvrez pour la fortune de vos administrés, c'est un manque à gagner énorme pour les débits de boissons, les commerces, pensez-y monsieur le gouverneur. Rappelons que l'argent est un fabuleux véhicule de progrès !

La rue était morte, un terrain vague, traversée par des ombres. La nuit finissait. Un grand gars torse nu fouillait dans les poubelles et tirait sur un mégot éteint, il titubait entre les kiosques fermés. D'autres clochards se réveillaient et filaient au pied du fort, piquer une tête, se laver, se réveiller. Le ciel s'éclaircissait, s'étirait et griffait des traits blancs. Une lune minuscule pareille à une étoile disparaissait derrière les épais nuages. Claude, réveillé avant le jour, errait aussi, près de l'appontement des bateaux. Il remontait l'embarcadère et s'arrêtait en bout de jetée, s'asseyait les pieds dans le vide.

Le bleu du ciel gagnait en intensité, c'était l'apparition des lumières, un combat lent, inexorable, perdu d'avance, l'obscurité se débattait ou bien se cachait derrière les plis des horizons. La mer n'avait pas encore l'ampleur que nous lui voyons à midi – on ne discernait rien, sinon le rayonnement discret des balises et des phares. Dans la sacoche en cuir, une chemise portait mention « Roman » et comprenait trois liasses, vingt-sept feuillets de carnets, manuscrits au crayon et réunis sous le titre « Le coucher de soleil ». Il décrivait un spectacle grandiose, et notait notre infirmité à désigner et séparer deux moments inconciliables dans son esprit, l'aurore et le crépuscule. Le préambule précédait une série de notations, minute par minute – cinq pages écrites sur le pont du *Mendoza*, de retour du Brésil.

Pour les savants, l'aube et le crépuscule sont un seul phénomène et les Grecs pensaient de même puisqu'ils les désignaient d'un mot que l'on qualifiait autrement selon qu'il s'agissait du soir ou du matin. Cette confusion exprime bien le prédominant souci des spéculations théoriques et une singulière négligence de l'aspect concret des choses. Qu'un point quelconque de la terre se déplace par un mouvement indivisible entre la zone d'incidence des rayons solaires et celle où la lumière lui échappe ou lui revient, cela se peut. Mais en réalité, rien n'est plus différent que le soir et le matin. Le lever du jour est un prélude, son coucher, une ouverture qui se produirait à la fin comme dans les vieux opéras. Le visage du soleil annonce les moments qui vont suivre, sombre et livide si les premières heures de la matinée doivent être pluvieuses ; rose, léger, mousseux quand une claire lumière va briller. Mais de la suite du jour, l'aurore ne préjuge pas. Elle engage l'action météo-rologique et dit : il va pleuvoir, il va faire beau. Pour le coucher du soleil, c'est autre chose ; il s'agit d'une représentation complète avec un début, un milieu et une fin. Et ce spectacle offre une sorte d'image en réduction des combats, des triomphes et des défaites qui se sont succédé pendant douze heures de façon palpable, mais aussi plus ralentie. L'aube n'est que le début du jour ; le crépuscule en est une répétition.

À la réception de l'hôtel, il commanda un café. Dans une pile de vieux journaux sur la table basse du vestibule, en une du *Courrier des Antilles* du 3 février 1941, il pouvait lire, un mois et demi en retard, l'annonce de la venue de Paul-Émile Victor pour une série de conférences.

L'Explorateur
P. E. Victor
fera une seconde conférence
sur les Esquimaux le Lundi 3 février

M. Paul-Émile VICTOR, le jeune explorateur qui fut chef de l'expédition française du Groenland en 1934-1935, et qui repartit en Mars 1936 vivre un hiver entier chez les Esquimaux, est de passage parmi nous.

Chargé de conférences au Collège de France, chargé de la section arctique du Musée de l'Homme, Enseigne de vaisseau de Réserve et scout depuis 20 ans, M. Paul-Émile Victor a bien voulu donner une conférence pour le public martiniquais. Elle a eu lieu mardi dernier, à la Salle Paroissiale. C'est une chance rare pour l'élite intellectuelle de notre pays que d'écouter, dans une de nos salles, un vrai conférencier. C'est une chance inespérée quand c'est de la bouche même d'un explorateur, il est donné d'entendre le récit d'une expédition lointaine et difficile.

M. Paul-Émile Victor, savant notoire, a narré, en se mettant à la portée de son public, son voyage et ses études dans les terres polaires arctiques, agrémentant ses enseignements sur le Groenland et ses habitants fines et savantes. La conférence étant illustrée par la projection de photographies qui sont des documents de grande valeur.

L'Amiral Robert et le Gouverneur Nicol l'honoraient de leur présence.

Le Colonel Achille présenta le conférencier qui fut remercié, après les applaudissements enthousiastes, par M. Jean de Laguarigue.

Beaucoup de personnes désireuses d'entendre cette conférence n'ayant pu trouver de places, M. P-E Victor a bien voulu consentir à la renouveler lundi 3 février prochain.

Les cartes d'entrée, au prix de 10 francs – 5 francs pour les écoliers – sont distribuées à la salle Paroissiale et dans les librairies.

Le Lazaret de la Pointe-du-Bout
25 avril 1941

La loi du commerce eut raison de la loi martiale. Après trois jours d'internement, les passagers du *Paul-Lemerle* furent autorisés à se rendre en ville tous les jours jusqu'à dix-sept heures. Les boutiques de Fort-de-France avaient célébré leur victoire sur les autorités en majorant le matin même les prix affichés sur les étals de leurs magasins. C'était de bonne guerre. Ils attendaient les vedettes pour plumer le chaland, tout comme au débarcadère les lavandières spéculaient sur un beau paquet de linge sale qu'elles iraient frotter et gratter contre la pierre polie de la rivière, sécher au soleil et plier, le tout pour dix sous.

Castaing se présenta au Lazaret de bonne heure. On l'installa dans la case des officiers, derrière un bureau, où il reçut, liste sous les yeux, les internés du Lazaret. Il cochait les noms dans la marge, récupérait les passeports et délivrait ses permissions. Parfois, il s'arrêtait sur un nom qu'il confrontait à un autre document, une liste des indésirables et agitateurs transmise par le Capitaine du *Paul-Lemerle* à la Sûreté navale, établie à Marseille ou à bord du bateau, on ne sait. Ses refus motivés, il en lisait les recommandations, taisait les commentaires. Il interdisait tout déplacement à ceux qui n'avaient pu payer la caution d'internement de neuf mille francs. L'humanisme a ses limites que le commerce borne. Une tête ne lui revenait pas, un nom juif, et c'était un tombereau d'injures et de moqueries, et puis sous un prétexte fallacieux il refusait la sortie du camp. Il se moquait bien des protestations, de l'indignation – ils n'étaient à ses yeux que des lâches, des fuyards, de soi-disant intellectuels, écrivains, soi-disant philosophes, professeurs, la pire racaille qui soit, un tas de vermine, une maladie dont on devait se prémunir – l'idée même qu'ils fussent placés en quarantaine dans une ancienne léproserie le ravissait – ah oui, la juiverie et le communisme étaient bien la peste de ce siècle ! À l'abri d'une anse, la Pointe-du-Bout était une fournaise perpétuelle. Comme sur le bateau, on n'y vivait qu'aux aurores et à la nuit tombée. La

219

zone du fortin était malsaine, autour de l'enceinte des cahutes bondées et délabrées, une odeur de mort, la carcasse d'un navire rouillée dans l'eau et des bancs d'oursins. Le soir venu, des moustiques et un inconcevable sifflement court et répété, le chant de minuscules grenouilles, résonnaient dans la pénombre. Breton se trouvait réveillé à trois, quatre heures du matin, il s'asseyait près de l'embarcadère, le bruit de la mer dissimulait ceux de la forêt, la nuit aveugle l'apaisait un temps, le plongeait ensuite dans une profonde mélancolie. *En prison je mourrais*, avait-il écrit à Marseille. Et qu'avait-il vécu depuis sinon la détention ? Des prisons d'eaux, mouvantes, instables, d'un bateau à quai, cargo fantôme, au fortin militaire échoué au milieu d'une jungle fantastique, et l'espoir toujours interdit par un simple parapet, un muret, une enceinte, tout autour comme dans des douves, la mer. Breton avait une faculté inouïe, d'aucuns diraient d'aveuglement, à ne juger les événements qu'à l'aune de ses propres perceptions, sans tenir compte de ce qui bousculerait cette vision. Il y voyait l'acharnement du destin. Et ce qu'il ne vit pas, c'était l'incroyable inadéquation du surréalisme et de la guerre. Ils avaient connu une période héroïque, et ce monde avait sombré, n'était plus que souvenirs diffus. Comme tous ceux qui ont un esprit ironique, Breton aimait à croire que l'attente, la sienne, était la façon dont la destinée, malicieuse, s'arrêtait pour dessiner les épisodes d'un récit plus vaste. En s'adossant à la mécanique générale, il inscrivait ses pas dans la catastrophe, ainsi irait-il confiant au-devant d'épreuves et d'initiations, épouserait-il le chemin du détour, le seul qui vaille d'être emprunté.

La matinée se terminait. L'herbe drue éclatait en étincelles sous les coups de boutoir du soleil. Ce fut le tour de Breton. Castaing le reconnut, il se souvint de leur entrevue sur le bateau, son air agaçant, fier, aristocratique, un poète et puis quoi donc, un jean-foutre, et, cochant sans plus lever les yeux, expéditif et arbitraire, jugea : *Breton. Non.* Non, quoi, non dehors, non, jamais, non pas pour l'instant ? Pas de laissez-passer, mais pourquoi donc ? Il finit par répondre, implacable : *Le conseil de sécurité s'oppose à ce que vous mettiez le pied à Fort-de-France.* Quel conseil de sécurité ? Un officier lui prit le bras et le congédia, essoufflé, troublé, élevant la voix, il répliqua qu'il porterait une réclamation. Ce qu'il fit dans la journée. Une lettre qu'un compagnon porta au bureau du gouverneur Nicol.

Il se retrouva au centre du camp, perdu, vit Aube, et son visage s'adoucit tout à coup.

LETTRE DE CLAUDE LÉVI-STRAUSS
À SES PARENTS
LE 25 AVRIL 1941
FORT-DE-FRANCE

Chers tous deux, ce petit mot ne vous dira pas grand-chose, et je l'envoie seulement pour couper le temps qui s'écoulera avant ma première lettre de New York. On est très strict ici sur la correspondance, et il faut s'en tenir aux généralités. Mon câble vous aura sans doute prévenus de mon arrivée, et maintenant j'attends, sans doute quelque temps encore, de pouvoir poursuivre. Mais très certainement je fêterai avec tante Aline votre anniversaire de mariage. J'ai trouvé ici une lettre d'elle, très optimiste sur ma situation. Elle parle d'une prolongation de mon contrat à deux ans, ce qui me semble indiquer une régularisation de ma situation vis-à-vis de la New School, et d'un engagement possible à Yale, ce qui serait naturellement admirable. Le voyage s'est bien terminé, la longueur et l'inconfort disparaissent devant l'agrément et la qualité intellectuelle de nombreux passagers. À la fin, c'était presque devenu une petite université : conférences, discussions, conversations, etc.

La Martinique est splendide, et me rappelle la côte brésilienne au nord de Rio (vers Victoria). Je suis installé dans un hôtel simple mais propre avec un groupe de très agréables compagnons : deux jeunes ménages de cinéastes (réfugiés allemands) engagés à Hollywood,

222

et un collectionneur de tableaux tunisien, qui connaît Édouard. Nous passons le temps qu'il faut attendre ici le plus agréablement possible à nous baigner sous les cocotiers et à nous gorger de fruits tropicaux, plus variés et abondants qu'au Brésil. Que l'Europe est déjà loin ! Et j'ai honte de cette abondance en pensant à vous. J'ai pris également contact avec les archéologues locaux et pense travailler un peu avec eux, ou tout au moins, me mettre au courant de ce qu'il y a à faire ici. Je n'écris pas à Pierre ne pouvant lui parler en détail, mais pouvez-vous lui faire savoir 1°) que je crains ne pouvoir mettre sa commission sous la forme qu'il souhaiterait, 2°) que j'ai reçu de M. Sussfeld, l'ami de Jean Valabrègue, un excellent accueil et que j'en remercie Jean Valabrègue. Rencontré ici également un commandant Halphen, propriétaire dans le Loiret. Savez-vous qui c'est ?

De ce qui se passe dans le monde, je ne sais à peu près rien depuis un mois, et le peu que je sais m'enlève toute envie d'en connaître davantage… J'espère que je saurai quelque chose de vous en arrivant à New York. Ne vous inquiétez pas si ma prochaine lettre tarde un peu car j'attendrai sans doute d'être arrivé pour récrire, et le départ n'est pas pour tout de suite.

En attendant je me laisse vivre.
Je vous embrasse tendrement,
Claude

12

Charmeuse de serpents

Locaux de La Paix
Fort-de-France
26 avril 1941

« Un saint homme. Vous devriez le rencontrer, un curé piqué d'archéologie, ça ne court pas les rues. Vous lui seriez d'une grande aide. C'est le recteur de la cathédrale et le directeur du journal *La Paix*, qui sait, il pourra peut-être débrouiller votre affaire de bagages et de visa », avait conseillé l'ingénieur. Claude se présenta à l'entrée du presbytère après l'office du matin. On l'invita à patienter dans un couloir étroit, enserré d'une bibliothèque d'étagères murales. Des livres religieux, un ouvrage sur l'histoire agricole de l'île, des récits de voyageurs. Après avoir attendu deux heures, lu la presse du matin, il devina, au bout du couloir, une silhouette de soutane noire, une barbe épaisse, longue, broussailleuse, celle d'un aumônier d'Indiens égaré dans la forêt, tout prêt à les passer au fer. C'était Jean-Baptiste Delawarde. Il fut invité à entrer. Sur le bureau, des livres empilés, un modelage en terre cuite, une pile de dossiers. Claude se présenta. Il parla d'abord de son périple, expliqua qu'il enseignait au Brésil, en était revenu, que la guerre avait mis un terme à la rédaction de sa thèse et à la tenue d'une exposition au musée de l'Homme. Delawarde l'invita à partager son déjeuner, un bol de café noir et de gros morceaux d'ananas. Il n'en avait pas mangé de si juteux, de si appétissant depuis le Brésil. La chair dégoulinait sur ses mains, il riait. Il comprit, à la mine réjouie de Delawarde, qu'il avait trouvé un homme enchanté que le hasard et les aléas l'aient poussé jusqu'en Martinique. La Providence à coup sûr. Le révérend était en joie et ne tarda pas à évoquer ses découvertes, modelages et cylindres creux de civilisations précolombiennes, spatules et vases d'époque saladoïde, les fouilles à l'anse Mitan ou au Lorrain. C'était comme se trouver au milieu de la jungle en présence d'un autre amateur de papillons tout pressé de vous montrer ses prises. Il travaillait sur un ouvrage consacré à la sorcellerie en Martinique, les guérisseurs, chamans, voyants, féticheurs, magiciens, envoûteurs et enchanteurs. Il collectait tous les contes de village. Dans ses carnets, de larges formats noirs reliés, il tenait un relevé méthodique de ses fouilles, à grand renfort de croquis et de légendes. Il lui offrit de lire ses articles publiés dans le *Bulletin de la Société des américanistes*, sa gloire d'archéologue. Récits sur les traces des vestiges des premiers monuments chrétiens du Nouveau Monde et sur la fondation de Saint-Domingue par Christophe Colomb ; un autre, de ses expéditions en Dominique, une enquête de terrain, arguait-il auprès des Indiens. Claude s'arrêta à la lecture d'une comptine, où Sésé, une fille qui vivait dans la case avec sa mère et son frère, recevait chaque nuit la visite d'un amant qu'elle ne pouvait reconnaître dans l'obscurité. Un jour sa mère s'aperçut qu'elle était grosse et décida de confondre le mystérieux visiteur. Quand celui-ci revint, un guetteur, posté dans un coin de la case, lui noircit le visage avec sa main trempée dans le suc de génipa, afin que, le jour venu, il soit reconnu. Le lendemain, on comprit qu'il s'agissait du frère de la fille. Tout Le Carbet en fut fâché, lisait-on, et honteux, le délinquant décida de s'enfuir et de vivre en solitaire. Il escalada le ciel et devint la lune sur le visage de laquelle on voit les traces du génipa. La fin du conte l'amusa, un motif récurrent, l'enfantement maudit, que l'on retrouve dans le sortilège du violon de Tourgueniev. On appela l'enfant Hiari et, en souvenir de son amant, Sésé demanda au colibri de monter jusqu'à la lune avec le nourrisson pour le montrer à son père. Le colibri s'acquitta de la tâche et reçut en récompense de belles plumes sur son corps et une couronne sur le front. Hiari fut le papa de toutes les Caraïbes. Mais encore aujourd'hui, les femmes se méfient de la lune et celle-ci, grosse ou petite, ne les visite plus.

La conversation se porta sur les expéditions au Brésil. Il poursuivit son récit, raconta les dessins de la main des femmes caduveos, tout un matériau scientifique rapporté au musée de l'Homme. Il parla de l'énigme des peintures corporelles des Caduveos, arabesques pareilles à des ornements chrétiens, sur les mains et les visages, tout un art raffiné de la parure. Avant de se quitter, Delawarde montra sa collection à Claude, des objets indiens aspergés de créosote avant d'être couverts, entreposés dans des caisses de bois au sous-sol des locaux du journal. Il se promit de revenir dès le lendemain, et d'en faire l'inventaire.

Fort-de-France
27 avril 1941

Alors vous me donnerez le nom de votre hôtel mais prenez garde. Poète surréaliste, hyperréaliste, aucun besoin de ça à la Martinique. Rappelez-vous que vous n'avez personne à voir ici. Évitez surtout les éléments colorés. Ce sont de grands enfants. Ce que vous pourriez leur dire, ils le comprendraient tout de travers. Vous pourrez faire tous les bouquins que vous voudrez quand vous serez parti.

Un jour, sait-on lequel, vraiment, Breton entra dans la mercerie de Mme Ménil – il y était venu pour acheter un ruban bleu pour sa fille. C'était une échoppe de rien, à l'entrée de la rue Victor-Hugo, en devanture, parmi des mètres de rubans, de la pompadour, de l'écossais, du liberty, de la popeline toile de Tarrare, du kaki satiné et de l'étoffe Vichy, de la toile Nationale, une brochure, unique objet dans la vitrine – sur la couverture, un simple appel, et la mention de *revue culturelle* ; un titre, *TROPIQUES*, avec des lettres en décalque, D.M.C., en arrière-plan. Et cet instant aussi, les relations qu'en firent les témoins, qu'ils grossirent, déployèrent jusqu'à ce qu'ils prennent les mesures d'un roman – récits que l'on biaise dès lors qu'on l'a vécu, un instant abusé et embelli, infirme à se désigner dans sa splendeur. Il faudrait, se dit-on, laisser Breton devant l'étalage, l'oublier là, ne va-t-il pas le raconter ce moment, et puis le conforter par ses mots, par la puissance d'un verbe qu'il affûte comme un coutelas tranchant, camper le cadre d'une coïncidence, en décortiquer les signes, offrir, à force de le tailler, à Aube ce ruban bleu, le bouton déclencheur, et tordre l'histoire à ses intuitions, les siennes, abandonnant les hommes tout autour à de simples mécanismes réglés à son pas, alternant des gestes machinaux comme arrêtés, mannequins de manège, sur pause. L'histoire est une déposition, l'avenir une page blanche. Un récit ordonne le hasard en une structure proprette. C'est ce qu'ils firent tous, ils enjolivèrent ce qui ne devait être que le résultat d'un peu d'ennui. Méfie-toi des récits, ils ont l'apparence du vrai, ils n'en ont que l'apparence – interprétations gibbeuses aussitôt aplanies par d'autres regards.

Et la sœur de René Ménil, qu'en pense-t-elle ? C'est sa boutique, après tout, elle est chez elle derrière le comptoir et la machine à coudre. Et de l'histoire littéraire, elle se contrefiche. À l'intérieur, elle n'apercevait sans doute pas Breton sur le trottoir, fondu par le soleil et ses reflets ; peut-être bavardait-elle avec ses clientes, qui, sous prétexte d'un conseil, d'un bout de tissu pour finaliser une pièce de complet, ou se servir de la belle Singer à pédale au fond du local et raccommoder un pantalon, poser une coudière, discutaillaient comme ces messieurs, bavards, pas moins, sur les bancs de la Savane, ou les lavandières, à la rivière, penchées sur les baquets, ou les pêcheurs sous l'auvent du marché aux poissons plaisantaient en jetant sur l'étal en zinc à l'aurore la pêche du jour. Peut-être, après tout, la sœur Ménil ne leva pas la tête, ne vit pas entrer le grand échalas, que seule l'histoire auréola de mystère, désigna grand poète. Peut-être, et ça on ne l'a jamais lu, qu'elle le vit entrer dans la boutique, ne dit pas bonjour, le méprisa quoique élégant, et poursuivit sa conversation, rit fort à une blague dans un créole que Breton entendit comme une douce mélodie, dont il eût pu tirer un son s'il en avait maîtrisé l'instrument, et dont elles n'entendirent rien qu'un mot sans sonorité autre que celle qui désigne par un court chemin le sens voulu. Peut-être se dirent-elles qu'il déguerpirait dans l'instant, entrant sortant d'un même mouvement, s'agacèrent-elles qu'il questionne, passant la main sur le rouleau de tissu indigo, la couleur, comme s'il s'était agi d'un machin plus étonnant qu'un tissu à salopette, qu'imaginait-il, une rareté ? Ou alors il ne dit rien, et prit place sur l'un des tabourets qu'on imagine facilement posés à l'entrée, ramassa la revue du frérot, Ménil le professeur, qu'il lui avait laissée en dépôt par paquets de dix, qu'elle voyait prendre la poussière, et que parfois, à sa grande surprise, on achetait 12 francs, sans broncher, le prix de dix mètres d'un beau lainage. Elle y avait bien jeté un œil, avait lu le préambule comme un cri qu'elle eût partagé, avec d'autres mots, mais du reste, la philosophie et les envolées, elle s'en méfiait, bien trop amusée de voir son frère avec ses grands airs de Parisien, ses nœuds papillons d'homme sans le sou. Le gaillard donc, grand, s'assit sur l'un des tabourets, pinça délicatement le pli de son pantalon, remonta l'ourlet, brilla de beaux souliers, d'un cuir délicat, tanné, marron tabac. Il prit l'exemplaire de *Tropiques* sur la pile d'invendus, consulta l'ours comme le font les indifférents, lut le sommaire, et plongea, comme il le raconte, dans un premier bain de mots – l'éditorial signé de tous, écrit par Aimé et Suzanne. Acceptons que cela se fit ainsi, qu'il fut frappé de ce que l'on appelle *révélation* ; que, sceptique, certain de n'y trouver qu'une gerbe de mots bourgeois et idiots, un pioupiou des îles, il tomba sur une parole, une vraie, plus sombre, plus frappante, acérée et saillante, prête à creuser profond.

Où que nous regardions l'ombre gagne. L'un après l'autre, les foyers s'éteignent. Le cercle d'ombre se resserre, parmi des cris d'hommes et des hurlements de fauves. Pourtant nous sommes de ceux qui disent non à l'ombre. Nous savons que le salut du monde dépend de nous aussi. Que la terre a besoin de n'importe lesquels d'entre ses fils. Les plus humbles.

Pour le reste, l'histoire raconte que Breton interrogea la mercière sur les membres de la revue, et que la réponse fut toute belle et simple – c'était la revue de René, de son frère, de René Ménil, qu'il donnait cours ce matin-là, qu'il était professeur de philosophie au lycée de Schœlcher. Il griffonna un mot à son attention. Ce que l'histoire ne raconte pas, c'est qu'il connaissait Ménil, l'avait côtoyé à Paris, autour de *Légitime Défense*, une revue à l'unique numéro 01 – arrêtée sitôt qu'apparue, créée en réaction à l'Exposition universelle et sa foire des colonies –, et que, même, il l'avait reçu dans l'appartement de la rue Fontaine. Mais c'eût été troquer la rencontre pour des retrouvailles, et quoique la trouvaille relève du hasard le plus objectif, convenez que la chose eût brillé avec moins d'éclat, aussi se permit-il l'omission.

La mercière martiniquaise, par une de ces chances accessoires qui accusent les heures fortunées, ne devait pas tarder à se faire connaître pour la sœur de

René Ménil, avec Césaire le principal animateur de
Tropiques. *Son entremise devait réduire au minimum*
l'acheminement de quelques mots que je griffonnai
précipitamment sur son comptoir. Et en effet, moins
d'une heure plus tard, s'étant mise à ma recherche par
les rues, elle m'indiquait de la part de son frère un ren-
dez-vous.

Le camp de Balata
28 avril 1941

Les garçons de cabine polis et serviables durant
la traversée, prompts au moindre effort, se faisaient
reconnaître des passagers comme agents de la police
secrète allemande. *Un acte aussi vain ne peut passer*
que pour le prolongement machinal, routinier, désinté-
ressé, de cette politique de démoralisation et d'écœure-
ment systématiques dont a réussi à faire l'arme la plus
terrible de cette guerre.

André Masson se tenait à la rambarde et écoutait, avec l'un de ses deux fils, l'histoire de Cyparis,
seul rescapé de l'éruption du Mont Pelé en 1902, un
prisonnier sauvé par les murs de sa cellule. Pauvre
homme, devenu l'attraction d'un cirque Barnum, son
corps et son visage couverts de cicatrices et de brû-
lures. Le *Carimaré* était parti huit jours après le *Paul-*
Lemerle, ils abordaient l'île par le bord opposé, huit
jours plus tard.

Imagine, disait-il à Diego, les mers qui se vident, les océans à sec et les terres alors comme de hauts sommets. J'en ai souvent rêvé, les eaux disparaissent, attirées irrémédiablement au centre de la Terre, par une faille formant un gigantesque siphon. D'abord, les rives s'assèchent, c'est assez lent, la fureur du vent s'apaise, c'est une houle malsaine, venue d'ailleurs, les oiseaux virevoltent et par nuées s'écrasent, désorientés, les vagues alors à l'inverse grossissent en reculant, dans un bruit terrible, l'aspiration d'une tuyauterie détraquée. Les ondulations du ressac épousent un va-et-vient bouleversé, et les poissons pris de court gigotent dans la vase, à l'air, la mer déjà loin... C'est un bain dont les saletés sédimentent sur les parois, se déposent en se retirant, ce sont des algues pareilles à des touffes de cheveux sales, de grosses baleines échouées ventre à l'air, de vieux cargos ensablés. Une semaine plus tard, l'eau a disparu, des millions de poissons, de requins blancs et des calamars palpitent au fond des canyons ; les hommes découvrent à travers le plancher troué de leur rez-de-chaussée qu'ils vivent à un étage supérieur, c'est un autre monde qu'il faut appréhender, un monde en trois dimensions, un immeuble de trois étages. Dès qu'ils ont passé deux semaines, l'air du grand large transporte l'odeur de putréfaction. Ce n'est plus une mer, mais un bassin aux crapauds, qu'on ratisserait, récurerait avec soin bien volontiers si l'on avait trouvé des outils de taille. Alors, ajoutait-il, on ne vivrait plus sans un masque à gaz ou une pince à linge fichée sur les narines, et vlan qu'on ne s'entendrait plus et qu'on ne comprendrait plus. Les volcans seraient noyés, la lave éteinte dans les entrailles de la Terre, éponges gorgées d'eau, qui suinteraient parfois, crépiteraient en de hauts geysers où des fournaises jadis toussotaient ou soufflaient d'épaisses fumées.

Ils aperçurent une ville, qu'aussitôt, à bord d'un camion militaire, ils gravissaient. À mesure que les voyageurs s'élevaient vers les sommets, la forêt s'assombrissait. Plus dense, plus épaisse, se dessinait une jungle en bord de route, un long corridor de balisiers et de fougères. Ils croisèrent une église au bulbe de pierre blanche comme une affreuse réplique du Sacré-Cœur ; en haut du morne, le camion emprunta un sentier. En contrebas de la piste, on reconnut l'entrée d'un camp militaire. C'était Balata. Ce fut à ce moment-là qu'ils comprirent, réveillés de la longue traversée – comme avant eux les passagers du *Paul-Lemerle* –, qu'ils accostaient en terre hostile.

*

La soirée se déroula dans les hauts quartiers. Aube dormait allongée sur la banquette ; autour de la table, on trouvait René Ménil, Aimé et Suzanne Césaire, Breton et Jacqueline. Il y avait des rires, de la joie et pas mal d'esprit, sans jugement ni fausse distance. Breton encourageait l'entreprise, citait tel ou tel passage de la revue avec admiration. Il interrogeait ses trois amis d'un soir sur la situation aux Antilles, le gouvernement Robert et l'état de siège. Suzanne racontait leur arrivée en Martinique à bord du *Bretagne*, un paquebot qui coulerait à son retour, comme le signe annonciateur d'attaches rompues. Leur découverte d'un pays assommé et d'une administration coloniale revancharde. L'installation d'un régime d'exception, blanchissant, abolissant les libertés. Elle racontait les librairies vides, les bateaux massés à quai, les réquisitions et le rationnement. Et les discours fanatisés, Pétain le sauveur des plantations, le trésor de la Banque, un veau d'or, et Hitler, Jésus descendu sur Terre pour expier les fautes du vieux monde, les Békés, une race supérieure, une île en prise à une forme de folie. *Tropiques*, disait-elle, c'était la seule façon d'y répondre, écrire et publier, lutter sans abdiquer, s'opposer à la nuit de l'esprit. Et ruser, jouer les poètes exotiques candides, passer en douce l'explosif, dynamiter ces bons messieurs du gouverneur *Robé* en souriant à pleines dents. Autant que possible, poursuivait-elle, filouter, l'île tout entière finasse, vous pouvez les imaginer, tous ces bougres, détraquer, dérailler, ralentir, jouer les *nègres fols*. Peut-être Suzanne leur avait-elle dit de se méfier des jolis noms, de la *littérature doudou* – il fallait rendre au paysage sa violence, aux animaux leur hargne, à la mangrove sa puissance d'incantation et de méfaits, alors seulement on pourrait se réapproprier le langage – *Tropiques* comme le nom d'un camouflage ; des poètes, soi-disant inoffensifs, folkloristes, dissimulaient la dissidence et l'appel à l'action.

Suzanne était une fille mystérieuse, gamine du lieu-dit de la Poterie aux Trois-Îlets, partie pour ses études à Paris, revenue des années plus tard, mariée à un professeur binoclard de Basse-Pointe, mère de quatre enfants en bas âge. Elle cultivait un faux air d'Indienne, s'inventait chaque matin, coiffée d'une longue natte tressée ou de couettes de fillette, vêtue d'une robe légère à motifs ou d'une longue jupe de professeur des écoles. Elle aimait rire, lire dans la nature, danser tandis que son mari, dont elle disait qu'il avait deux pieds gauches, ne s'y risquait jamais. Ils partageaient l'essentiel, la vie et l'écriture. Une admiration si profonde les liait que jamais l'un n'écrasait l'autre, et pour qui fréquentait ce drôle de couple, Suzy en était l'âme, le moteur. Elle assurait *la vie matérielle* de la revue, elle obtenait le papier, les autorisations du service de l'information, négociait avec les imprimeurs, organisait la diffusion. Elle écrivait aussi. Un article savant sur l'africaniste Léo Frobenius, une juste interrogation sur le sens de la civilisation ou exposait le message, *grandiose*, selon ses mots, de la païdeuma, une force vitale au cœur de toute chose vivante. Ancienne élève d'Alain, elle pensait en philosophe, parfois elle troquait la rigoureuse démonstration pour un lyrisme convaincu, alors flirtait-elle avec cette poésie qu'elle admirait, une injonction platonicienne prolongée d'un étonnant cri, d'un appel à l'insurrection vitale. *Il est maintenant urgent d'oser se connaître soi-même, d'oser s'avouer ce qu'on est, d'oser se demander ce qu'on veut être. Ici, aussi, des hommes naissent, vivent et meurent. Ici aussi, se joue le drame entier. Il est temps de se ceindre les reins comme un vaillant homme.* Elle était moins naïve, moins dupe, Aimé était ébloui par Breton, elle se méfiait de son côté Saint-Just, péremptoire.

On le disait étonnant professeur, un complet vert bouteille et un zézaiement de vers latins, bien vite ses élèves lui trouvaient un surnom, Césaire *le lézard vert* – lui-même s'en moquait, ne disait-il pas qu'à tout instant il pouvait se métamorphoser en *un gecko volant, soudain gecko frangé.* Il passait dans les allées d'un pas pressé, tirait les oreilles de ceux qui massacraient Rimbaud en le récitant en bons élèves, platement. La cour formait un vaste terreplein que les enfants envahissaient à la récréation, à l'ombre se réfugiaient les professeurs, à l'heure du déjeuner. À midi, Suzanne descendait de Bellevue depuis l'avenue Saint-John-Perse, par l'un de ces raidillons à travers les baraquements. L'établissement Schœlcher surplombait la baie sur les toits de béton en forme d'éventail, au-dessus d'un lacis de passerelles, on saisissait d'un regard le paysage de Balata au Lamentin.

Ils se quittèrent vers minuit. Césaire offrit à Breton un tiré à part du *Cahier d'un retour au pays natal*, il reçut à son tour un exemplaire du *Revolver à cheveux blancs.* Ils promirent de se retrouver pour un dîner chez les Césaire.

Ils débarrassèrent la table, mirent à tremper dans l'évier les assiettes et les couverts, dans un bain de savon. Elle s'assit dans le fauteuil en osier sur la terrasse. Le vent se faufilait sous les bardeaux. Elle demeurait assise sous le porche. Elle lisait, en silence. Les enfants, après avoir hurlé et s'être rués tout contre elle, avoir tiré sa jupe, rougeauds, en pyjama et en sueur, dormaient dans la chambre, tout écroulés. Dans un drôle de bruit aigu les roseaux se balançaient. Suzanne n'aimait rien tant que lire à l'heure du coucher, elle n'entendait ni la rivière, ni l'oiseau-mouche au rebord de la fenêtre – elle accrochait à l'une des branches dodues du calebassier un quignon rassis –, ni les poules qui heurtaient le grillage et le grincement du portique en contrebas. C'était un sale cabot dans la ruelle qui aboyait et tirait sur la chaîne. Alors, elle posait à l'envers le livre, s'en allait chercher dans la cuisine le paquet de Royal Navy et le porte-cigarettes. Dans un ordre précis, comme si elle avait été à la messe, une religion pour chasser ce bruit qui encombrait sa vie. Elle allongeait ses pieds nus dans l'herbe, le vent dissipait la fumée de sa cigarette, et elle lisait tandis que la nuit épaisse l'enveloppait. Aimé à l'intérieur de la maison corrigeait des copies, il s'approcha d'elle, l'embrassa dans la nuque, le verre de ses lunettes contre sa peau. Elle s'endormit dans la chaise, se réveilla au petit matin. C'était alors d'autres bruits, ceux d'oiseaux à l'aube.

Le gouffre d'Absalon
30 avril 1941

Il est des lieux et des rencontres qui changent un monde. On connaît bien l'histoire de César et du Rubicon, mais connaît-on celle de Césaire et d'Absalon ? La rivière trace une frontière entre l'Italie romaine et la province de Gaule cisalpine, et César *enclin librement* franchit le Rubicon, c'est la leçon de Leibniz. Est-il un monde possible où un *hasard objectif* n'orchestre pas en coulisse la rencontre en pleine guerre, sur une île à l'entrée des Amériques, de Breton et Césaire et toute la suite de leurs histoires inscrite dans le sillage de cette balade au gouffre d'Absalon ? Au matin, Aimé et Suzanne Césaire, Helena Holzer et Wifredo Lam, Jacqueline Lamba et André Breton, André et Rose Masson gravissaient le morne jusqu'à Balata, serrés à l'arrière de deux vieilles Ford. Breton, sur le chemin, moqua l'infâme réplique du Sacré-Cœur, l'expiatoire des communards. Aimé guidait la troupe tandis qu'ils descendaient sur le chemin du gouffre, là où plongent d'immenses fûts de gommiers, mahoganys, des arbres à encens de trente mètres et des fromagers. Un arbre de lianes inextricables et d'épiphytes, grand pan de mur vert profond, aveugle, où s'enfonçait la

240

lumière par endroits, éclairait les fleurs en épis et les orchidées sauvages, çà et là clignotaient comme des guirlandes les balisiers pourpres. La station thermale en contrebas ouvrait sur une rivière, sous une arche de pierre. Là débutait le sentier de la Trace qu'appréciait Césaire, sur les flancs du piton Carbet. Des bois de Grand-Rivière et de raziés touffus, au carrefour de deux ravines bouillées, le chemin d'Absalon et de Verrier. Césaire jouait les guides, nommait les fleurs et leur expliquait que ce chemin, la Trace, était autrefois nommé le grand chemin de la rivière et des hauteurs, dont ils ne comprirent le nom qu'une fois au bout d'un sentier pentu sur les contreforts du morne, cachés par des hampes de fougères, sur une ligne de crête. De part et d'autre s'étalaient en vallonnant des couches épaisses d'un vert phosphorescent et insolant. Au loin, la baie de Fort-de-France et le piton du Carbet, un paysage de neuf dixièmes de ciel. Masson et Breton se dirent qu'ici la nature imitait l'art, doublait les jungles du Douanier, damait le pion à l'imaginaire surréaliste. *Oui, précipices, gouffres, cette splendide sylve est aussi un puits. Et tout cela est sous le signe de l'humide. Vois, ces explosions de bambous sont enveloppées de fumantes vapeurs, et les sommets des mornes sont enturbannés de nuées si lourdes... la fleur du balisier belle comme la circulation du sang du plus bas au plus haut des espèces, les calices emplis jusqu'au bord de cette lie merveilleuse. Qu'elle soit le terme héraldique de la conciliation que nous cherchons entre le saisissable et l'éperdu, la vie*

241

et le rêve – c'est par toute une grille d'elle que nous passerons pour continuer à avancer de la seule manière valable qui soit : à travers les flammes. Et la pluie s'abattit. Ils étaient couverts par les bras en claveaux des Bois-Verts. Le temps d'un instant, la frondaison comme une cascade tout entière bruissait. L'eau parvenait par-delà les fougères en bruine légère, montait des sources de volcans, descendait des feuillages de la forêt des Pythons, libérait le pétrichor. On ne sait si Lam vit l'explosion et entendit, dans ce silence réverbéré par l'eau et les colibris, le fracas des tuyaux et de ses orgues, des profils de masques. Lam, plongé dans la verdeur, touchait alors son enfance, par un grand virage, la Jungle le menait à la porte de l'Enfer.

Fort-de-France
1er mai 1941

Claude et Breton s'amusaient du drôle de manège des policiers en civil. Ils s'étaient retrouvés au bar de l'hôtel de la Paix, et chacun d'eux décrivait la surveillance dont il avait fait l'objet et racontait, rieur, les techniques des apprentis espions. Ils opéraient pour ce faire une classification par catégories, un inventaire groupant d'un côté les *sbires de la gendarmerie*, de l'autre les *galants inspecteurs martiniquais*. Breton moquait deux amateurs de bancs le long de la Savane qui prenaient leurs repas à la table d'à côté, sans scrupule d'être sitôt repérés comme leurs voisins de chambre, se renversaient en arrière pour mieux écouter la conversation, bon Croquignol, bon Filochard. « Savez-vous, ironisait-il, que nous nous sommes fait deux bons copains sur l'île, serviables et amicaux… Le matin où le capitaine de gendarmerie me libérait, ou plutôt m'accordait le droit de me déplacer sous surveillance, dans un petit bar où nous regardions fonctionner la machine à exprimer le jus de canne, entraient avec deux compagnons du bateau que vous avez connus deux mulâtres d'une vingtaine d'années, pas mauvais bougres, M. Blanchard, M. de Lamartinière – qui, amicaux, se proposaient, bizarrement désœuvrés, de nous guider sur l'île. Et voici qu'ils nous conduisaient en voiture, avec une générosité et une manière de plaire sans égales, d'eux-mêmes affirmant comme pour s'en dédouaner d'emblée : "Le Martiniquais aime rendre service" – et puis, l'aide d'un jour devint pour nous l'encombrante escorte de nos déplacements, assez désagréables parfois, assommant de généralités racistes. "Le Martiniquais ne sait pas ce qu'il veut, c'est un grand enfant ! Il ne faut pas lui laisser le choix, ce serait la pagaille, il le refuserait d'ailleurs, etc., etc." Ils se montraient agressifs, ombrageux. Après une excursion à Saint-Pierre dans le nord de l'île, l'un d'eux, que nous avions exclu de nos balades, ne se cachait plus d'appartenir à la police secrète. » Ce qui étonnait encore Breton, c'était de faire l'objet d'une surveillance rapprochée. La censure de *Fata Morgana*, la perquisition de la villa Air-Bel et l'enfermement dans le *Bouline* lors de la visite de Pétain à Marseille, cet acharnement persistait sous les tropiques.

Le Lazaret
2 mai 1941

On l'entendait parler de sa fortune sans arrêt. Il la détaillait affectueusement, affreusement, scrupuleusement. Il tenait une comptabilité de riche négociant, spéculait sur ses propriétés disparues et ses actions envolées. Madame, une ronde bourgeoise, elle aussi se vantait. Elle racontait au lavoir sa vie d'avant, méprisait les bonnes femmes. Tout miséreux, crasseux, boucanés, et tout puants qu'ils étaient, bons bagnards des îles, ils pensaient encore appartenir à une caste et vivaient à part. Ils agaçaient au point où le Lazaret tout entier espérait une leçon. Ce furent les jeunes gens qui s'en chargèrent. Ils préparèrent, pastichant une langue protocolaire, une invitation très officielle du palais du gouverneur à un dîner en l'honneur de l'amiral Robert. De la léproserie, seul le couple de Galicie était convié, illustre honneur, qui ne leur paraissait pas incongru ni suspect, mais à la hauteur de leur rang. Ils passèrent leurs plus beaux habits, improvisèrent une toilette à l'eau de mer, l'homme emprunta le miroir du lieutenant, se rasa aux sanitaires. Il était écrit qu'une vedette de la gendarmerie passerait au débarcadère de la léproserie à dix-sept heures et les escorterait au dîner. Ils attendaient, élégants, suant dans leurs habits de gala, la navette fut en retard. La nuit venue, ils attendirent encore un peu puis, penauds, finirent par rentrer.

La carte de l'île
3 mai 1941

La Jambette, Favorite, Trou-au-Chat, Pointe La Rose, Sémaphore de la Démarche, Pointe du Diable, Brin d'Amour, Passe du Sans-Souci, Piton Crève-Cœur, Île du Loup-Garou, Fénelon, Espérance, Anse Marine, Grand'Rivière, Rivière Capot, Rivière Salée, Rivière Lézard, Rivière Blanche, Rivière La Mare, Rivière Madame, Les Abîmes, Ajoupa-Bouillon, Mont de la Plaine, Morne des Pétrifications, Morne d'Orange, Morne Mirail, Morne Rouge, Morne Folie, Morne Labelle, Morne Fumée.

Au café, Breton écrivait un poème au verso d'une carte postale en couleurs, représentant *Les cannes devant le moulin*, à l'encre turquoise, qu'il dédiait à Aimé Césaire.

La Pointe-du-Bout
4 mai 1941

L'autre cuisinier, l'aide de camp, Vlady, nettoyait les légumes à l'eau de mer, égouttés au soleil, posés sur les cailloux, et dans de grands pots en zinc bosselés il arrangeait un plat de fête. Un vivaneau cuit dans un bouillon, avec les restes d'une volaille. On se souvint qu'elle aimait le vin blanc et les oursins, alors on dégota aux Trois-Îlets une fillette d'un mauvais alcool qu'on rafraîchît dans la mer, coincée entre deux cailloux, et à la lame de couteau on éventra une demi-douzaine d'oursins qu'on avait pêchés le matin à la courte pique, accroupi, un bras dans l'eau. Si l'on fermait les yeux un instant, ivre et assoupi, grisé, encaissé dans une chaise longue, on découvrait la Pointe-Rouge sous la Pointe-du-Bout. Il était encore tôt, le bateau appareillerait en soirée, on décida d'aller au bistrot d'à côté, à la nage, haletant, plaisantant. Il est des joies qui n'ont d'autre nom que la fraternité – ce déjeuner fut tout cela. Ils embrassèrent Germaine, et elle partit dans la nuit.

Fort-de-France,
5 mai 1941

On sait qu'il y eut de nombreux départs, et, d'un trait tiré sur un atlas d'un point à un autre, on put dessiner comme un jet de lance – du nord au sud. Le courrier du bagne partait de La Rochelle, ou de Marseille, faisait escale en Martinique, poursuivait jusqu'à Cayenne et terminait sa route à Saint-Laurent-du-Maroni. Germaine Krull tenait un journal dans lequel elle notait avec minutie les noms de ceux qu'elle croisait ou photographiait, trop ennuyée après coup d'improviser des légendes pour les rédacteurs pressés. Dans ce carnet, on pouvait lire : *Enfin un jour miracle – la Martinique manque de riz et un bateau français part pour le Brésil chercher ce riz. Je pars donc avec quelques amis qui eux aussi vont en Amérique du Sud. Le St Domingue joli cargo de quelque mille tonnes va à Para-Belém en passant par la Guyane. Je quitte le Lazaret avec les sentinelles et tous leurs policiers en me demandant combien ceci est possible devant les yeux des bateaux de guerre américains. Je quitte aussi cette population créole qui écoute fermement Londres et la radio de New York et qui espère d'eux leur salut.*

LETTRE DE CLAUDE LÉVI-STRAUSS
À SES PARENTS
LE 6 MAI 1941
GRAND HÔTEL DE LA PAIX
FORT-DE-FRANCE

Chers tous deux, je vous écris ce mot qui, j'espère, vous arrivera plus vite que par l'avion puisqu'il sera emporté par le même bateau qui m'a amené ici. J'inclus les deux récépissés de deux colis que je vous ai envoyés ce matin. L'un de deux kilos environ, contenant du chocolat et des cigarettes, l'autre, de deux kilos cinq cents, avec du café vert et du thé. Cela se fait couramment ici ; j'espère que le tout vous parviendra sans encombre. Le séjour commence à devenir fastidieux, et je souhaite qu'il se termine vite. Tante Aline semble terriblement s'impatienter je ne sais pour quelles raisons exactes, soit que ma présence soit réellement nécessaire d'urgence, soit qu'elle ait des inquiétudes sur la situation. De cette dernière, à vrai dire, je ne sais à peu près rien, sauf la tendance générale, qui me donne énormément de souci. Mais, d'un point de vue personnel, je ne vois pas qu'aucune difficulté puisse se produire. Quoi qu'il en soit, et malgré les conseils de tante Aline, je n'ai pas pris l'avion ; j'aurais été obligé de laisser tous mes bagages derrière moi, ce que je ne veux faire à aucun prix. Ils sont actuellement sous douane, car pour les conserver avec moi j'aurais eu à faire face à des difficultés toutes brésiliennes. Vous ne pouvez vous imaginer d'ailleurs à quel point je me sens reporté à trois ans et six mois en arrière exactement. J'espère que vous parviendrez à rétablir ce point d'histoire. D'ailleurs, tout laisse à penser que, dans très peu de jours, je serai en route. Mais naturellement on ne sait que croire, tant de « tuyaux » circulent sans interruption.

Ici, j'ai à peu près épuisé les joies des marchés exotiques, véritablement somptueux, surtout le marché aux poissons : langoustes à des prix dérisoires, poissons multicolores, énormes coquillages que l'on fait griller comme des beafsteacks (sic), etc. Beaucoup plus de fruits qu'au Brésil également. Je viens d'aller passer deux jours à la campagne, (à) mille mètres d'altitude, au pied du mont Pelé. Temps exquis, et combien différent de la chaleur torride, de jour et de nuit, qu'il fait à Fort-de-France. Malgré tout, il vaut mieux y rester, pour savoir les nouvelles ; mais je vais faire la navette, si le séjour doit encore se prolonger. La campagne est extrêmement belle, follement accidentée comme dans les peintures chinoises : précipices, pics pointus, etc. Mais tout cela à petite échelle. Il y a des forêts entières de fougères arborescentes, et des quantités de petites plages de sable avec huttes, arbres à pain et cocotiers ; le tout donne une impression riante, aimable, un peu joujou, qui fait beaucoup plus penser aux îles du Pacifique (du moins telles qu'on se les imagine) qu'à l'Amérique. Le Brésil est moins plaisant, mais a plus de grandeur tragique.

Comme je vous l'ai déjà dit, j'ai adopté comme compagnons de voyage deux jeunes ménages de cinéastes ; le temps passe assez agréablement avec eux ; nous faisons des promenades, allons prendre des bains de mer aux environs. On retrouve constamment des gens connus, directement ou indirectement ; ainsi, tout à l'heure, la belle-sœur de mon ancien patron (G. M.) qui m'a donné de ses nouvelles. Il est retourné à la terre dans les environs de Bordeaux. J'ai reçu il y a quelques jours votre lettre envoyée à Nemours. Vous pouvez dire à Dinah que j'ai également retrouvé ici M. Goldschmidt, ami du général Wibié. À part les relations sociales et les ice-creams sodas qui jouent un rôle considérable, je fais un peu d'archéologie locale avec un révérend père, collègue de la Société des Américanistes, et j'attends que le temps passe. C'est vraiment tout, je crois, ce que je peux vous raconter. Je vous embrasse tendrement,

Claude

P.-S. N'oubliez pas de me tenir au courant des questions matérielles. Le traitement vous est-il versé régulièrement, etc. ?

TROISIÈME PARTIE

IL Y A DES VACHES EN AMÉRIQUE ?

> *Quelle histoire attend là-bas sa fin ?*
> *demande-t-il anxieux d'entendre le récit.*
> Italo CALVINO,
> *Si par une nuit d'hiver un voyageur*

> *Ce sont les événements qui se sont arran-*
> *gés pour le livre, et non le livre pour les*
> *événements.*
> Victor HUGO, *Bug-Jargal*

13

Le jeu de l'oie

À bord d'un bananier suédois
8 & 9 mai 1941

Qui tombe en trente et un, où il y a un puits attend qu'on le relève. Un tel périple, pensait Claude, doit se lire comme une partie de jeu de l'oie. Ce n'est que l'apparence de l'adresse, l'illusion de la stratégie, le voyageur est pareil au joueur qui, soufflant sur les dés, reste tributaire de l'incertitude et du hasard, et avance à tâtons sur un chemin semé d'embûches, de chausse-trapes, de joies vite déçues, de plans déroutés ou, à l'inverse, à la faveur d'un coup du sort, dessine une résolution inattendue, sur le dos, qui sait, d'autres voyageurs, eux arrêtés. Ponts, puits, hôtellerie, prisons ou morts, sept oies ou c'est toi. Le pérégrin avance son pion sur le plateau, recule, saute par-dessus le précipice à la faveur d'un double six, mais alors qu'il se croit déjà parvenu au jardin, dans un élan trop appuyé, il trébuche dans le gouffre d'un labyrinthe, et revient à la case départ. Après avoir joué au tarot de Marseille, les passagers embarqués un vingt-quatrième jour de mars sur une vieille bassine relançaient les dés après une longue halte, au pied des échelles, priaient selon la destination ou la compagnie de faire coup double et d'atteindre au plus vite leur destination. Prenez le golfe du Mexique, c'est une serpe qui s'abat dans la jungle de Guyane, à l'embouchure de l'Orénoque, c'est un bras d'îles perdu dans la mer des Antilles, un archipel singeant un détroit de la pointe de la Floride au sud du continent ; c'est un parcours en spirale jusqu'aux terres, chaque île est une case, l'archipel est un jeu de l'oie, l'Amérique en est son jardin. On y lance les dés et l'on avance de case en case, le choix d'une escale peut arrêter votre parcours ou au contraire vous approcher du but. *Qui tombe à cinquante-deux, où il y a une prison, attend qu'on le relève*, aurait pu inscrire à la craie l'un des détenus sur les murs du fortin de la Pointe-du-Bout, dans l'attente du *Duc-d'Aumale*, bateau fantôme que nul ne voyait arriver. « Si Christophe Colomb avait dû se procurer autant de papiers, il aurait certainement renoncé à découvrir l'Amérique ! » disait-on en blaguant, obligés qu'ils étaient de dénicher à nouveau d'improbables visas, de payer des cautions impensables, *qui fait neuf au premier jet ira au vingt-six s'il l'a fait par six et trois, ou au cinquante-trois s'il l'a fait par quatre et cinq*, aurait-on pu tamponner sur leurs passeports, et y ajouter le racket de trois jetons pour les frais de caution. Il fallait emprunter, pour atteindre sa destination, des voies contraires à la plus élémentaire géographie et dessiner sur un atlas un trajet en gribouillis, tourbillonnant de tête-à-queue en impasses. *Le premier arrivé à soixante-trois, dans le jardin de l'oie, gagne la partie. À condition de tomber juste, sinon il retourne en arrière, sur autant de cases qu'il lui reste à parcourir.* Claude a salué tour à tour chacun de ceux qui, durant son séjour sur l'île, l'avaient accueilli. Il parla longtemps avec l'ingénieur au matin. Il quitta l'hôtel de la Paix, prit ses bagages et embarqua du côté des quais de la Compagnie transatlantique. Il pensa peut-être, sur le pont de ce bananier neuf qui filait à grande allure vers Porto Rico, que le chemin le plus simple n'est jamais celui que l'on désigne, l'évidence s'en détourne, c'est toujours un piège fondu en un raccourci, un danger secourable. *Le hasard des voyages offre souvent de telles ambiguïtés*, notait-il dans son carnet. Des forçats du *Paul-Lemerle*, il était le premier à gagner le continent. Et dans une dizaine de jours, peut-être arpenterait-il les avenues de Manhattan, donnerait ses premiers cours à la New School. Persuadé d'être retardé en déclarant sa malle en transit et obligé d'attendre en vain dans un port sous embargo un cargo battant pavillon étranger, il avait été sauvé par ses amas de dessins et de lexiques collectés lors de ses expéditions dont il craignait pourtant qu'un agent zélé et ignare les interprète faute de les comprendre comme un code secret. Il était en marche, son pion relevé, il pouvait secouer le gobelet, lancer les dés, et

255

atterrir sur une autre case – une auberge ou un labyrinthe ; alors que ses compagnons passeraient leur tour, lui sortirait de sa poche une carte chance : les Nambikwaras.

Le bateau était neuf, *d'une blancheur immaculée.* Huit passagers étaient à bord, un équipage amical et peu affairé les traitait avec le plus grand soin. Il se passa un long moment avant qu'il quittât le bassin du port.

À bord du Saint-Domingue
10 mai 1941

Toutes les neuf cases, dans les écoinçons, quatre symboles de *l'affaire* : tirage au sort, les tables des droits de l'homme brisées, la casquette militaire sur le plateau de la balance, les masques balayés. Les dés de la loi sous les gobelets de l'état-major, et à la place de l'oie *la vérité toute nue*, une allégorie qui rayonnait au centre du parcours – « Le jeu de l'affaire Dreyfus et de la vérité », une parodie confectionnée par les dreyfusards. « On ne devra pas s'arrêter sur les VÉRITÉS (chose très naturelle, puisque toutes les vérités sont jusqu'à présent du boniment)», pouvait-on lire dans le règlement d'un jeu où la prison était le bagne ou l'île du Diable, où il fallait éviter *Les palissades du Pont des Invalides* et *Le ministère de la Guerre*, on filerait, muni de jetons et d'un pion en forme de canon ou de fortin vers *Le Mont-Valérien*, croiserait Zola, le geôlier du Cherche-Midi, Verpillon l'anthropométrique, Clemenceau, le colonel Picquart, Esther Vas-Y et le gérant de *L'Aurore*... Et il est des routes plus simples que d'autres, à saute-île, il est dit-on plus aisé d'emprunter la route de Cayenne que de tenter le diable par l'Amérique en ligne droite.

Qui tombe à cinquante-deux, où il y a un bagne, attend qu'on le relève. Elle était seule femme à bord, ce qui n'était pas pour lui déplaire. À ses côtés, deux sous-officiers, un capitaine de l'ambassade de Pologne et Jacques Rémy, un scénariste, jamais sans son chien, les deux en partance pour l'Argentine via Saint-Laurent-du-Maroni, Cayenne, Belém et Rio. On comptait aussi, parmi les passagers du ravitailleur, un envoyé spécial du maréchal Pétain qui sillonnait les possessions françaises, de même, sans doute en chemin, un gaulliste passait d'île en île pour prêcher une autre parole. Et tout ce beau monde, chaque soir, était convié à la table du Capitaine. L'hôte avait le bon goût de ne pas parler politique mais, comme si le faste de la Belle Époque et la politesse de ces temps glorieux étaient encore de mise, on l'entendait citer un vers de Saint-John Perse ou fredonner un air d'opéra. « Alors, vous êtes photographe ? Mais c'est épatant ! » s'était-il tourné vers Germaine Krull, l'invitant pour terminer de la meilleure des manières ce dîner par une séance de portraits de groupe où le Capitaine apprit à cadrer un œil plongé dans le viseur de l'Ikarette, l'autre fermé, en décalque apparaissaient sur le verre teinté les compagnons du *Saint-Domingue*, arrêtant sur la pellicule ce moment.

Saint-Laurent-du-Maroni
11 mai 1941

Un matelot prévint le Capitaine que le *Saint-Domingue* embouquait à Saint-Laurent-du-Maroni, et il demanda ses ordres. Il était onze heures, il en paraissait cinq de moins ou dix de plus, tant on ne voyait pas plus loin que son bras. On entrait au bagne par le Maroni, un large fleuve comme une flaque noirâtre dont on distinguait à grand-peine les rives, sinon par les cris qui s'en échappaient de part et d'autre. Le fleuve allait arrachant les bords, emportait des racines pareilles à des pirogues et des palétuviers semblables à d'immenses fourches. Le fleuve charriait des vases imposantes, exhaussait comme une pompe mécanique des déchets flottant en arceaux qui allaient pourrir sur les berges. Croisait-on une embarcation, que, déjà, elle s'écartait et accostait à l'autre rive, pétaradant et exhalant une odeur d'huile de moteur et d'essence qui venait se mêler à l'étouffant et moite nuage bas, brume du matin. Germaine Krull observait ce qui n'était encore qu'un nuage de fumée à peine dissipé, derrière lequel se trouvait un secret sans images, où Delescluze, Duval ou Avinain avaient été claquemurés, des têtes d'affiche, croupissaient. Et c'était à la faveur d'un grand détour que, passée de camp de détention en Lazaret, les autorités, par mégarde, l'envoyaient dans ce bastion honteux, *comme en reportage*. Il eût été idiot, en tout cas peu professionnel, de ne pas faire usage de la providence, qui, à la manière d'un rédacteur en chef avisé, organisait un tour du monde des camps d'internement, de Sanary au Lazaret de la Pointe-Rouge et maintenant l'île du Diable et Saint-Laurentdu-Maroni. Germaine Krull avait lu le reportage d'Albert Londres, s'en était figuré un enfer vert, *eau dessus et eau dessous*, des cyclones et des barques volant sur la mer comme des pélicans, des bagnards sous la chaleur épouvantable d'un bout d'Amazonie. Elle nota dans son journal : *À l'entrée du fleuve, on avait installé – pour de rares bateaux qui y arrivaient – d'énormes bouées qui émettaient un son lugubre et plaintif.* À l'accostage, elle contemplait penchée à l'autre bord la lutte de l'engin contre le courant, et les bagnards, en contrebas, en d'étonnants uniformes roses aux rayures de blanc et de rouge qui sous l'effet conjugué du soleil tropical et de la pluie avaient déteint en un rose layette, accrochaient les aussières à des flotteurs visqueux et mousseux à peine crochetés à l'embarcadère en bois. C'était entrer dans un territoire perdu, ici, un chef eût levé une armée de fanatiques ou fini la tête sur un piquet. Le courrier et le ravitaillement furent débarqués à la hâte. Le Capitaine consigna l'équipage et les passagers pour la journée, la soirée sans doute.

La vie est ainsi faite, ce qui vous sauve parfois vous retient. Qu'y avait-il dans cette malle qu'il ne put jeter, débarrasser, sinon une forme d'initiation. Ces dialectes indiens et autres ouvrages allemands, qui avaient pu éveiller les soupçons des autorités de Vichy à Fort-de-France au point de voir Claude traité de *judéo-maçon à la solde des Américains*, réveillait, sur une autre île et dans un autre contexte, la crainte d'une cinquième colonne, de bateaux grouillant de réfugiés, sinon la preuve accablante d'un espion, au mieux d'un drôle de bonhomme. L'époque n'était pas à la demi-mesure, on interna Claude le temps de vérifier que ses annotations d'expéditions, compilations d'un vocabulaire nambikwara, croquis de l'organisation sociale des Bororos ou peintures corporelles caduveos, ne cachaient pas codes, plans d'invasion ou autres messages cryptés. Il tenta d'expliquer, baragouinant un anglais empêché, qu'il s'agissait de notes de travail accumulées, qu'il serait bien en peine s'il les perdait, c'était en vain qu'il se débattait, tout juste parvenait-il à raconter son itinéraire et les raisons de l'escale à Porto Rico que déjà un agent des douanes exhibait sa machine à écrire au clavier allemand comme une énième pièce à conviction. Pire, la réglementation américaine en matière d'immigration s'était durcie depuis l'obtention de son visa au début de l'année, ce visa, temporaire qui plus est, garanti par son employeur, la New School for Social Research, nécessitait désormais que l'université fournisse d'autres éléments à l'administration. Après un interrogatoire burlesque, où Claude justifia de ses états de service comme de ses paies de professeur, et à la suite de pourparlers dont on taira le détail, qui pourtant eût fourni au lecteur comme à l'auteur de ces lignes un précis d'ethnologie, un abrégé de grammaire hispano-américaine et un fascicule de lois américaines relatives à l'immigration où l'on croiserait à la fois le Dr Monroe et le beau Lindbergh, Claude fut interné dans l'un des hôtels de San Juan, le temps, disait-on, qu'un expert du FBI capable de lire le français (et priait-il le dialecte des tribus du Brésil) soit dépêché sur l'île... En case soixante-deux, à un coup de dés du jardin de l'oie, Claude alignait trois mauvaises tentatives et reculait de dix cases, interné au frais de la Compagnie transatlantique à Porto Rico. Deux policiers l'escortèrent jusqu'à une chambre du centre-ville de San Juan, et se relayèrent à sa porte. Au deuxième jour, parmi les clients de l'hôtel, il retrouva dans le patio un des passagers du bananier suédois, qu'il avait brièvement rencontré à l'embarquement, un jeune chimiste, ancien laborantin, aussi perdu qu'il l'était. Il s'appelait Bertrand Goldschmidt, il était entré à vingt ans comme préparateur à l'Institut Curie. Il lui racontait avoir été réquisitionné pendant la guerre par un laboratoire militaire à Poitiers, puis fait prisonnier dans un camp allemand, et à son grand étonnement libéré. Puis, il en vint, par ennui, à la manière dont on se dévoile le plus aisément du monde à un inconnu, une parole en commandant une autre, à raconter l'aventure de la fusion, ce que serait une bombe atomique et *révéla que les principaux pays étaient engagés dans une course scientifique qui garantirait la victoire à celui qui se classerait premier.* Par la suite, n'épiloguant pas plus sur ce qui, à l'instant, n'était que rêverie scientifique, ils finirent par se trouver une passion commune pour Ravel. Ce fut dès lors un moment étrange, où un apprenti ethnologue spécialiste des Indiens des hauts plateaux du Brésil et un doctorant chimiste expert en fusion nucléaire dissertaient dans le patio d'un hôtel de Porto Rico sur le *Concerto pour la main gauche* et le final du *Boléro*, tous deux en fuite, tous deux juifs, tous deux aux portes de l'Amérique. Ainsi va la guerre, l'irruption de coïncidences concède tout, sauve tout.

Saint-Laurent-du-Maroni
13 mai 1941

Elle tira son portrait. Il tenait un bar à l'entrée du Maroni, enfin ce qu'on peut appeler le centre, un alignement de cahutes et de cabanes après le pénitencier. Il y vendait du café et de gros œufs de tortue de mer. C'était un ancien bagnard, un *libéré*, dans une terminologie qui n'a de sens que le long du fleuve, où forçats, exilés et militaires se côtoient et vivent selon la loi de l'exception. Il prit le temps de leur expliquer la condition des *libérés*. « Une fois que vous avez purgé votre peine au bagne commence une deuxième peine, on est libéré mais on doit rester pendant une durée égale à la condamnation. Si on prend dix ans, on doit passer dix ans de plus en tant que *libéré* – un lopin de terre et une pelle pour seule récompense. » S'ils n'étaient pas déjà morts aux travaux forcés, peut-être crèveraient-ils plus tard d'un trop-plein de liberté. Il détailla une typologie de scénarios, du plus commun au plus aventureux. D'abord, ils filaient dans les plantations de sucre, finissaient on ne sait où, avalés par ce maudit fleuve qui ne recrache jamais rien. D'autres débarquaient à Cayenne et devenaient domestiques dans des familles d'officiers. On les retrouvait demi-esclaves (au mieux), après avoir troqué leur liberté contre une gamelle et un verre de rhum, attachant eux-mêmes les fers à leurs chevilles. Les derniers, ceux qui tentaient de s'évader, de fuir par la jungle, mouraient tous. Rien n'était pire que la jungle. Il parla aussi des *relégués*, ces bagnards à vie que la société raye. « À Cayenne, on peut les voir, c'est là qu'ils sont tous ; ils ont du travail, mais on les méprise. Ils sont des parias qu'un bagnard qui se respecte ne reconnaît pas. » Le bagne c'est cela, des îlots de terre arrachés de haute lutte à la forêt et au fleuve où hommes libres et bagnards, prisonniers relégués, pourrissent. Ils quittèrent Saint-Laurent à l'aube, on ne vit que

263

l'ombre rose des prisonniers s'ébaucher sur une vaste couche de vert saturé, comme si un peintre pressé avait appuyé sur un tube de gouache, étalant grossièrement l'arrière-plan. C'était d'une affreuse banalité, la solidarité humaine devant la souffrance. Elle nota : *Adieu, Saint-Laurent-du-Maroni, avec tes araignées grosses comme la main qui piquent et tuent, ton herbe qui rend aveugle, ton fleuve qui change de place et charrie des crevettes de toutes couleurs qui tuent également. Adieu aussi aux hommes de cette société qui ne tient pas debout.*

Fort-de-France
14 mai 1941

Qui tombe en un, où il y a un sexe en érection, n'attend pas qu'on le relève. C'était en juillet 29 sur l'île de Sein (la case numéro deux en dessinait le Sein), Breton et Tanguy s'ennuyaient, alors, à l'aquarelle et l'encre de Chine, ils imaginaient les cases d'un jeu de l'oie surréaliste, sans en changer les règles et la structure circulaire, ni les cases-clefs, ils peuplaient plutôt les vignettes d'un autre bestiaire. En quarante-huit, on trouvait le *Manifeste*, en vingt-six, les bananes de Joséphine Baker, en soixante-deux, un scaphandrier, en vingt et un, le phare de l'île.

L'achat du papier négocié, la date d'impression arrêtée au 20 juin prochain, Suzanne travaillait à l'ébauche d'un article sur le philosophe Alain qu'elle imaginait au sommaire du prochain numéro de la revue – *Et voici, au seuil de l'art, l'homme seul, presque dégagé de l'obstacle. Et c'est dans le dessin que nous le trouvons, en tête à tête avec lui-même.* Breton y était décrit, au détour d'un paragraphe, en poète authentique, abandonné aux forces obscures de son esprit. *Par une rencontre curieuse, Alain dans son* Système des beaux-arts *et Breton dans son* Amour fou *proposent au lecteur le même exemple : Vinci conseillant à ses élèves de créer un tableau cohérent à partir de la contemplation des taches d'un vieux mur.* De leur rencontre surgissaient des échos d'autres lectures, la conviction sinon la croyance que l'alliance entre l'artiste et le monde ne peut surgir que dans un total oubli de soi, que ce soit par l'audace formelle du jeu, bien sûr le cadavre exquis, mais toute forme de dispositif qui basculerait sur l'autre rive. Il était si singulier qu'un homme aussi péremptoire que Breton, cassant parfois, parvienne à éveiller en vous curiosité, affection, courage. L'alchimie même de ces conversations restait pour chacun obscure, de sorte que parler de dispositifs semblait en tous sens contraire à la libre association qui présidait à ces journées. *Hasard objectif*, c'était en somme assez vrai – l'évidence de la rencontre, l'élection même, si farfelu que cela paraisse, tressait en sous-main une nécessité. Aimé comme Suzanne paraissaient convaincus qu'il ne pouvait en être autrement. Il n'est de providence qui ne s'accomplisse, et comme dans ces contes où le magicien attend son élu, sans douter ni du lieu ni de l'heure, leur rencontre avec le surréalisme sonnait comme un rappel de la force révolutionnaire du geste poétique. *Loin de contredire, ou d'atténuer, ou de dériver notre sentiment révolutionnaire de la vie, le surréalisme l'épaule. Il alimente en nous une force impatiente, entretenant sans fin l'armée massive des négations.*

En attente du Duc-d'Aumale
15 mai 1941

On parlait d'une avarie de moteur, d'autres de la menace au large des navires britanniques. La veille au soir, les ouvriers du port ouvraient les vannes du bassin, où le steamer *Duc-d'Aumale*, depuis maintenant plusieurs semaines, dormait, entré en carène pour ne pas couler. Il se faufila entre l'*Émile-Bertin* et le *Presidente-Trujillo*, un bâtiment de Saint-Domingue, posté face à la Compagnie générale transatlantique. Au matin, les vedettes de la Sûreté s'étaient relayées du Lazaret, de l'autre côté de la baie, au débarcadère de la rue du bord de mer. À la léproserie, le *Duc-d'Aumale* était au centre de toutes les conversations. Les Allemands et les Polonais l'amputaient de deux consonnes, *U-Aumale*, comme le nom d'un sous-marin torpilleur américain. Qui pouvait encore entendre dans le nom du bateau celui d'un vieux gouverneur, l'Orléanais, cinquième fils de Louis-Philippe, sinon quelques vieux messieurs, de ceux qui avaient vécu un pied dans un siècle l'autre dans la tombe, eu dix ans en 70, la cinquantaine en 14 et iraient mourir en exil, humiliés dans un bain de soleil et de moustiques, à près de quatre-vingts ans. Breton l'avait croisé dans le *Journal* des Goncourt mais, à vrai dire, il aurait été bien en peine de s'en souvenir : *Le* Duc-d'Aumale*, il n'y a qu'un mot pour le décrire : c'est le type du vieux colonel de cavalerie légère. Il en a l'élégance svelte, l'apparence ravagée, la barbiche grisâtre, la calvitie, la voix brisée par le commandement.* Le *Duc* sur lequel ils appareillaient, si du moins on peut grimper sur une particule, était un ancien paquebot de la French Line, haut sur l'eau, long d'une centaine de mètres. Parmi les passagers, on comptait environ deux cents du *Paul-Lemerle* et une cinquante du *Carimaré*, car désormais on parlait de ses trajets comme de son pedigree, fier ou honteux, tous rassemblés près du panneau de cale arrière, qu'on nommait sur l'engin « cour des miracles ». Au bout de plusieurs heures d'attente, le commandant Jacques de Fromont de Bouaille, un grand homme, à la démarche chaloupée, s'adressait aux voyageurs : le bateau ne partirait pas. Les billets payés seraient remboursés, et bien sûr valides en cas d'un départ différé. La colère montait. L'un des officiers de quart racontait à l'assemblée avide d'explications – l'agonie arroge ce droit d'être promu expert de telle ou telle situation – que les nouvelles de New York n'étaient pas bonnes. Le *Normandie*, un autre paquebot, on l'avait appris pendant les opérations de chargement, était bloqué au port. La compagnie se refusait à risquer un second navire sans garantie qu'il n'y ait de saisie.

Qui tombe à trente et un, où il y a un puits, le joueur paie deux, attendra qu'un autre joueur arrive au même numéro et prendra sa place.

« Son Excellence le généralissime Dr Rafael Leonidas Trujillo Molina, honorable président de la République, bienfaiteur de la patrie et reconstructeur de l'indépendance financière, vous offre de rejoindre Saint-Domingue à bord du *Presidente-Trujillo*, un rutilant bateau qui appareillera demain matin. » Court sur pattes, débonnaire, l'homme qui se présentait comme le consul de Saint-Domingue à Fort-de-France parcourait les coursives et le pont supérieur, battait le rappel. On vit alors accourir les passagers, trop heureux d'entendre pour les uns qu'on voulait bien d'eux quelque part, pour les autres qu'ils quittaient la Martinique. Trujillo avait lancé un vaste plan « pro-blancs » de repeuplement, et quoique farouchement anticommuniste, franquiste et antisémite, le dictateur avait décrété l'accueil sans condition des républicains espagnols, des communistes et des juifs d'Europe. Il exaltait la haine de son peuple, à la frontière, trois cents Haïtiens avaient été immolés, le Presidente promettait d'éliminer les « chiens, porcs et Haïtiens ». Il n'est pas si incroyable que la proie se fasse chasseur parmi les pays que l'on désignait comme terres d'accueil, Saint-Domingue à la poursuite d'autres desseins devint un phare.

14

Cheval de troie

Une légende veut que le jeu de l'oie ait été inventé lors du siège de Troie. Palamède, un élève du centaure Chiron et roi d'Eubée, créateur de jeux de dés, de dames et d'osselets, l'aurait élaboré pour occuper les soldats désœuvrés. Le parcours circulaire du jeu invitait à emprunter le trajet de Thésée dans le labyrinthe du Minotaure tandis que le destin et les dieux réglaient la progression des joueurs qui avançaient à coups de dés. Le jeu enseignait aux soldats achéens l'opiniâtreté et la bravoure qu'aucune épreuve ne décourage. Parfois, cependant, la patience ne suffisait plus, il fallait piper les dés, renverser la table et truquer le jeu, déguiser l'oie en cheval.

Chers tous deux, quand vous recevrez cette lettre, mes tribulations seront définitivement terminées mais j'avoue que, comme voyage mouvementé, cela aura été particulièrement réussi. Jusqu'à présent je n'ai rien pu vous dire sur le séjour qui a précédé celui-ci ; qu'il me suffise de vous indiquer que c'est par une chance et des protections (celle du commandant du bateau notamment) tout exceptionnelles, que j'ai pu échapper au camp de concentration où ont été enfermés mes compagnons de voyage. Quant à l'atmosphère morale, vous pouvez aisément conclure à son sujet. Le bateau direct pour New York étant très problématique, j'ai eu la chance (mais est-ce une chance ? La suite du récit vous en fera douter ; cependant, la rapidité des événements et leur tournure me confirment dans l'idée que j'ai eu raison de prendre le premier bateau, quel qu'il soit) de pouvoir prendre place, avec une dizaine d'autres personnes, sur un bananier ultramoderne qui se rendait ici pour faire son chargement. Traversée d'un jour et demi, confortable et calme, mais c'est ensuite que les malheurs ont commencé. D'abord nous avons été retenus quatre jours à bord, sans explication. Puis, comme le bateau devait repartir, on nous a transportés dans un hôtel de la ville, en résidence forcée, avec deux gardes

272

attachés à notre personne, cependant que la douane retenait tous mes documents scientifiques considérés comme hautement suspects. Enfin, nous avons comparu devant les services de l'immigration, mais, tandis que tout se passait facilement pour mes compagnons de voyage, j'ai vu les malheurs fondre sur moi : interrogatoire de quatre heures (en anglais) sous la foi du serment, tandis qu'on sténographiait ma déposition ; il a fallu que je raconte jusqu'aux moindres détails de mon existence, où j'ai été à l'école, combien je gagnais au lycée de Mont-de-Marsan, etc., après quoi on a décidé que tout cela était fort suspect (peut-être que la New School n'existe pas, si elle existe, elle n'a peut-être pas d'étudiants, si elle en a, on a peut-être invité deux professeurs pour la même chaire, etc.) et qu'il fallait en référer à Washington.

Et me voilà renfermé dans mon hôtel, avec deux gardes pour moi tout seul maintenant, qui m'accompagnent chaque fois que je veux aller boire un ice-cream soda ! Cela s'est passé il y a deux jours. Avant-hier j'ai été reconvoqué pour l'examen de mes documents par un spécialiste (sic), après quoi on m'a tout rendu : c'est déjà ça. Mais, pour moi, aucune nouvelle. Bien entendu j'avais immédiatement câblé à tante Aline, et c'est seulement hier, après deux jours de silence pendant lesquels je me suis fait pas mal de mauvais sang, que j'ai reçu une réponse réconfortante de Johnson directement, me disant qu'il m'envoie 200 $, de nouveaux contrats, et qu'il intervient à Washington, et de ne pas m'en faire. Pour les contrats, je dois dire qu'il y avait en effet quelque chose de louche, celui que je possède m'appelant pour un an, comme « visiting professor » ; alors que je suis porteur d'un visa d'immigration. Sur ce point, la New School s'est conduite avec beaucoup de légèreté et j'imagine qu'ils se sentent un peu responsables. Quant à l'argent, il sera le bienvenu, car je suis arrivé ici avec des chèques en dollars sur New York qu'on refuse de m'escompter (la confiance ne règne pas à l'égard des banques françaises) et je me trouve, depuis huit jours, sans un sou. Cela n'a pas beaucoup d'importance car, tant que je ne suis pas admis définitivement, je suis considéré comme sur le bateau, et à la charge de la Transatlantique, qui doit bénir tante Aline de m'avoir spécialement recommandé, ce qui m'a valu de pouvoir prendre ce bateau et de rencontrer cette aventure ! Cet hôtel où je suis coûte 2 $ par jour tout compris. C'est un extraordinaire mélange (comme tout ici) d'Espagne sordide et d'américanisme. On a le matin des pamplemousses, corn-flakes, etc., mais midi et soir « arroz y feijão » : de même, les installations sanitaires sont superbes, mais l'eau est interrompue de huit heures du matin à six heures du soir. La vie fait très pauliste, en plus petit. C'est une impression étonnante de retrouver le luxe et l'abondance, mais on se sent le cœur serré quand on pense à la France et à vous.

Pour ce qui est du prix de la vie, j'ai l'impression qu'en comptant le dollar à 40 frs on a une approximative équivalence. Je m'aperçois qu'écrire de ce côté rend ma lettre tout à fait illisible. J'arrête donc. Très certainement d'ici peu de jours, mon affaire sera arrangée, et je pense être à New York, en héros et en victime, vers la fin de la semaine prochaine. Avez-vous remarqué que j'ai quitté le dernier sol français le même jour où la première commission du Conseil national, présidée par Lucien Romier, tenait sa séance inaugurale dans la maison de grand-père Strauss ? Quel symbole !

Je vous embrasse tendrement,

Claude

P.-S. Les taches ne sont pas des larmes, mais de la sueur. Il fait extrêmement chaud !

Baie de Pointe-à-Pitre
17 mai 1941

Amarré, sans voiles ni mâts, d'un point minuscule au loin se dessinait un drôle d'oiseau dont les rames réfractées formaient sur la ligne d'eau comme d'amples mouvements d'ailes dupliqués par le miroitement irisé de la mer. L'embarcation grossissait, un homme en bretelles et bras de chemise se profilait sous l'ancre du vapeur. Il se levait de tout son long, la clope au bec, droit dans le canot et agitait les bras en gueulant : « Ohé, du bateau ! Ohé, mon capitaine ! » Il ressemblait à l'un de ces clippers de Caillebotte, mais au milieu de la baie de Pointe-à-Pitre, sous un soleil à vous bouillir la cervelle. Pire, il était sans chapeau. On ne sait si Breton l'aperçut, ou s'il était ailleurs, dans la salle à manger ou dans les cabines, sinon qu'il ne fut qu'à moitié étonné. On se figure la guerre comme un long silence, elle fut assez bavarde – on écrivit tant qu'on ne se perdit jamais tout à fait, c'était le temps des postes, une lettre parvenait à son destinataire, par paquet ficelé, d'adresse fantôme en poste restante, le courrier s'acheminait. On y conversait si bien, y glissait tant d'indices, qu'on eût retrouvé Vendredi dans les limbes du Pacifique. De sorte qu'on traçait au crayon son itinéraire alambiqué, devançait son parcours, d'île en île, aux bons soins des P & T. Si surprenant, si invraisemblable que cela paraisse, le drôle de canotier qu'on vit approcher depuis les plages de la Guadeloupe était un ami de Breton, Pierre Mabille, qu'ils avaient quitté à Salon-de-Provence. Réfugié à Basse-Terre, il croupissait d'ennui, exerçait son métier de médecin sous le joug de militaires plus bêtes, disait-il, que méchants. Breton l'avait averti de l'escale par télégramme, et quand Mabille comprit que pour des raisons diplomatiques le *Presidente-Trujillo* ne pourrait accoster en baie de Pointe-à-Pitre, il loua une embarcation à un pêcheur et rallia le paquebot à grands coups de rames. On jeta l'échelle jusqu'à sa barque, on l'accueillit alors comme un frère, Masson et Breton riaient fort, Jacqueline le prit dans ses bras. Mabille embrassa Aube et s'abaissa pour mieux s'adresser à l'enfant, il s'arrêta un temps, la dévisagea : « Oh, mais Aube, je t'ai vue naître, sais-tu ? »

À Sainte-Croix, le *Presidente* fut relégué au large, on craignait les dissidents, à la Dominique le vapeur alla à quai sans que les passagers pussent descendre. Les femmes et les enfants dormaient dans les cabines, les hommes avaient retrouvé les fauteuils transatlantiques, les garçons, des matelas posés au sol. À la Barbade, on accueillit un officier du corps des marines, John A. Butler, attaché naval, un bel Américain d'une trentaine d'années. Il avait pour mission secrète d'interroger Victor Serge. Les services d'espionnage avertis de la présence d'une figure de la Révolution à bord craignaient qu'il ne fût en mission pour le compte de l'URSS. L'interrogatoire eut lieu dans la salle à manger du bateau, où trônait un portrait du généralissime Trujillo enguirlandé de médailles militaires et d'écharpes de président, qu'un steward dévoué astiquait et relevait légèrement matin et soir. Il régnait dans la pièce une atmosphère de comédie, amplifiée par l'interrogatoire ou plutôt la conversation. Le jeune officier tenait ouvert un dossier du contre-espionnage, il s'y référait de temps à autre, et improvisait un savoir sur la Russie dont Serge, en silence, s'amusait. Il était propulsé au rang de membre de l'état-major de l'Armée rouge – *Red General Staff* –, membre du parti trotskiste *disparu à la mort de Trotski...* Serge rieur confia de faux secrets, bien décidé à aggraver sa notice biographique qu'un universitaire, un jour, irait sans nul doute dénicher dans les archives de Washington, et ne comprendrait pas d'emblée la mention d'une fiche de renseignements complétée à bord du *Trujillo*, ou peut-être trouverait-il matière à imaginer un roman d'espionnage à la Graham Greene. Il y lirait les ajouts de Butler, observations sur son interlocuteur : *a brilliant, well-trained observer, whose first thoughts are against Stalin, although he is for democracies* – la mention du rôle d'agent double de Lucien Vogel, de la mort de Krivitsky assassiné par le Guépéou, d'une possible guerre bactériologique. Butler qui vivait en Louisiane souhaita clore la conversation en français, et le gratifia d'un *bon voyage*. Ils se quittèrent, se serrant la main chaleureusement. Le soir venu, attablé dans cette même salle à manger, Serge raconta hilare à ses camarades les approximations du *captain*. Puis, atténuant ses moqueries, il parla de la douceur et de la fermeté de ses paroles, la franchise de son regard et son élégance.

Wifredo et Helena à l'arrière du bateau, au coucher du soleil, aperçurent dans la ligne d'horizon, s'embrasant entre mer et ciel, ce qu'ils crurent être un rayon vert. C'est un vert qui n'existe pas, dirent-ils.

Le sentiment du danger est grisant à qui se sait à l'abri. Le dallage de marbre s'espaçait, les façades de palais Grand Siècle laissaient place çà et là, sans plus de lumière, à un baraquement de tôles, un abri de planchettes, une chapelle en brique rouge. Ce qui à midi apparaissait comme une rue à l'heure de la sieste se découvrait dans la pénombre, en une ville fantôme. La vie s'était enfuie, barons pendus, veuves folles, théâtres abandonnés, groom d'hôtel en habit sans clients. C'était au bout de la rue principale, au seuil de la forêt, dans une zone intermédiaire et sans propriété que les seuls habitants vivaient, préférant les abris de peu aux gigantesques édifices du centre dont on disait qu'ils étaient hantés. Dans un double mouvement, la jungle reculait, poussait dans les blancs édifices, la mousse s'étalait en fines couches dans l'entrebâillement des portes, sous les fenêtres, sous le menton des statues ou dans les bas-reliefs ; de minces lianes pareilles à de la vigne vierge tapissaient les façades et les arrière-cours ; les embrasures saturées de plantes enroulées les unes aux autres, s'enserraient dans une drôle d'étreinte, allaient comme à la courte échelle du sol au plafond, brisaient coupoles et dômes de verre, édifiant, avachies à la manière de gros boas, une canopée. Plus loin, dans la rue sombre, après une halte dans un casino, puis un bordel tenu par une Française, Germaine Krull et ses compagnons s'attablèrent au grand dancing. S'y déhanchaient des gamines de dix ans livrées à la prostitution, des matelots et des planteurs.

Ils commandèrent une bouteille de champagne.

San Juan, Porto Rico
20 mai 1941

Non qu'il fût frappé de léthargie comme le Professeur Bergamotte, l'américaniste de l'expédition Sanders-Hardmuth, Claude passait la majeure partie de ses journées allongé sur son lit à feuilleter des magazines tandis que deux policiers en faction surveillaient la porte. Et tout comme Tintin brise le sortilège de Rascar Capac et évite à ses amis le bûcher du Temple du soleil en apprenant l'heure et le lieu de l'éclipse dans un morceau de journal gardé par le capitaine Haddock pour allumer sa pipe, il ne dut son salut qu'à la lecture du quotidien. La guerre, seule, offre l'illusion, impropre sans doute, que le monde se rétracte et se gonfle en un instant, et à l'instar d'un trou noir rapproche deux points éloignés. André Breton retrouvait Pierre Mabille dans la baie de Pointe-à-Pitre, Claude Lévi-Strauss était informé par une brève dans le journal de l'arrivée de Jacques Soustelle, un ancien collègue du musée de l'Homme, spécialiste du Mexique qui *faisait la tournée des Antilles pour rallier les résidents français au général de Gaulle*. Retrouver celui qui, sitôt l'agrégation en poche, s'était enfui au Mexique étudier les Indiens Otomis et la langue maya, c'était comme d'être projeté avant guerre au musée de l'Homme, passer le pont du Trocadéro, remonter les marches de la Seine jusqu'à l'esplanade, et saluer à l'entrée le gardien des collections. Les deux anciens disciples de Paul Rivet se retrouvèrent à l'autre bout du monde, dans un hôtel de San Juan, et se racontèrent leur périple – Claude, la traversée du *Paul-Lemerle* et l'université improvisée sur le pont supérieur ; Jacques, son voyage dans un convoi torpillé, l'arrivée à New York, Montréal puis Mexico. Il confia les yeux brillants l'ordre télégraphié par de Gaulle : « Rejoignez Londres, mais auparavant créez un comité de soutien à la France libre. » Il lui expliqua de quelle manière entre février et avril, avec Gilbert Médioni, il avait rassemblé la délégation France libre de Mexico. Comment, sans un sou, il gagna à la loterie les premiers fonds avant de recevoir ceux de Londres, et fédéra les résistants expatriés. Au milieu de son récit, Jacques éclaira Claude sur son rôle, sa coopération avec le ministère britannique de l'Information, son dîner avec le Général et sa mission de représentant personnel de la France libre pour la zone Amérique centrale consistant à rallier les partisans isolés, les dissidents des Antilles. Il parlait fièrement de sa dernière prise, Philippe Grousset, premier secrétaire de l'ambassade de Vichy à Cuba, qui prendrait la tête du mouvement local après son passage à La Havane, reçu en grande pompe par le général

Batista. Il revenait de Saint-Domingue où régnait la dictature de Trujillo, et à Porto Rico il devait veiller à ce que la flotte de l'amiral Spruance n'allât pas s'emparer des Antilles françaises et s'assurer l'appui de ses autorités. Sans doute ne parlèrent-ils pas ou peu du musée, du réseau dont il ne savait rien, peut-être se dirent-ils, après avoir tant parlé, à la manière de ces résolutions de films noirs, où l'action s'arrête et l'on écoute le détective dérouler à l'envers l'intrigue jusqu'à donner le nom du coupable, que la guerre a cela de beau qu'elle ne se racontera pas, qu'on ne croira personne, qu'on prendra pour mensongères ces retrouvailles inattendues. Ils en vinrent peut-être à penser qu'en un sens leurs histoires ne vaudraient d'être racontées que pour en témoigner, ils s'amusèrent à l'idée qu'imaginer leur trajectoire eût été manière d'écrire un roman invraisemblable. Claude évoqua sa situation, la malle saisie par le bureau de l'immigration, son visa et son contrat à la New School qui arrivaient à expiration. Jacques promit de faire jouer quelques relations à New York et Porto Rico, de certifier auprès des autorités américaines qu'il n'était pas un espion, l'affaire d'une journée tout au plus.

Ils firent l'inventaire de leur déveine, et de leur coup de chance, dont il était toujours question, de *coup*, bol, lapin, chance, cul, *à tous les coups*, d'ailleurs, Claude parla d'un autre *coup – ma carrière s'est jouée un dimanche de l'automne 1934, à neuf heures du matin*, sur un coup de téléphone, qui l'envoyait de l'École normale supérieure à l'université de São Paulo. Il parla aussi de la lecture du quotidien, ce coup du *sort*, et tout comme Tintin reporter, fronçant les sourcils, dans une prison inca et à demi fou répétant : « Ça, par exemple, c'est vraiment curieux !… Quelle coïncidence ! », il sautillerait de joie et s'écrirait : « Capitaine, capitaine, nous sommes sauvés !… »

LETTRE DU SECRÉTAIRE
DU GOUVERNEUR DE LA MARTINIQUE
À MONSIEUR LE DIRECTEUR DE LA COMPAGNIE
GÉNÉRALE TRANSATLANTIQUE
LE 21 MAI 1941
FORT-DE-FRANCE

LE GOUVERNEUR DE LA MARTINIQUE
à Monsieur le Directeur de la Compagnie
Générale Transatlantique
FORT-de-FRANCE.

Monsieur le Gouverneur,
En réponse à votre lettre N° 41/57 du 20 mai courant, j'ai l'honneur de vous confirmer l'accord intervenu entre nous, en présence du Contre-Amiral BATTET, du Capitaine de Frégate PELTIER et du Capitaine de Gendarmerie au sujet du séjour à bord du « Duc d'Aumale » des passagers en transit à la Martinique et qui se trouvaient précédemment au Lazaret.

Au terme de cet accord, les frais de séjour à bord de ces passagers seront réglés par le Directeur de la Sécurité Publique à raison de vingt-cinq francs par jour et par personne.

Veuillez agréer, Monsieur le Directeur, l'assurance de ma considération distinguée.

Signé : Yves Nicol

P.C.C.
Le Secrétaire Général

Claude tenait dans son journal un tableau de comparaison des rhums martiniquais et portoricains. Il posait comme postulat la finesse de l'artisanat et des traditions ancestrales contre la brutalité de la technique et de la rentabilité, *les cuves de bois engrumelées de déchets* contre *les réservoirs en émail blanc et robinetterie chromée.*

On s'habitue à être maltraité, l'ignorance de la fin des oppressions résonne parfois avec l'idée d'une perversité redoublée. Forcément y voit-on une malice, on donne du bon monsieur, on tient la main pour descendre la passerelle, et vlan, un croche-patte. On attend sagement la torgnole. Alors, quand elle ne vient pas, presque on en serait vexé, à coup sûr troublé. S'il est une chose qu'enseigne la guerre, c'est qu'il n'est de trop grande méfiance. Déjà, au débarquement, les passagers s'étaient offusqués que le contrôleur tamponne à tout-va sans jeter un œil, même discret, aux passeports. Une dame à principes crut bon de s'arrêter, elle criait que ses papiers étaient en règle. Des journalistes montés plus tôt à bord, dans la salle, s'entretenaient avec déférence avec ses illustres passagers, tous, disaient-ils, ambassadeurs de leurs pays. C'était se foutre du monde. La blague grotesque, de faux journalistes, au mieux des espions, ou les services de l'immigration déguisés, des mouchards. Lam tomba dans les bras d'Eugenio Granell, un peintre surréaliste, ami de Benjamin Péret, un frère d'armes de la guerre d'Espagne, républicain en exil. Au bas des passerelles, une foule de badauds s'était massée et saluait chaque passager. Le groupe se scinda en deux, les premiers partirent sans demander leur reste, les autres, assis sur leurs bagages, envoyèrent un des gamins chercher les autorités. Une heure plus tard, c'était désemparé que le gosse dit que oui, oui, les formalités étaient faites. Debout contre le mur de bois blanc, frustrés d'avoir ainsi franchi le débarcadère sans militaires, un groupe qui allait s'amenuisant attendait l'ouverture du guichet des douanes. Mais personne ne vint. Rien n'était prévu. Pas de quarantaine, pas de camp en périphérie, pas même un interrogatoire. Seul un quai nu, la rue derrière sans barrières, l'insolite liberté. Des hommes en costume rayé bleu et blanc apparurent à l'autre extrémité du port ; il s'agissait de prisonniers en promenade. Et tandis qu'il restait au pied du bateau un irréductible, persuadé qu'il serait récompensé de sa patience, sur la terrasse de l'hôtel, Breton accordait un premier entretien au quotidien de Ciudad, *La Nación*.

L'arrivée du paquebot dans le port de Ciudad faisait les gros titres en une de l'édition du 24 mai de *La Nación*. Sur une page entière s'affichait la liste des passagers, avec leurs noms, nationalités et qualités. Et ceux hier encore qui n'étaient que parias, sans-grade, fuyards et lâches, voyaient en caractères d'imprimerie, frappés sur le papier à l'encre, dans le quotidien de la Nation, leurs noms et professions réhabilités ; on y découvrait alors, preuve supplémentaire de l'immense richesse de la cargaison, un inventaire de leurs métiers, comme l'image arrêtée d'un monde en fuite, déjà disparu, l'Europe des années 30. Un urologue viennois, des écrivains allemands, un industriel belge, des ambassadeurs et ministres espagnols, un peintre cubain et un ingénieur tchèque, tous pompeusement présentés, heureux de lire à nouveau en lettres capitales : Profesor, Excellentissimo, Don et Doña, Doctor. En pages intérieures, après l'allocution quotidienne transcrite du Presidente et avant les résultats sportifs et le détail des festivités de la Vierge, on lirait un article de Victor Serge à propos de Staline et en regard le compte rendu d'un entretien accordé par Breton à Eugenio Granell.

ANDRÉ BRETON NOS HABLA
DE LA ACTUAL SITUACIÓN
DE LOS ARTISTAS FRANCESES

« André Breton nous parle de la situation actuelle des artistes français. » L'entretien traduit du français courait sur plusieurs colonnes et une photographie montrait, face à face, les deux interlocuteurs, portant beau, en veste de costume, une cigarette à la main, Granell un papier plié en deux sur sa largeur qu'il tient ainsi, devine-t-on, pour se donner une contenance, un mouvement certain de son effet. On sent presque à l'image une brise légère, un ciel lourd, l'odeur d'un soir de jour très chaud. Dans le ciel, on aperçoit un nuage : va-t-il pleuvoir ? Sous un orage violent et bref, vont-ils rentrer s'abriter et terminer l'entretien au bar de l'hôtel ? En préambule, Breton est présenté comme « un homme bien connu des milieux artistiques et intellectuels du monde entier », directeur de la revue *Minotaure*, ami de Picasso, de Diego Rivera. Il y parlait de l'atmosphère de *désiste-ment*, de l'informe esprit de redressement national, et s'adressait, si étrange que cela puisse paraître, à un auditoire averti dont la lecture du reste du journal lui aurait appris qu'il eût été vain d'imaginer autre chose que des commerçants et des médecins domi-nicains, il réglait des comptes : l'entreprise de com-promission de la *NRF* menée par Drieu la Rochelle, la censure des ouvrages, les siens, il citait *Fata Morgana* et *L'Anthologie de l'humour noir* (« l'hu-mour qui ne fait pas rire mais bien *frémir*, envisagé comme moyen pour le *moi* de surmonter les trauma-tismes du monde extérieur »). Il œuvrait à la défense d'une Internationale surréaliste, révolutionnaire, recrutait à travers la feuille de chou d'un dictateur des Caraïbes : « Le surréalisme a pour ambition de résoudre dialectiquement toutes les antinomies qui s'opposent à la *démarche* de l'homme : la réalité et le rêve, la perception et la représentation, la raison et la folie, le passé et le futur, la vie et la mort. » Plus loin, à la question de l'état des *troupes surréalistes*, Breton donnait des nouvelles des camarades : Benjamin Péret, Tristan Tzara, Jacques Prévert n'avaient pas quitté la France, Max Ernst s'apprêtait à gagner New York par l'Espagne, André Masson, dans l'attente du visa de transit dominicain, était resté sur l'île de la Martinique. À propos de Picasso, il eut cette formule pétrie d'admiration et de respect pour l'homme et le peintre : *au pis-aller on lui laissera un crayon et que sinon il lui restera la faculté de gratter le mur avec son ongle.* Plus périlleux, l'entretien se terminait sur un éloge, sincère on ne sait, c'est possible tant l'accueil paradoxal eût aveuglé le plus républicain des Espagnols du bateau, de l'île et de son généralissime de président. Chaque mot était pesé, Breton l'avait écrit, à l'encre verte toujours.

Ce ne peut, malheureusement, être encore qu'une impression mais du moins est-elle on ne peut plus favorable. Je suis d'autant plus heureux d'en témoigner que la République dominicaine est actuellement l'espoir de tous ceux qui, comme moi, aspirent à retrouver ce qu'ils tiennent pour leur raison d'être et dont certains, en territoire français, ne sont d'ailleurs pas hors de danger. En leur accordant le transit, le gouvernement dominicain donne un nouveau lustre au rite d'hospitalité et d'humanité dont la France longtemps a pu se glorifier et auquel ses dirigeants fantômes font injure aujourd'hui. Je savais aussi et les occasions ne m'ont déjà pas manqué de me faire confirmer que nos amis les républicains espagnols ont reçu ici un accueil pleinement compréhensif et fraternel. Cet accueil de la part de la population la plus confiante et la plus généreuse, ils ont conscience de le devoir avant tout au général Trujillo qui, en relevant de ses ruines la vieille cité de Santo Domingo détruite pour en faire en dix ans la magnifique ville qu'elle est aujourd'hui, a montré l'exemple à suivre et prouvé qu'il n'est pas de sinistre matériel ou moral dont l'homme résolu et capable d'incarner la volonté des autres ne puisse se rendre maître.

Ciudad Trujillo
25 mai 1941

Il consignait dans un rapport les conditions de l'infâme traversée et l'internement au Lazaret – Victor Serge n'en démordait pas, aussi certain des indices qu'il faut laisser le long du chemin. Les vérités vivent de documents, sans preuves, infimes détails, dates, noms, elles disparaissent, s'éteignent, pire, d'autres rapports les déguisent et les étouffent, l'emporte alors l'administration de la peur, bureaucrate et consciencieuse. Il frappa sur sa machine à écrire un compte rendu, rangea l'unique déclaration d'un témoin, juge et victime, dans une pochette, note biographique du *Capitaine-Paul-Lemerle* et du Lazaret.

RAPPORT SUR LES PASSAGERS
DU CAPITAINE PAUL-LEMERLE

25 mai 1941. – Embarqués à Marseille le 25 mars, 35 personnes recommandées et protégées par l'IRA : Kuno Brandel, Hans Tittel, Karl Heidenreich, 3 Krizhaber, Alice Fried, H. Czeczwieczka, E. Bersch, K. Braeuning, 2 Orsech, 3 Osner, I. Reiter, H. Langerhans, M. Flake, 3 Barth, J. Weber, 2 Pfeffer, Capari, F. Bruhns, F. Caro, tous en possession de Danger-Visas ou de visas d'émigration pour les États-Unis, plusieurs visas périmés en cours de route (Alice Fried). En outre, envoyés par le Comité américain de Marseille : famille André Breton (3), famille Jacoby (2), famille Wilfredo Lam (2), Kibaltchitch, Victor et son fils.

En outre environ cent passagers, pour la plupart commerçants israélites (quelques intellectuels) de condition bourgeoise. (Plusieurs commerçants avaient des Danger-Visas.) Presque tous pour les États-Unis. Voyage dans des conditions antisanitaires, avec alimentation insuffisante et mauvaise, W-C improvisés sur le pont, en face d'une étable à bestiaux.

À l'arrivée à Fort-de-France, le 20 avril, la plupart des passagers internés au lazaret désaffecté de la Pointe du Bout, sur une presqu'île isolée de la ville. Quarante-cinq minutes de voyage en vedette pour aller à la ville. Officiellement « hébergés », sous contrôle de l'autorité militaire qui délivrait des « permissions » de se rendre en ville pour démarches. Gardés par des soldats noirs, assez bons diables, sous le commandement d'un aspirant (métis). Étroitement surveillés par Sûreté navale, service des étrangers, amiraux agents « de la Secrète » en ville. Conditions d'internement : grandes cases sans mobilier ni literie ; paillasses pour dormir ; pas d'éclairage, pas d'eau douce, pas d'eau potable, pas de médicaments, climat tropical. Une eau minérale se vendait un franc la bouteille et elle manquait constamment. Les autorités avaient saisi à l'arrivée tout ou presque tout l'argent des passagers, selon les cas, à titre de « caution » – « pour payer votre départ ou vous rapatrier ». Aux apatrides russes, elles réclamaient 10 000 F de caution pour rapatriement éventuel. Cette caution servait aussi à payer l'hébergement, à raison de 25 F par jour. Nourriture inqualifiable et sale, jetée le plus souvent à la mer, de sorte qu'il fallait encore dépenser au moins vingt francs pour se nourrir de corned-beef et de sardines. Nous avons multiplié les réclamations et refusé de nous laisser voler de la sorte, d'où conflits et menaces. Des jeunes Belges ont été menacés d'être « renvoyés en France et livrés aux Allemands ». D'autres personnes (moi-même) d'être « déportées au

292

Maroc ». Correspondance très censurée, beaucoup de lettres disparues.

La Cie Transatlantique faisait réparer un steamer qui n'avait pas navigué depuis longtemps, le Duc-d'Aumale, pour l'envoyer à C. Trujillo et New York avec ces passagers et ceux du Carimaré, arrivés trois semaines plus tard et internés, dans la montagne, au camp de Balata, que l'on dit meilleur parmi eux plusieurs personnes ressortissant de l'EMERSCUE. Départ fixé au 17 mai, billets vendus le 15 et le 16. Le 17 mai ; départ « différé » en raison de la situation internationale. Le 18, tous les internés du lazaret embarqués néanmoins à bord du Duc-d'Aumale où ils trouvent des cabines et une nourriture propre. Le 18 mai, ceux qui se sont procuré le visa dominicain (2 Jacoby, 3 Breton, 2 Lam, 3 Kibaltchitch) partent pour Ciudad Trujillo à bord du Presidente-Trujillo. Les autres, une centaine de personnes, dont les trente-cinq de l'IRA, internées à bord du Duc-d'Aumale.

Propos du lieutenant Castaing, de la sécurité navale : « Ceux qui n'ont plus d'argent, on les fera travailler pour payer leur hébergement. » « Ils passent sous le contrôle de l'autorité navale. » « Le Duc-d'Aumale partira, mais il n'ira pas à New York » – « à destination inconnue ». On croit savoir à C. Trujillo, parmi les voyageurs, que le Duc-d'Aumale serait en effet parti « à destination inconnue » avec ses passagers pour les États-Unis. Selon une rumeur, l'amirauté aurait sollicité l'autorisation de les débarquer à C. Trujillo ou Haïti, mais nous ne savons rien de précis.

En mer, on parlait de la vie d'après pour se donner du courage, ce que l'on ferait de l'autre côté. On imaginait Manhattan, les rues de Chinatown, le quartier juif du Bronx et la Cinquième Avenue. Parmi les récits, l'un semblait à qui l'entendait pour la première fois une histoire à dormir debout, un conte pour grands enfants. On décrivait un morceau de jungle au bord de l'eau, hostile, au nord de l'île de Saint-Domingue, déserté mais qu'une association juive d'entraide avait transformé en une colonie agricole prospère avec sa clinique, sa synagogue, son théâtre, sa bibliothèque et son école. Un petit bout de paradis au bord d'une plage en croissant où l'on parlait yiddish. Parmi les passagers du *Paul-Lemerle*, un groupe pris en charge par l'association d'émigration juive HICEM devait rejoindre la colonie depuis Ciudad. Au port, on leur confirma l'existence de Sosúa, c'était à deux jours de marche, au nord de l'île. À une quinzaine de kilomètres de Puerto Plata, après avoir suivi un sentier de terre à travers une forêt épaisse, l'équipée parvint sur une plage de la rivière Yassica, et, en hauteur, découvrit le village de Sosúa. Ils furent accueillis par James Rosenberg, un missionnaire juif à la tête de la Zion tropicale. Ils reçurent un titre de propriété, legs du *Grand Bienfaiteur* Trujillo, l'autre nom que se donnait le Généralissime, ainsi qu'une mule, un cheval, dix vaches et soixante-quinze acres de terre. Et la mission de fleurir le désert ou plutôt de débroussailler la jungle.

Ciudad Trujillo
27 mai 1941

Breton se réveilla, en sueur, au milieu de la nuit, l'air amusé, il nota un rêve avant de l'oublier : *Sur un mode ambitieux qui ne m'est pas habituel, j'ai rêvé, à Ciudad Trujillo, dans l'angoisse d'une grande exaltation, que j'étais Zapata, me préparant à recevoir le lendemain avec mon armée Toussaint Louverture.*

15

Il y a des vaches en Amérique ?

Baie de New York
28 mai 1941

Tout comme Claude avait appris les accords de Munich en Amazonie, feuilletant un vieux journal qui traînait par terre dans la hutte d'un chercheur de caoutchouc, de même il fut informé au large de New York des préparatifs des armées allemandes à la frontière russe. Une autre guerre allait commencer, un autre front s'ouvrait. Plus de deux mois après le départ de Marseille, la traversée touchait à sa fin.

Ce fut d'abord un pont. Une tour, puis une autre, une ligne qui montait insensiblement jusqu'au ciel, étouffait l'horizon, l'éclairait par endroits. Il pleuvait fort. La cohue, on accourait à la proue, la même sans doute que sur chaque bateau et un cri banal : « New York ! New York ! » Claude fut parcouru d'un frisson, un mélange d'excitation et de soulagement. Il avait traversé un océan et deux mers, il expérimentait les limites d'un monde fini, où l'évolution phénoménale des techniques, l'accroissement de la vitesse et des échanges, parallèlement et par une même logique, étranglaient les cœurs, amoindrissaient les âmes. Il vit un rayon passer d'une berge à l'autre et creuser un sillon en remontant les gratte-ciel, brillant à l'angle de vitres comme dans une église. Un désordre entrechoqué d'ambitions érigées à la verticale. Une boîte d'allumettes toute prête à s'enflammer. *Mieux qu'Athènes, le pont d'un bateau en route pour les Amériques offre à l'homme moderne une acropole pour sa prière.*

New York
29 mai 1941

Parti de Martinique bon dernier le 21 mai, le paquebot de la Compagnie transatlantique, le *Duc-d'Aumale*, entrait dans le port de New York le 29 au matin. Le chauffeur, Louis Le Guyader, quelques heures plus tard manquait à l'appel, et fut bien vite porté « déserteur ». Masson débarquait et s'aventurait dans Manhattan.

On s'attablait dans les bistrots, après le souper, le soir, à Paris ou à Marseille, dans un café tranquille et l'on se demandait : « À quoi va-t-on jouer ? » Assis sur la banquette au fond du Brûleur de loups, au comptoir en zinc du Cyrano, on n'entendait pas abandonner les règles du jeu. Qu'on soit en guerre ou en exil. On pouvait juger avec suffisance, condamner de toute sa morgue ces enfantillages, s'en agacer, prendre de haut ces gribouillis de doux dingues – d'inconscients – le mot dit tout –, le surréalisme était né dans les cafés, et il y demeurerait, inchangé. D'ailleurs, qu'y avait-il de si condamnable en cela, fallait-il, parce que le monde sombrait, opter pour une mine sérieuse et bien loin des périls, à l'abri, au chaud, s'alarmer des combats ? L'esprit de sérieux, l'autre maladie du siècle. Croyez-vous donc qu'après avoir survécu à la Grande Guerre et vu les fascismes boursoufler sur des charniers, il eût fallu que la poésie y répondît par la bien-pensance et une posture éclatante d'outrage. Il n'y aurait eu de plus grande défaite. Qu'importaient les victimes ? Qui sommes-nous pour en juger ? L'apprentissage de l'histoire libère des incertitudes, nous rend la confiance dans nos jugements, et la brillance de droites conduites qui nous honorent. Quand on entrait au *Gran Hotel* de Ciudad et qu'on voyait Breton assis, on pouvait railler un pape à la dérive, ou l'écouter plus sérieusement qu'on ne l'avait jamais fait, persuadé qu'à l'épreuve du doute plus aucun discours ne prévalait, qu'à l'horreur de la bête aveugle pouvaient aussi bien répondre l'audace et la beauté. Le matin, il s'entretenait avec Eugenio Granell, qui, on l'aura compris, était homme à admirer Breton et à espérer, comme d'autres avant, être adoubé – certificat sans valeur sinon la distinction et la fierté d'appartenir à un ordre libre, sans registre ni diplôme. L'après-midi, Breton tenait sa correspondance, rassemblait la communauté éparpillée. Il relut Hugo à la lumière de son propre exil et y notait abondamment dans les marges – *Les Travailleurs de la mer*, d'abord, et à Saint-Domingue il découvrit qu'on vouait une sorte de culte au court récit qu'il n'avait, à vrai dire, jamais lu, mais qu'il s'empressa, découverte faite, de feuilleter – *Bug-Jargal.* C'était un roman, comme l'on dit, inspiré de faits réels (mais se peut-il vraiment qu'il en soit autrement), la révolte des esclaves de Saint-Domingue en 1791. L'édition qu'il consultait était agrémentée d'un préambule de Victor Hugo. Il s'expliquait sur une œuvre de jeunesse, dont il ne pouvait plus empêcher fortune faite la réédition, et dont il avertissait le lecteur de l'intention à défaut de lui en interdire la lecture – *En 1818, l'auteur de ce livre avait seize ans ; il paria qu'il écrirait un volume en quinze jours. Il fit* Bug-Jargal. *Seize ans, c'est l'âge où l'on parie pour tout et où l'on improvise sur tout.* Breton pensa qu'il aurait pu écrire un livre en quinze jours, un ouvrage d'exil, une page par jour, qu'à la fin du voyage il eût

300

été riche de soixante pages, bien serrées, une courte *Iliade* par gros temps, l'éphéméride d'un monde englouti. Un paquebot assurait la liaison avec les États-Unis, *via* Porto Rico, il partirait dimanche de Puerto Plata, au nord, de l'autre côté, l'occasion de traverser l'île. Un dernier chapitre restait à écrire. Il nota – plus enchanté encore par la coïncidence d'une date que seul, sans doute, un être aussi amoureux des chiffres eût considérée comme une forme d'évidence irrévocable et disons, à ses yeux, scientifique – que cet avertissement en préambule d'histoires à conter sous la tente, à longueur de nuit de bivouac, avait été écrit un 24 mars de l'année 1832, jour de départ du *Paul-Lemerle*, jour premier de son propre exil. Et alors il recopia à l'encre verte sur ce papier pelure qu'il affectionnait, à la façon d'un exergue pour un livre à venir, les derniers mots de l'avant-propos…

quant à lui, comme ces voyageurs qui se retournent au milieu de leur chemin et cherchent à découvrir encore dans les plis brumeux de l'horizon le lieu d'où ils sont partis, il a voulu donner ici un souvenir à cette époque de sérénité, d'audace et de confiance, où il abordait de front un si immense sujet : la révolte des Noirs de Saint-Domingue en 1791, lutte de géants, trois mondes intéressés dans la question, l'Europe et l'Afrique pour combattants, l'Amérique pour champ de bataille.

Les imbroglios administratifs et douaniers de
Porto Rico avaient eu comme avantage de préparer
l'arrivée de Claude à New York. Ses papiers en règle,
la malle d'archives inspectée, l'attestation spéciale de
l'agent du FBI qui, s'étant rendu à San Juan, n'avait
constaté que son impuissance à se prononcer, c'était
un homme lavé de tout soupçon. L'attendait une
chambre dans un immeuble en brique rouge à l'est
de la Cinquième et à l'ouest de la Sixième. C'était le
début du mois de juin, la belle période, la rue bordée
d'arbres en fleurs, de larges fenêtres donnaient sur
des jardins tombés en friche, en plein Greenwich
Village, *le Montparnasse local, quelque chose inter-*
médiaire entre le Point du Jour et la porte d'Or-
léans, à deux pas de la New School. Il s'attelait à la
rédaction de sa thèse *La Vie familiale et sociale des*
Indiens Nambikwara. Il avait accroché au-dessus du
bureau une carte des deux Amériques et commençait
à tapisser les murs d'un papier peint de dessins, de
feuilles quadrillées, collage de documents, matériaux
– c'était la chambre d'un savant fou ou d'un artiste
plasticien. De temps à autre, il ouvrait la fenêtre,
passait la tête et fumait une cigarette de tabac noir,
d'une marque portoricaine, acheté à East Harlem ;
en contrebas sur le perron, des enfants de retour de
l'école qu'il saluait d'un geste de la main. Sur la boîte
aux lettres, le nom d'un autre savant était inscrit, un

autre homme qui se creusait les méninges, un autre Claude, un mathématicien. Tandis que Claude, lui, théorisait les structures élémentaires de la parenté, Claude E. Shannon formulait les bases de sa théorie mathématique de la communication. Allez, trichons un peu, le calendrier de l'Avent contraint à suivre le chemin hasardeux d'hommes gros encore de leur histoire, une suite de pas aveugles, dont on ne peut s'amuser qu'après coup des coïncidences et des rencontres fortuites au carrefour des récits. Pourquoi ne pas imaginer que Shannon et Lévi-Strauss se seraient salués dans le hall d'entrée, auraient grimpé l'un derrière l'autre les escaliers, et Claude poursuivit Claude jusqu'au dernier étage. À la même adresse, à la fin du printemps 41, les deux hommes vivaient obsédés par une idée, une idée commune : le monde, quoique complexe, infiniment multiple, aléatoire et singulier, peut et doit, si l'on se penche sur quelques invariants, n'être que séries de 0 ou de 1 régis par une formule canonique du mythe. L'un publierait *Théorie mathématique de l'information* en 48, l'autre *Les Structures élémentaires de la parenté* en 49. L'un deviendrait père de la cybernétique, l'autre de l'anthropologie structurale.

Il ne quittait pas sa chambre, une grande pièce aérée, nue, carrelée, ouverte sur un balcon-terrasse, la machine à écrire comme clouée à l'assise de bois modeste du bureau, le dos légèrement voûté, et il tapait, tapait avec rage et enthousiasme. Vlady parfois partait en balade, son carnet de croquis dans le sac, il s'occupait des courses et réclamait à la poste ce courrier dont on attendait beaucoup, des nouvelles de Laurette. Le 5, leurs visas mexicains étaient renouvelés pour six mois par la Secretaría de Gobernación. Pourtant le chemin paraissait obstrué : Cuba, escale obligatoire, imposait une caution de mille dollars pour traverser le territoire, et le visa de transit pour New York était impossible à obtenir pour d'anciens révolutionnaires. Ils avaient quitté le *Gran Hotel*, trop cher et sans âme, et résidaient depuis trois jours chez de braves gens espagnols, en pension. Serge s'était tout entier jeté dans l'écriture d'un pamphlet – le titre de travail, *Hitler contre Staline*, affichait l'intention – et d'un roman ambitieux, dont à présent il taillait l'armature. Il travaillait à la manière d'un artisan, minutieux et imperturbable, considérait la chose entendue, une fois la phrase, le paragraphe polis, façonnés avec soin. Devant ses yeux, posée de biais, une photographie de Laura prise sur la Canebière, qu'il avait fait agrandir dans un magasin de photo de Ciudad. Elle marchait tête levée, et plus il s'y perdait, plus il y percevait la juste image de son caractère. On n'a de cesse de séparer l'homme d'action de l'homme amoureux. Rien n'est moins vrai dans le cas de Victor Serge, un théoricien de l'insurrection rongé par l'amour et l'absence. Son journal alternait les mémoires d'un vieux révolutionnaire et le ressassement du jeune passionné. Le roman qu'il écrivait – *L'Affaire Toulaév* –, il l'avait commencé au Pré-Saint-Gervais, Laurette à ses côtés, poursuivi à Agen puis à Marseille, et il le terminait, ironie de ce temps, à Saint-Domingue. Parfois, il glissait une allusion à Laura dans cette fresque des purges staliniennes, un mot entre deux lignes, qu'elle seule lirait, un souvenir dans les mots d'un autre, et bien persuadé des pouvoirs romanesques, il se gardait d'emblée de dire : *Ce roman n'appartient qu'à la fiction littéraire*. Il avait déjà écrit dans ses notes la dernière phrase du roman. C'était le souvenir d'un soir à Malmousque – assis sur les rochers, le vent fort face à eux : *De hautes vagues de nuées, dorées par le couchant, se déployaient puissamment dans le ciel.*

En compagnons de chambrée, ils partageaient tout, de sorte que Victor, plus qu'ailleurs, apprit à mieux connaître Vlady, ce fils qu'il considérait depuis toujours comme un lointain cousin. À l'extérieur, l'indispensable secours d'autres voyages, leurs transatlantiques à la toile usée du sel de l'Atlantique, des averses de la Martinique. Et, comble du luxe, deux petits lits à moustiquaire ! Le soir, parfois, Victor acceptait de sortir. Ils s'offraient alors d'aller au cinéma où l'on passait des films américains – hier, *Juarez*.

Il s'arrêtait, ouvrait *Gold Dersou* de Vladimir Arseniev qu'il lisait, nostalgique, et tout à coup un souvenir l'envahissait, un matin dans les calanques. Il écrivait sur un cahier. Elle l'attira loin de la grève, une main noyée émergeait de la surface, « Viens, viens ! » criait-elle, elle reprenait son souffle. Les rochers plongeaient abrupts, poilus, par blocs et dégueulaient aux ombres d'un arbuste aussi blanc qu'un bois flotté, un abri. Il plongea, piqua net en grandes brasses sous-marines, pliant les bras à s'en arracher les épaules. Il l'atteignit à mi-chemin, elle, allongée en planche, les oreilles baignées par le clapotis. Tout comme ces lattes de bois improvisées en plongeoir, le corps renversé.

Cinquième fois que je t'écris ici, au hasard. Et les nuées s'accumulent, les choses se compliquent partout et je suis encore paralysé par la difficulté d'arriver. Mon visa mexicain est enfin renouvelé, du moins ai-je reçu cette assurance, mais n'avance guère. Aucune patience ne me manquerait si je n'étais si anxieux pour toi. Je le suis d'une façon très objective, qui contraste avec mes nervosités dans notre vie commune ; je ne crains que les complications dont tu es environnée ; j'ai vu en route les consuls américains déployer partout une malveillance tellement ingénieuse à l'égard des gens qui frappent à leur porte, que de ce côté aussi je voudrais bien être rassuré.

Une brume épaisse dissimulait les gratte-ciel. Ici tournoyait la balise d'une bouée de chenal, là s'animaient les feux d'entrée du port. Vers huit heures, les sirènes des bateaux alentour s'intensifièrent. Les passagers s'étaient attroupés sur le pont principal, la veille au soir, on annonçait New York au matin, aussi ouvraient-ils les yeux plus grands, cherchaient à distinguer par-delà le brouillard un bout d'immeuble, essuyaient la vitre embuée pour apercevoir, heureux comme au commencement de tout, la cime, le dessin de la *ligne du ciel*. Puis le soleil appuya sur la chape, l'écrasa de tout son poids, fondit droit et perça l'est de Manhattan. À ceux qui cherchaient un signe, le soleil levant joua la comédie des *Pâques à New York*. On aperçut en contrebas qui filaient à toute allure les vedettes des services de l'immigration remontant l'Hudson, prêts à embarquer au dock à bord du paquebot. Une heure plus tard, dans les salons, un officier contrôla les passeports et les visas, un médecin ausculta les passagers. Ceux en règle quittaient le bateau au port de Manhattan, les autres partaient en direction d'Ellis Island. André Breton, Jacqueline et Aube descendirent sans plus de contrôle. Les attendaient, au bas des passerelles, Yves Tanguy et Kay Sage. Après avoir déposé malles et valises à l'appartement de la West 11th Street, on se donna rendez-vous à dix-huit heures au Brevoort,

l'unique terrasse de New York à la française – et on
but des pastis jusqu'à minuit.

Un hall comme un quai de gare, des files d'attente
en tous sens, par zones, et des bancs sur lesquels
dormaient des enfants. Ce n'était plus qu'un centre
de rétention, on y jugeait de cas limites, ou on
expulsait les malades et les immigrés suspectés d'activités antiaméricaines. On pouvait recevoir de la
visite et à cet effet des cabines de téléphone en libre
accès avaient été installées à l'autre extrémité de la
salle. Les Radványi, Netty et László, étaient désem-
parés, leur fille, atteinte de myopie et qui, sans ses
lunettes, clignait des yeux, avait été diagnostiquée
par l'officier médecin du port de New York comme
souffrant d'une maladie du système nerveux central – *disease of the central nervous system.* Par
mesure de précaution, elle avait été envoyée dans
un hôpital pour un examen approfondi, et comme
leurs papiers devaient être vérifiés, ils n'avaient pas
pu l'accompagner. La petite, seule dans Manhattan,
eux à Ellis Island, dans l'attente des résultats et de
la décision des services d'immigration. Ils patientaient dans le hall. Anna passait une série de coups
de fil, mobilisant la League of American Writers et
son ami écrivain, F. C. Weiskopf, qui ne répondit

pas d'emblée. À la deuxième tentative en fin de matinée, il hurla dans le combiné. C'était Anna ! « Mais quelle joie ! répétait-il, où es-tu ? À Ellis Island ? Mais j'arrive ! J'ai une nouvelle fantastique pour toi, tiens-toi bien. Je veux absolument te l'annoncer face à face ! » C'était un type immense toujours vêtu de costumes trop petits, et d'un imperméable beige qu'il ne quittait jamais, les cheveux bruns bouclés, coupés ras, il était accompagné d'un moustachu à lunettes qui fumait la pipe. Il prit Anna dans ses bras, embrassa Pierre et salua László. Puis, se tournant vers l'homme à sa droite : « Je vous présente Anna Seghers ! Netty, je te présente ton agent américain et ton bienfaiteur, Maxim Lieber. J'ai transmis, après avis auprès des amis de New York, *La Septième Croix* à Maxim, et j'ai une excellente nouvelle, Little Brown à Boston veut le publier l'année prochaine ! Maxim va t'en parler, il t'apporte le contrat. Nous étions sans nouvelles de toi depuis trois mois. On a failli accepter sans ton accord ! »

Ellis Island
18 juin 1941

Tandis que les gardiens – tous, sans exception – écoutaient, à l'étage, dans une pièce de service près d'un poste de radio la retransmission du match de boxe Joe Louis *vs* Billy Conn, la famille Radványi au complet passait devant la commission de l'immigration. Ruth était revenue de l'hôpital, les médecins n'avaient rien décelé sinon sa myopie. L'officier toujours réservé s'appuyait sur le commentaire du médecin pour prolonger la détention : *Le médecin n'indique pas explicitement qu'elle ne souffre pas aussi d'un dérangement du système nerveux central. Vous avez donc le choix entre deux solutions : soit vous demandez que votre fille soit réexaminée, et elle sera alors transférée dans un hôpital de Washington pour des examens plus approfondis : ceci prendra environ un mois, et pendant ce temps vous resterez à Ellis Island. Soit vous partez demain par le premier navire régulier pour le Mexique, votre destination finale.* De guerre lasse, un visa de transit en poche, Anna et László acceptèrent de monter à bord du *Monterrey*. Un grand détour, un voyage qui n'aurait de fin que lorsqu'ils auraient atteint Veracruz.

Ciudad Trujillo
20 juin 1941

Lors des réunions quotidiennes à l'Académie nationale des beaux-arts, autour de Wifredo Lam et Eugenio Granell, on retrouvait George Hausdorf, portraitiste autrichien, le sculpteur Manolo Pascual, l'Espagnol Josep Gausachs, et d'autres artistes dominicains comme Yoryi Morel, Jaime Colson, ami de Braque et Picasso, Darío

Suro, élève de Diego Rivera. Ils se prirent à rêver d'un phalanstère d'artistes et de la tenue d'expositions collectives.

Les derniers seront les premiers. « Il y a des vaches en Amérique ? » avait demandé Chagall à Varian Fry lorsqu'il était venu à Gordes lui proposer de quitter la France. Le 7 mai, car le 7 portait chance au peintre, ils étaient partis – muet, incapable de peindre, il écrivait des poèmes en yiddish.

> *Comment dirai-je un dernier mot*
> *Pour vous, qui vous êtes perdus*
> *Je n'ai plus sur terre de lieu*
> *Où aller, vers où voyager*

Jour du solstice d'été, Chagall et Bella débarquaient dans la soirée à New York. Pierre Matisse, le fils du peintre, les accueillait sur le quai. Dans leur appartement, le couple s'était réfugié tout contre le poste de radio et écoutait les nouvelles du front russe. Au bout du couloir, face à leur porte, une salle de lecture de science chrétienne.

*

311

Les premiers seront les derniers. René Hauth accostait au terme d'un périple de cinq mois. Il avait annoncé fin juillet 40 à sa femme et à son frère son départ. Ancien officier du renseignement à la frontière luxembourgeoise puis en mission dans les Balkans, il avait embarqué sur le *Wyoming*, un de ces bateaux en partance de Marseille, sur la route des Antilles. Arrivé le 24 février à Fort-de-France, il y était resté quatre mois dans l'attente d'un visa américain. Gageons qu'il croisa un mois plus tard Claude, Breton, Serge, Masson, et les autres passagers du *Paul-Lemerle* et du *Carimaré*. Le 17 juin, il prit place à bord de l'*Alcon*, un paquebot moderne qui remontait les îles de l'arc des Antilles jusqu'à New York. Le soir, il se balada dans Manhattan, se perdit. Au bout d'une rue pareille à toutes les autres, il observa le capuchon dentelé d'un building – immense et à vous tordre le cou, il finissait sa course à la manière d'une guirlande de Noël. Il regarda mieux et vit le bonnet du Père Ubu clignoter dans la nuit. Il entra dans la gare, ses pas dans ceux des hommes pressés, c'était Grand Central Terminal. Il leva les yeux au plafond, une voûte étoilée, traversée d'un Zodiaque aux signes d'or et d'une Voie lactée argentée. Le bateau, l'avion, les trains de banlieue et, au ciel, une constellation reproduite à l'envers.

Les plus beaux costumes sont chez Finchley. Le nom du tailleur, Finchley, il l'avait déjà entendu quelque part. Il était tombé sur l'annonce dans l'un de ces journaux américains offerts au *Gran Hotel* de Ciudad. C'est alors qu'il se souvint que le propriétaire, Mr Goodman, était un cousin de sa grand-mère. L'oncle d'Amérique. À Ellis Island, il se dit qu'il ne perdrait rien à tenter sa chance. Il envoya une lettre à l'adresse de la boutique. « Je suis le petit-fils de votre cousine Hulda Alexander de Berlin, Alfred Kantorowicz. » Il ajouta l'adresse de ses amis new-yorkais au dos de l'enveloppe. Lorsqu'ils arrivèrent dans l'appartement, une carte à leur attention, c'était l'oncle qui les invitait à la boutique sur la Cinquième Avenue, *At Finchley's.* Ce fut une journée merveilleuse. L'oncle Goodman, enchanté, offrit à Alfred un smoking, un costume du dimanche, un complet de travail, une douzaine de chemises, un veston de velours noir et une paire de chaussures.

Chérie, trois mois demain que je regardais ta sil-houette décroître sur le quai, devant le hangar 7. Il a fallu s'accoutumer à ne rien recevoir de toi. Je sais que tu m'as écrit souvent, je ne reçois rien. Une seule lettre est arrivée et pourtant j'ai reçu de France une dizaine de lettres, je sais que Marceau correspond avec ses amis, il m'a parlé de toi. Je me dis encore que peut-être les tiennes s'accumulent quelque part en route et que tout à coup je vais en recevoir un paquet, mais je m'efforce de ne pas l'espérer, c'est trop décevant. Je continue à t'écrire comme on jette des bouteilles à la mer, je continuerai. Tout mon espoir est maintenant concentré sur ce télégramme qui annonçait ton départ. Ne doute ni de ma patience ni de ma confiance en le sort et soyons tenaces. Il m'est pesant de n'être arrivé encore nulle part, car sur place je pourrais quelque chose pour toi, ici, je suis ligoté.

Lentement, les complications se résolvent, j'attends un visa mexicain qui a été renouvelé mais n'est pas encore transmis, je tire des plans pour obtenir le transit cubain sans verser les 1 000 dollars que je n'ai pas. En désespoir de cause, nous ferons peut-être le voyage en avion. Tous mes propres soucis seraient si peu de chose, si j'étais tranquille pour toi, si j'avais une

314

décisive bonne nouvelle. Nos amis t'ont envoyé un peu d'argent, écris-leur à ce sujet, si ton départ était encore différé (à Dieu ne plaise !). Je voudrais tant savoir comment tu vis, comment tu tiens et luttes...

Vladi et moi vivons les événements de Russie comme si nous étions là-bas, nous avons les visages et la terre devant les yeux, nous voyons si clair dans ce qui est, ce qui sera. Ce sera la guerre la plus atroce, avec des victimes sans nombre – la défaite, l'effondrement, la résurrection dans la souffrance, nous voici acheminés vers les plus grands dénouements, beaucoup plus vite qu'on ne s'y attendait.

Passé toute la journée d'hier à écrire sur ce sujet, dans une sorte de fièvre. La petite ville était toute pleine de musiques militaires au soleil, de drapeaux, de gens en fête dans des décors comme en imagine René Clair pour les solennités. Moi, j'étais plein d'une Apocalypse et tes portraits, sur ma table, ne me soulageaient pas. La nuit, j'allai me promener sur le quai désert où les vagues faisaient en se jetant à l'assaut des rochers un bruit de canon lointain... Le matin, pour annoncer la nouvelle, on avait fait donner les sirènes de la ville. –

Je viens de rencontrer des personnes qui ont reçu une lettre de Marseille par avion, du 30 mai, je suis allé aussitôt à la poste, rien. Je ne sais même pas te parler dans ces conditions. As-tu des nouvelles de Liouba, de Jeannine, de René ? Mais à quoi bon t'interroger ? –

315

Et puis j'accepte toutes ces attentes vaines qui font des jours mauvais, pourvu que tu sois partie, pourvu que tu partes. Je pense infiniment à toi, tendresses.

Veracruz
30 juin 1941

« Voyez-vous si nous demandions à chacun des passagers de tenir un journal de la traversée, que lirions-nous ? demandait Anna à ses deux enfants, Pierre et Ruth. Qu'est-ce qu'un journal de bord sinon une déposition ? Nous vivons les mêmes événements, la trame est commune, notre perception, l'interprétation que nous en faisons d'emblée diffère, que reste-t-il alors sinon un canevas, un squelette de dates et de notations – pour le reste, les détails, qui sont nos richesses, changent du tout au tout. Une multitude de regards, fragmentée, diffractée, tordue et aveugle à saisir l'ensemble. Que croyez-vous que nous trouverions dans ce journal sinon les parcelles d'un tout fracturé. *Nous ne voyons jamais qu'un seul côté des choses.* Notre voyage touche à sa fin, et qu'en dirons-nous lorsque nous le raconterons, qu'oublierons-nous, et que retiendrons-nous de précieux, de douloureux ? Notre périple, mes enfants, ressemble au retour d'Ulysse de Troie, l'*Odyssée* que je vous lisais l'année dernière : des obstacles imprévus et de nouvelles épreuves surgissent à chaque étape de notre exode. »

Veracruz à midi. Trois mois et une semaine après avoir quitté Marseille, ils arrivaient *à bon port*.

Aéroport de LaGuardia
14 juillet 1941

À l'aéroport de LaGuardia atterrit un hydravion de la Pan Am parti de Lisbonne après une escale aux Açores. À son bord, Peggy Guggenheim, son ancien mari Laurence Vail, Max Ernst, son nouveau mari, ses deux enfants et un biologiste avec une cargaison d'animaux de laboratoire. Le lendemain, le *New York Times* titrait *L'arrivée de huit cochons d'Inde par vol Clipper*.

La Havane
10 août 1941

Wifredo Lam, faute de visa pour les États-Unis ou le Mexique, rentrait au pays. Il était accompagné de sa femme, Helena Holzer. *Ce que je voyais à mon retour ressemblait à l'enfer*, écrivait-il. La Havane était américaine – *avec son Capitole blanc, ses banques, ses palais, ses luxueux magasins*. Ce n'était plus la ville espagnole qu'il avait quittée il y a dix-sept ans. Il retrouverait sa mère Serafina, ses sœurs Eloísa, Teresa et Augustina. Lam Yam, son père, était mort. Par un grand détour qui l'avait mené de Madrid à Barcelone, de Paris à Marseille, de la Martinique à Saint-Domingue, il accostait au terme d'une révolution complète, *au pays natal*. Il atteignait sa *période tropique*, différente comme l'on sait en astrophysique du temps moyen que met la Terre pour aller d'un équinoxe de printemps à l'autre. La route de la trace et la vision du gouffre d'Absalon cristallisaient ce chemin, il y avait retrouvé l'intuition d'une jungle matricielle, le déploiement de la nature violente, et il rêvait à présent d'une fresque enragée. Les forêts, les cascades, les mornes et les pitons, les yeux de lune cachés dans les sagaies, les cannes semblables à des pieds, le sable noir des anses, les mains implorantes des palétuviers dans la mangrove et l'accouplement sauvage des lianes embrouillées, le tout chorégraphié et orchestré en une danse macabre – *le parallélisme rigoureux de cimetière sans fin* –, un vert bleuité d'aubes légères, le temps d'après le massacre et l'ombre de la nuit des trahisons. La jungle serait le motif, il y conjuguerait le maelström des guerres et des oppressions, enfin réconcilié en lui-même.

Au courrier, une lettre de Breton annonçait que le galeriste Pierre Matisse l'exposerait l'année prochaine.

Les hélices ronronnèrent, ronflèrent, à plein régime. Elles vrombirent et l'engin s'arracha alors en se cabrant. Le vent soufflait en tourbillonnant et secouait la carlingue et les sièges. Serge et Vlady à l'avant s'y cramponnaient, observant d'un œil la piste s'éloigner, les toits-terrasses de La Havane se confondre avec les enclos alentour, et la nappe ocre de la sierra se dresser face aux rivages croustillés par l'écume. À mesure que l'avion s'élevait dans les airs, en contrebas, le bleu se renouvelait en des teintes plus sombres, un nuancier comme un tissu peint s'espaçait en fines rayures allant du bleu de France au cobalt, du bleu maya au Prusse, du bleu roi au smalt, du bleu charrette au turquin, voire au lapis-lazuli. Lorsqu'ils atteignirent l'altitude de vol, Serge, rivé au hublot, pensa à cette période expirante, la lente agonie des révolutions, et les hommes si nombreux qui, nés à la fin du siècle dernier, avaient vécu ce qu'aucune autre époque n'avait vu avant la leur : l'épaisseur incroyable des années, les isthmes des mouvements et, escortant leur marche forcée, la propagation folle des techniques qui transformait un monde infini en une terre trop petite, assombrissait le cœur tout en l'illuminant, l'ouverture des portes d'un paradoxe dont la modernité se repaîtrait, goinfre de remplir sa cuve. Ils se posèrent à l'aérodrome de Mexico. Ils retrouvèrent sur la piste Julian Gorkin. À l'hôtel, Victor se hâta d'écrire à Laurette ses impressions du vol. Les révolutions de la machine et les machines de la Révolution, le ballon de Gambetta s'élançant par-delà les remparts de Paris et les lignes de Thiers, les trains démesurés des Soviets, l'avion, ce rêve éveillé des hommes, ajusté en *machine à tuer* d'autres hommes.

ÉPILOGUE

La leçon de la licorne

> *Des événements sans rapport apparent,*
> *provenant de périodes et de régions hété-*
> *roclites, glissent les uns sur les autres et*
> *soudain s'immobilisent en un semblant*
> *de castel dont un architecte plus sage que*
> *mon histoire eût médité les plans.*
> Claude LÉVI-STRAUSS, *Tristes Tropiques*

> *HOURRAH !*
> *ET LÀ, LÀ, JUSTE AU POINT INDI-*
> *QUÉ PAR LES PARCHEMINS, L'ÎLE*
> *OÙ NOUS AVONS ÉTÉ !... C'EST*
> *SAPRISTI ! L'ÎLE S'ENFONCE !!...*
> Hergé, *Le Secret de la Licorne*

16

Avez-vous déjà été piqué
par une abeille morte ?

La Pointe-du-Bout
Décembre 2016

Il était écrit qu'à l'endroit du fortin, à l'emplacement de l'ancien Lazaret de la Pointe-du-Bout, était née une petite ville touristique, autour de deux pôles d'attraction, la marina et les bords de la baie, plus rocheux, plus sableux, mais que les promoteurs avaient transformé en plages pour leurs résidents. Je m'étais promis de visiter chacun des lieux de l'île décrits par les passagers. Le Lazaret, ou ce qu'il en restait, était en tête de la liste. J'arrivais la veille par le vol de cinq heures, m'écroulais à l'hôtel de l'Impératrice, au bout de la rue de la Liberté, à l'angle de la rue Victor-Hugo, face à un jardin en bordure de la route, l'ancienne *Savane*. J'avais consulté en ligne les archives photographiques, et ainsi j'étais tombé sur une carte postale de 1930 du Lazaret de la Pointe-du-Bout. Une vue de l'époque du bâtiment vide, on y reconnaissait la muraille, l'embarcadère et le promontoire sur la plage, les deux baraquements militaires et une case, la cantine sans doute.

La Pointe-du-Bout, m'avait-on prévenu, est un haut lieu du tourisme de masse, l'exemple d'un plan d'urbanisme de promoteurs s'accaparant une bande de terre de cinq kilomètres et installant sur une rive de béton des hôtels modernes, des boîtes de nuit, des équipements de sports nautiques et des plages artificielles. Nous étions à la pleine saison comme les hôteliers le répétaient. Je prenais la mer en début de matinée sur l'une des vedettes qui font la liaison entre Fort-de-France et la Pointe-Rouge. J'étais assis à l'avant, accroché au garde-corps, à droite, au milieu de la baie, affleurait l'autre rive à l'Anse-Mitan. À l'entrée de la marina, la vedette longeait une mangrove séparée de la route par une barrière de tôles froissées et de déchets rassemblés par le courant. En marge du port, une série de maisonnettes composaient un faux village au bord du chemin. Plus loin, un immeuble abandonné, face à la baie, l'ex-hôtel Méridien, rebaptisé complexe touristique Kalenda, à son tour avait périclité et les pelleteuses débutaient le travail de démolition de l'édifice en serpentin. Je m'approchai. La ruine cachait de loin ce qui ressemblait à la forme de l'anse du Lazaret, une sorte de P majuscule avancé sur le front de mer, dissimulé sous la végétation, la batterie de la Pointe-du-Bout. Personne, hormis les ouvriers sur le chantier et un clochard sorti tout droit de la forêt, un type louche. Je le questionnai sur l'existence des vestiges du Lazaret. « J'en viens, tu suis ce chemin de terre sur cent mètres, tu passes un premier portail et le squat, le type qui y vit, il est sympa, plus loin, tu verras, les escaliers mènent au fort, plus haut. » Il m'expliqua que le fortin n'avait jamais été détruit, que dans les années 70 on avait construit au nord du bâtiment un cinéma avec des gradins en béton. La façade du Lazaret faisait office d'écran, on y projetait les films du samedi soir, les comédies françaises de Belmondo, de Funès et des blockbusters US. Les affaires étaient prospères. Un restaurant aussi avait investi les lieux, la partie supérieure du corps de garde avait été carrelée. Puis des promoteurs avaient racheté le terrain, fait construire un immense machin qui s'était cassé la gueule, une fois, deux fois, et maintenant la nature avait repris ses droits, tout comme la vieille léproserie. Je marchai à travers une petite jungle, un parcours de cinquante mètres d'herbes folles et de lianes qui s'enroulaient aux bâtiments, habillant les porches. D'abord l'arche principale du corps de garde, un bel arbre s'appuyait contre la façade délabrée, sur près de trois mètres, les branches rabattues contre l'édifice en moellon et brique, à la manière d'un tuteur fiché dans un pot de terre cassé. Il ne subsistait du mur d'enceinte que des vestiges de l'angle sud-ouest et une partie du parapet oriental, remanié. Le long d'un chemin de béton craquelé et bosselé par endroits sous l'effet de racines, on accédait au cinéma. Là, une vue plongeante, par l'une des arches, sur les gradins et le mur écran tagué – et, en contrebas, une voiture retournée et désossée. Les structures métalliques rouillées dessinaient l'ossature disparue du toit sans que l'on puisse deviner quoi que ce soit du faste d'antan. Au sol, autour de la carcasse, des bouteilles fracassées et un amas de tôles nervurées. Une ruine moderne de plastique et d'acier se mariait à un Lazaret disparu de débris et décombres, fortins, murailles, arches, batterie et à la pointe, au nord-ouest, comme dans une nouvelle de Stevenson, deux canons d'acier 90.

Je me souviens, enfant, avec mes frères, nous étions fascinés par les ruines. Non pas les châteaux des collines, bories en haut des pierriers ou bassins d'eau, non, plutôt ces constructions délabrées, un passé dont la déchéance habite encore les murs, une mélancolie des ruines. Je pense à ces épiceries en bord de route, ces lieux-dits laissés à l'abandon, ces grands hôtels Belle Époque ou villas oubliés d'héritiers et d'agents immobiliers. Le jeu était d'y entrer, d'avancer à l'intérieur à tâtons, à la lampe torche, en croisant clodos et zoneurs. Nous avions cultivé un goût pour l'antiquaille amassée dans les garages à chacune de nos expéditions, les poêles américains chromés, les casiers à bouteilles en beau bois, le matériel militaire, masques à gaz ou balles de revolver. Il fallait estimer les bâtisses, la topographie à vue d'œil par-dessus le muret, repérer le trou dans le grillage ou sauter par-dessus la muraille, ensuite, ne s'y mouvoir qu'à pas lents, l'un couvrait l'autre dans une excitation un peu ridicule mais une sincère frousse, une manière de mission. C'était toujours une expédition. Mes frères étaient habiles à ce jeu et avaient comme mon père un sens inné de l'architecture des lieux, fracassaient sans mal les cadenas, ouvraient grand les portes des caves et des greniers. Là, souvent, se cachaient les merveilles, albums de famille, magazines porno ou babioles fascistes. On trimballait dans nos sacs à dos du matériel de bandit, pied-de-biche et pince-monseigneur. À la joie de la découverte succédaient une bizarre nervosité, un jeu de rôle dans les ruines, une course-poursuite dans les couloirs de ces palaces décatis, des combats à l'épée à coups de barres de fer rouillées. Je crois que l'attrait pour le délabrement, nous le tenions de nos vacances dans cette grande propriété que mes grands-parents possédaient en Camargue. C'était une exploitation agricole, on y cultivait les poires et le soja et, derrière l'immense hangar où les cagettes formaient d'étonnantes constructions et où mon oncle avait tendu un filet de badminton, subsistait des années fastes, des riches années 60, des plans quinquennaux et de la PAC, un village de saisonniers immigrés, pareil aux corons des bassins miniers. Y vivaient encore deux, trois familles, pour le reste c'était une succession de baraques à l'abandon – dans les lits d'énormes essaims de guêpes et sur les parterres des tapis de verre brisé ou des obstacles de meubles renversés. Je me souviens de ce vieux tacot dans l'arrière-cour d'une des maisons, que chaque été nous démontions pièce après pièce, et qu'à coups de pieu nous fracassions joyeusement. Au fond, tout étrange que cela puisse paraître à l'instant où je l'écris, la ruine a pour moi un goût d'enfance. C'est un décor grandeur nature, des fantômes y rôdent, ils ont vécu ici, on peut prendre possession des lieux, c'est permis. Et ce matin, au milieu de la mangrove, un peu paumé, plongé *in situ* dans ce passé qui me hante (ou que je hante), je pense à mes frères, je me dis que j'aimerais bien la visiter avec eux, cette ruine, me marrer avec eux à la vue de la bagnole fracassée en contrebas, m'étonner en leur compagnie de la guerre de résistance que se livrent les bâtisses entre elles, et des lianes folles et cannes démesurées qui s'emparent des vestiges et les incorporent à une nature renouvelée. En deux mots, l'esprit d'enfance mêlé à l'idée de communion dans un lieu de culte artificiel. À cet instant, il semble que les notes accumulées, *la préparation du roman*, catéchèse sous forme d'enquête, par un effet d'accumulation, s'animent. Tout apprendre et tout lire pour se mouvoir d'un pas vivant dans les décombres, aller au-devant d'un présent tel qu'il a transformé ce passé – s'y confronter pour découvrir une épaisseur dans les arrière-cours. Et par-delà ces récits de revenants, pourquoi cette histoire nous appartient, à nous plus qu'à un autre. Quels liens entretient-on avec nos fantômes ? Tenter de décrire ce qui fut, ce qui a disparu, ce que l'on n'entend plus, et qui pourtant dans les livres, les mémoires, les archives, les cartons de microfilms, les pierres parfois, continue de raconter, si on prête l'oreille, pour qui veut bien entendre, une histoire ; c'est décider par une forme déraisonnable d'assomption que ce matériau devant nos yeux mérite d'être sauvé. Car ce n'est pas ce qu'est l'archive qui importe, mais ce qu'elle désigne : un passé.

C'est sans doute une leçon que Breton nous enseigne : *Qui suis-je ? Si par exception je m'en rapportais à un adage ; en effet pourquoi tout ne reviendrait-il pas à savoir qui je « hante » ? Je dois avouer que ce dernier mot m'égare, tendant à établir entre certains êtres et moi des rapports plus singuliers, moins inévitables, plus troublants que je ne pensais. Il dit beaucoup plus qu'il ne veut rien dire, il me fait jouer de mon vivant le rôle d'un fantôme, évidemment il fait allusion à ce qu'il a fallu que je cessasse d'être, pour être qui je suis. Pris d'une manière à peine abusive dans cette acception, il me donne à entendre que ce que je tiens pour les manifestations objectives de mon existence, manifestations plus ou moins délibérées, n'est que ce qui passe, dans les limites de cette vie, d'une activité dont le champ véritable m'est tout à fait inconnu. La représentation que j'ai du « fantôme » avec ce qu'il offre de conventionnel aussi bien dans son aspect que dans son aveugle soumission à certaines contingences d'heure et de lieu, vaut avant tout, pour moi, comme image finie d'un tourment qui peut être éternel. Il se peut que ma vie ne soit qu'une image de ce genre, et que je sois condamné à revenir sur mes pas tout en croyant que j'explore, à essayer de connaître ce que je devrais fort bien reconnaître, à apprendre une faible partie de ce que j'ai oublié.*

J'attendais la pétrolette. Un enfant hurlait et tyrannisait la mer, menaçait les vagues. Il lançait des cailloux dans l'eau et, poing en l'air, engueulait le reflux, se précipitait puis reculait aussitôt. Un instant plus tard, la couche dans le sable, les fesses trempées. À l'arrière de la vedette, je regardais s'éloigner la rive, cachée par la mangrove, le fortin et l'ancien débarcadère de la léproserie où des chaloupes avaient accosté un soir d'avril 41. Dans mon esprit, se télescopaient le paysage devant mes yeux, l'horizon verdi et l'écume dans l'eau, l'image fantasmée des canots du *Paul-Lemerle* dans la nuit à une série de vignettes tirées du *Temple du soleil*, où le capitaine Haddock et Tintin observent à la jumelle le cargo *Pachacamac* au large. L'étonnante course-poursuite de Moulinsart à La Rochelle jusqu'à Callao en hydravion sur les traces des ravisseurs du professeur Tournesol. Je serais bien en peine de reconstituer une à une les cases de ces planches de bande dessinée, d'abord les cases des docks, peut-être ensuite le pavillon dressé, la vedette du docteur Quichua, l'interdiction de toute inspection du navire par la police. Et, en pleine nuit, Tintin, escaladant après avoir nagé depuis une chaloupe à mi-distance du rivage et du bateau, les larges nœuds de l'ancre. Et le lanceur de couteaux au tatouage de grand soleil inca. Puis, se mêlaient d'autres cases, le détachement du wagon dans la cordillère des Andes,

330

l'enlèvement de Milou par le condor, le *No Sé* des Péruviens et le crachat des lamas, le bonnet phrygien de Zorrino, le frontispice de la couverture, ces momies emmitouflées, plantées de traviole dans les cailloux et la ruse finale de Tintin sur le bûcher du dieu Soleil. On aurait alors pu imaginer, en superposant les trois images en un faux souvenir, en un récit inventé, l'arrivée du capitaine Haddock, ivre de whisky, insultant depuis la grève de la léproserie le cargo au loin, Sagols et l'amirauté vichyste. En arrière-plan, les murets du fortin esquissés à la ligne claire, une illustration pleine page du capitaine qui s'époumonerait en direction du bateau, hurlant à la mort, la bulle envahirait la page, on y lirait l'inventaire des injures au *Capitaine-Paul-Lemerle*.

Le débarcadère de la compagnie des vedettes tropicales jouxtait le parking des taxis collectifs et la gare routière de la ville. J'avais noté le matin à l'hôtel les horaires et le nom de l'arrêt des archives départementales, rue Saint-John-Perse, situées à deux pas du collège, en haut de l'un des pitons de Fort-de-France. Les archives, bâtiment moderne juché sur les hauteurs de la ville, offrent au vent de la mer une prise de choix. À l'intérieur des salles de lecture, la tôle grince comme le mât d'un bateau, et conjugué au tintement de l'averse sur le toit, chaque heure ou presque, c'est le son d'un carillon d'église. Carte de lecteur 8504, j'allai en salle de prêt récupérer les documents commandés, on m'expliqua qu'en raison de la fragilité de certaines pièces, les journaux ou les

cartes, et la difficulté à les obtenir, on me les livre-
rait au compte-gouttes, et il me faudrait revenir régulièrement. L'archiviste derrière le comptoir de prêt
poussait un chariot roulant à deux étages sur lequel
étaient entassés boîtes et dossiers numérotés. La
bibliothécaire transmettait un à un les dossiers, lis-
tait au fur et à mesure les cotes, inventoriait et signait
les décharges. Dans l'un des classeurs de la salle, une
page est consacrée à l'ensemble des documents rela-
tifs au Lazaret, répertoriés, indexés par cotes. On
y lit en guise de présentation générale : *Le service
maritime dispose de stations sanitaires ou lazarets.
Le Lazaret de la Pointe-du-Bout sert de 1841 à 1929
d'établissement pour la désinfection et la désinsectisa-
tion des navires, la mise en quarantaine des passagers
présentant des symptômes de maladies contagieuses.
Pendant la période de l'amiral Robert, il sert de lieu
d'internement pour les militaires étrangers mais aussi
de lieu de villégiature pour les fonctionnaires de la
colonie et accueille des camps de jeunesse. En 1949, il
est transformé en foyer de pupilles.* On me confia dans
un premier temps les archives de la police sanitaire
maritime de l'année 41 : arrêtés, listes nominatives
des personnels, traitements des gardes sanitaires, correspondances et notes de service, ainsi qu'une grosse
boîte en carton cotes 4 N 4590/A et 1 M 6766/B du
service maritime.

Je ne sais pas ce que précisément j'aime dans
l'archive, est-ce le bruit des documents que l'on
manie, l'odeur forte du papier tassé et confiné, ou

l'impression d'être en présence, par effraction, de traces d'un passé qui n'auraient pas dû nous parvenir, privées ou publiques, et qui, à l'instant de leur rédaction, notes de service ou correspondances administratives, ont été accumulées par respect de la réglementation, habitude, ou folie du classement, en prévision de la réfection d'une toiture ou de l'agrandissement d'un terrain, mais jamais celle bien farfelue d'écrire un roman. Chaque document – le mot revêt lui-même froideur du contrôle et langue morte – palpite d'une présence, derrière une feuille, une carte, un mot, c'est un autre lointain. Les calculs, mots, dessins à la mine de plomb appliqués résonnent, et ce qui n'est que coupe longitudinale d'une voûtelette en brique ou coupe transversale d'un bâtiment colonial devient, par une étrange renaissance, éléments vivants, animés, chargés d'histoires. À l'intérieur de la boîte d'archives du service sanitaire maritime, dans une chemise jaune, cote 1 M 3670, inscrite d'une écriture fine à l'encre bleue délavée « Situation des Militaires Polonais et Tchèques et des Étrangers non militaires hébergés au Lazaret », la comptabilité du camp, l'achat de nouveaux lits, la solde des militaires, et, sur un papier carbone usé, aux bords élimés, une note de service tapée à la machine du 22 avril 1941, adressée à l'amiral Robert, l'objet : « Des Israélites Français et Étrangers, résidant à Fort-de-France ». Parfois, pense-t-on, présomptueux, sans en entendre le ridicule, être en présence d'une pièce unique, jamais dévoilée, qui se déplie, se lit une première fois, qui vous attendait, sagement rangée, répertoriée, accrochée à un dossier par un trombone. Ce jour-ci, parmi les reliques du Lazaret, à l'intérieur d'une pochette bleue des Ponts et Chaussées et des Bâtiments coloniaux, le plan de coupe du Lazaret et un relevé topographique qu'il fallait déplier centimètre par centimètre sous peine de l'arracher dévoilaient lentement la géographie de la Pointe-du-Bout. Ouvert de tout son long il laisse apparaître la berge, le débarcadère ensuite, les latrines, l'étuve de sulfuration, puis les enceintes et citernes, les tours de garde, l'infirmerie et les bâtiments où certains des prisonniers du *Paul-Lemerle* dormirent.

J'ai regardé le soir à l'hôtel *Le Port de l'angoisse* sur mon ordinateur. À vrai dire, j'avais à peu près tout oublié, dans mon esprit l'intrigue se confondait avec celle de *Casablanca*. Je m'amusais à l'idée qu'un personnage joué par Humphrey Bogart surgirait à chaque livre, à la manière d'un caméo. La fuite en avion à l'aéroport de Camp Cazes dans *Casablanca* converti en un cabotage nocturne d'un bateau de pêche dans les anses de l'île, Hoagy Carmichael qui chante *Hong Kong Blues* ou Lauren Bacall accompagnée au piano sur *How Little We Know* couvrirait la voix d'Ingrid Bergman sur *As Time Goes By*. À la réplique finale : « Je sens, très cher, que nous vivons le début d'une très belle amitié », répondrait : « Si vous avez besoin de moi, vous n'avez qu'à siffler. Vous savez siffler, Steve ? Vous rapprochez vos lèvres comme ça et vous soufflez ! » Les décors d'une

Martinique d'opérette contre un Casa exotique. On raconte que, lors d'une partie de pêche entre Hemingway et Hawks, le cinéaste, dans une dernière tentative pour convaincre l'écrivain de le rejoindre à Hollywood, comme un ultime défi, lui proposa de porter à l'écran son plus mauvais livre. Hemingway aurait répondu : « Mon pire roman ? Cette chose informe qui s'appelle *To Have or Have not*. » Hawks prit les paris, Hemingway, persuadé qu'il ne pourrait pas adapter son bouquin, accepta. Il simplifia l'action, arrangea l'histoire de la partie de pêche et des cigares cubains en une histoire de résistance dans les Caraïbes, avec des dialogues de Faulkner improvisés et réécrits avant chaque prise.

« Avez-vous déjà été piqué par une abeille morte ? » répète Eddie, le second du capitaine Morgan, un ivrogne cabochard sympathique. Énigme de l'abeille, à la manière d'un rite d'initiation. Quand tous répondent : « Je n'ai pas le souvenir d'avoir été piqué par une abeille morte », Marie et Harry – Bacall et Bogart – répliquent de la seule façon qui vaille pour Eddie : « Et vous ? — Des centaines de fois. — Mais pourquoi ne les avez-vous pas piquées en retour ? — C'est toujours ce que me dit Harry ! Mais parce que je n'ai pas de dard ! »

17

La leçon de la Licorne

Paris
Juillet 2017

Une quête ne saurait être accomplie sans offrir dans son épilogue la résolution d'un mystère. Je terminais l'écriture dans l'espoir de répondre au moins à deux énigmes. La première, remonter la trace de ce tableau transporté entre ses chemises par Henri Smadja, un Manet ou un Degas, je ne sais toujours pas. Il s'agissait de trouver un portrait de Berthe Morisot, vendu, monnayé à l'été 41 à New York. Deux ans après la fin de la guerre, Smadja rachetait cinquante pour cent de *Combat*, le quotidien de Camus né en 41. À la fin de sa vie, après avoir coulé le journal et ruiné la ligne éditoriale (l'organe d'information de la Résistance avait viré à droite toute), il s'était enfermé dans son château de Médan qu'il avait converti en imprimerie. Une demeure reçue en héritage de la veuve de Maurice

337

Maeterlinck, prix Nobel de littérature. Oubliant les moulures et le parquet d'époque d'un château qui avait vu passer François Villon, Pierre de Ronsard et Paul Cézanne, Smadja installait ses machines et perçait les murs, y faisait passer des tuyaux, coulait une dalle de béton sur des tomettes centenaires, les ouvriers dormaient dans les combles, le linge séchait au-dessus des linotypes. Henri Smadja se suicidait le 14 juillet 74, six semaines plus tard, dans la nuit du 29 au 30 août, les rotatives imprimaient le dernier numéro ; la une, barrée d'un *Silence, On coule !*, et au verso, sur une page blanche : *Venu de la clandestinité... Combat y retourne.* C'est à la lecture des nouvelles du matin que Claude Lévi-Strauss, désormais âgé de soixante-six ans, apprenait la mort d'un homme dont il connaissait le nom et le visage. C'était Smadja, l'homme au tableau, l'homme dans la cabine, *un curieux personnage qui se disait tunisien. Il m'a montré un jour un Degas qu'il transportait dans sa valise. Il jouissait de facilités particulières, car, pour lui, les débarquements lors des escales ne posaient pas de problèmes. Il allait et venait à sa guise. Je connaissais son nom, Smadja ; il m'intriguait. Bien plus tard, quand mourut le fondateur de* Combat *et que les journaux publièrent sa photo, je le reconnus ; c'était lui. Il était probablement en mission plus ou moins secrète, j'ignore pour le compte de qui.*

« Entrés pauvres dans ce quotidien, nous en sortons pauvres. Mais notre seule richesse a toujours résidé dans le respect que nous portions à nos lecteurs », écrivait Camus après avoir cédé le journal dans un dernier éditorial. Emmanuel Mounier, fondateur d'*Esprit* et ami de Victor Serge, cessa lui aussi d'y travailler. En fouillant dans l'histoire du quotidien, parmi les inventions plus farfelues les unes que les autres, la création d'une nouvelle chronique en 50, intitulée « Aux avant-postes de *Combat* », offrait une tribune aux surréalistes : « À partir de cette semaine dans *Combat* : André Breton, Julien Gracq, Suzanne Labin, Henri Pastoureau, Aimé Patri, Benjamin Péret, Henri Pollès et David Rousset. » Bizarrement, je me souvenais que les surréalistes dans les années 50 avaient collaboré à *Combat*. Je l'avais lu dans *Lipstick Traces* de Greil Marcus, un chapitre consacré à l'attentat de Notre-Dame (Mourre, un lettriste, monte en chaire un jour de Pâques, annonce à la foule bigote que « Dieu est mort ! » et manque de se faire lyncher), il était fait état des tribunes de Breton et Nadeau, le geste était interprété comme hautement artistique – la réalisation de l'acte surréaliste *le plus simple*. Vous me direz, pourquoi cette digression… non que l'idée même de remémoration dessine ainsi les va-et-vient de la mémoire, emmêlant, par esprit d'escalier, un souvenir à un autre. On comprend que la collaboration, quoique brève et inattendue (un patron de droite offrait une tribune à des artistes surréalistes), était une idée de Smadja lui-même, et cette association qui prenait fin avec l'attentat – opposant la ligne du quotidien, résolument scandalisée par l'acte blasphématoire de Mourre, aux surréalistes, Breton en tête, qui félicitaient l'ancien dominicain de son acte de bravoure contre l'Église catholique et son pouvoir mortifère – était née sans doute à bord du *Capitaine-Paul-Lemerle*. Des années plus tard, lorsque Smadja retrouva Breton, sans doute se dit-il que la providence est telle qu'il faut la remercier. Une alliance improbable, de celles qui ne peuvent naître que sur le pont d'un bateau.

Je m'étais rendu au musée d'Orsay, j'avais questionné les conservateurs sur l'acquisition à New York d'une toile de Degas ou de Manet, un petit portrait, ou l'apparition même des années plus tard d'un tableau disparu. Je fis chou blanc. Adieu Berthe.

Paris
Août 2017

La seconde énigme : existait-il d'autres photographies de la traversée ? Épinglés devant mes yeux, dans mes carnets, ces deux portraits de groupe du 25 mars 1941, dans le port de Marseille, et au large, à Port-Bou peut-être. La joie du départ, les craintes disparues, rien ne laisse présager trois mois de périple entre deux continents. Sur le site du mémorial américain de la Shoah, j'avais cru un instant, le hasard eût été si prodigieux, que le Lowenstein crédité de ces photographies était le même que celui qui, huit ans plus tard, s'envolerait pour New York à bord d'un Constellation d'Air France, dans un but inédit, se marier avec son ex-femme. Mais c'était un autre, et son histoire, il me semblait l'avoir lue cent fois, celle d'une fuite d'Allemagne dans les années 30, d'une famille réfugiée à Paris, et d'une fuite en 40 par-delà la ligne de démarcation et l'impasse tout au bout, entre les montagnes et la mer, le bateau et l'exil comme seule échappatoire.

Je suivais une autre piste, les photographies de la traversée de Germaine Krull et son reportage au bagne de Saint-Laurent-du-Maroni. Dans son livre, *La vie mène la danse*, défi lancé à ceux toujours certains qu'il subsiste une pellicule, un double, une copie préservée, elle confiait : *J'y ai fait des photos que j'ai toutes détruites, car il ne faut pas qu'une telle honte reste sur un pays*. Peut-être la traversée devait-elle demeurer sans images, aveugle, un moment d'irréalité qu'il faudrait pour les passagers raconter sans espoir d'être cru, la fête de Neptune, le bétail et l'abattoir sur le pont, la faune de rebuts, les noms de Seghers, qui connaîtrait un succès mondial avec *La Septième Croix*, Claude Lévi-Strauss, le père de l'anthropologie structurale, Wifredo Lam, dont *La Jungle* reposerait au MOMA. C'était comme raconter une blague. À la première lecture, je n'avais pas remarqué un nom qui revenait, en Guyane puis au Brésil, puis lorsque Germaine Krull retrouvait la troupe de Louis Jouvet en tournée. Ce nom, Jacques Rémy, un cinéaste ou un scénariste français, ce n'était pas si clair. Elle racontait que son chien avait péri mordu par un serpent dans une plantation de bananes au Brésil. Puis elle ajoutait : *J'ai eu des nouvelles de Jacques Rémy, mais beaucoup plus tard.* Ce jour-ci, génie de la sérendipité, j'allai vérifier ce nom sur Internet. C'était un pseudonyme. De son vrai nom Raymond Assayas, Jacques Rémy était le père du journaliste Michka Assayas et du cinéaste Olivier Assayas. Amusé du génie de ce grand fourre-tout numérique, je parcourais en ligne des pages d'un livre de conversations, *Assayas par Assayas*, puis tapais « Lemerle » dans le moteur de recherche comme on se servirait d'un glossaire, je lisais, je dois l'avouer, à demi éveillé, de sorte que je dus y revenir : *Je m'y suis intéressé car, en faisant des rangements à la campagne, j'ai retrouvé, et identifié, une série de photos prises par Germaine Krull sur le* Capitaine-Paul-Lemerle, *ainsi que le récit par mon père de la traversée qui, à ma connaissance, n'a jamais été documentée. Mon père raconte aussi sa visite aux ex-bagnards de Cayenne lors de son escale à Saint-Laurent-du-Maroni. Germaine Krull était là et j'ai également retrouvé son reportage photo.* Il y avait dans ce moment quelque chose d'absurde, de suspendu, de troublant, de joyeux même. Je parvenais à me procurer l'adresse d'Olivier Assayas et lui écrivais en fin de soirée, il répondait à mon message dans la matinée.

Cher Olivier Assayas,

B. Traven notait dans *Le Vaisseau des morts* : « Ce ne sont pas les grands événements qui déterminent la marche du monde mais les petits accidents de parcours. » Rien n'est moins vrai. Je vous écris à la suite d'une étonnante découverte. Je termine un roman, *Capitaine*, à bord du *Capitaine-Paul-Lemerle* en 1941, le récit de la traversée et de la rencontre au bout du monde, dans une Martinique aux mains d'une soldatesque dégénérée, convoquée par un ruban, de Breton et de Césaire. Guidé par un journal de bord imaginaire, le roman poursuit quelques destins de Marseille jusqu'à New York, s'arrêtant au Lazaret de la Pointe-du-Bout, le gouffre d'Absalon, le *Duc-d'Aumale*, accostant par une dernière image à Grand Central Terminal et sous un plafond peint par Paul César Helleu, voûte inversée d'une Constellation. Cette histoire, vous la connaissez, et pour cause, votre père était l'un de ses acteurs, aux côtés de Germaine Krull, Curt Courant, Claude Lévi-Strauss, Anna Seghers, Victor Serge... Je lisais dans vos entretiens l'existence de photographies de Germaine Krull de la traversée et aussi d'une visite aux ex-bagnards de Cayenne lors d'une escale à Saint-Laurent-du-Maroni, ainsi que d'un récit de votre père de ce même périple. Ma démarche est un peu cavalière, pardonnez d'emblée l'empressement qui n'est qu'une traduction un peu brouillonne de l'étonnement mêlé à la joie de ce hasard : j'aimerais vous rencontrer et échanger à ce propos, consulter si vous m'y autorisez et le récit de votre père et les photographies de Germaine Krull que vous avez retrouvées et identifiées. Je quitte Paris mercredi soir – jusqu'au 16 août. Je peux me rendre disponible demain ou mercredi ou bien à mon retour. Le plus tôt sera le mieux.

Bien à vous,
Adrien Bosc

*

Cher Adrien Bosc,

Je vous réponds tout de suite. Je ne suis pas à Paris et ne serai de retour qu'à la fin du mois d'août.

Mais on peut se parler au téléphone ou communiquer par mail.

J'ai les photos de Germaine Krull documentant la traversée, que j'ai identifiées et annotées, la Martinique, le Lazaret et la poursuite de son voyage avec mon père à Cayenne d'abord puis jusqu'à Rio de Janeiro.

J'ai le récit par mon père de la traversée, ainsi qu'un texte de Germaine Krull (que j'ai bien connue) racontant elle aussi son voyage et ses déboires à la Martinique. Je l'ai retranscrit d'un tapuscrit qu'avait dû me faire parvenir Kim Sichel, la biographe de Germaine Krull, il provient sans doute du fonds GK du musée Folkwang à Essen.

Bien cordialement,
OA

Je me souviens de son film *L'Heure d'été*. L'histoire d'une succession et de l'éparpillement des souvenirs, la mort venue, d'une maison familiale de Valmondois, véritable petit musée où se côtoient des tableaux de Corot, des meubles de Majorelle et Hoffmann, des panneaux d'Odilon Redon, héritage d'un illustre ancêtre, le peintre Paul Berthier. J'imaginais les cartons de souvenirs empilés, et puis, au milieu, ce qui m'apparaissait comme une malle aux trésors, ces images que j'avais essayé d'appréhender sans autre appui que ces bribes de récits, de souvenirs clairsemés, de notes de bas de page et de morceaux d'archives, fractions d'instants vécus. Avoir écrit un roman dans *la chambre noire*, et l'espoir à présent d'apercevoir ces moments figés sur la pellicule, accéder par miracle à la fin de l'histoire à *la chambre claire* – le *ça a été* magique, figé comme ces plaques photographiques dont mon père avait hérité de ses parents, et que nous regardions parfois, stupéfaits d'être en présence tout à coup de ses ancêtres, étonnamment vivants, en relief, saisis dans un sourire, un temps suspendu. Encore fallait-il pouvoir les regarder, ces images maintes fois fantasmées, dont l'accumulation, croyait-on, ferait office de sésame, et déroulerait le film dans un bruit de Super 8.

Olivier Assayas me parlait lors d'une première conversation au téléphone de l'exposition Germaine Krull au Jeu de Paume. Il s'était manifesté à l'époque auprès du commissaire qui n'avait pas jugé bon d'intégrer ce reportage retrouvé. Je m'en étonnais. Nous parlions de la fuite de 41, de l'amitié qui liait Germaine Krull et Jacques Rémy, une amitié longue d'un demi-siècle. Il évoquait deux récits de son père, sur le vif, à bord du vapeur. Deux textes d'une dizaine de feuillets dactylographiés. Les tirages avaient été réalisés à Rio, avant que leurs chemins ne se soient séparés, peut-être dans l'idée de publier ensemble un reportage, c'était son hypothèse. Ils s'étaient retrouvés bien plus tard, dans les années 60 à Saigon, Germaine dirigeait l'Oriental, le grand hôtel de Bangkok, Jacques travaillait sur les repérages d'un film consacré au voyage de Marco Polo. À son retour à Paris, ils s'étaient revus régulièrement. Les photographies avaient été oubliées dans le tiroir d'un meuble, en vrac, dans le plus grand fouillis avec celles de Pierre Verger, d'autres de son père et leurs souvenirs de vacances. Sans doute avait-elle été surprise de retrouver ces images de 41, dont elle avait détruit les négatifs. Il me disait avoir beaucoup lu, compilé de nombreux récits et notes, retracé le chemin de son père de la France au Brésil, la traversée de l'Atlantique sur le *Paul-Lemerle*, l'escale à la Martinique, le dernier voyage à bord du *Saint-Domingue*. À propos du chien dont il était fait

346

mention dans les mémoires de la photographe, il s'appelait Mascotte et son père l'avait recueilli sur les chemins de la débâcle. Il avait en sa possession une soixantaine de photographies rangées dans un classeur, ainsi que des documents administratifs, papiers d'identité, déclarations de transit, un certificat de baptême de l'archevêché, deux textes tapés à la machine à écrire relataient le périple et l'incursion au bagne de Cayenne.

Rendez-vous avait été pris à la fin de l'été à Paris dans son appartement, un lundi de septembre à 18 h 30.

Paris
4 septembre 2017

En chemin, j'appréhendais la confrontation aux photographies. Un mélange d'excitation et de crainte, j'oscillais entre le souhait de voir, de mes yeux, ces *yeux qui ont vu l'Empereur*, comme l'écrit si justement Roland Barthes, et le désir étrange de rester aveugle à ces images, par peur d'être déçu ou de crever la part d'irréalité de l'histoire. J'avais développé une forme de névrose. L'accumulation de la documentation, des lectures, des traces m'avait mis en présence de ces hommes et de ces femmes, je les avais côtoyés quatre années durant et l'obsession était telle qu'en fermant les yeux il m'était possible de déambuler sur le pont du bateau, aller d'une cale à l'autre, reconnaître le Capitaine et ses passagers, nommer certains par leur prénom, en archiviste monomaniaque, en dessiner le plan de coupe détaillé. Je craignais aussi de tricher, modifier par la suite l'écriture, l'adapter à ce que *j'aurais pu voir* d'inattendu. Et pourtant, l'inquiétude disparaissait dans la cour de l'immeuble. Il me semblait alors qu'une partie d'un récit inachevé venait à être complétée, la pièce d'un puzzle plus vaste. Un hôtel particulier en pleins travaux, des échafaudages enchevêtrés dans la cage d'escalier formaient, vus en contre-plongée, un étrange quadrillage. Ce n'était pas sans rappeler les fers de Germaine Krull, photographies des écrous et des structures métalliques. Je patientais dans le salon, Olivier Assayas était en retard, s'en excusait, j'attendais mal à l'aise, assis dans un grand fauteuil. Je n'osais plus bouger. J'examinais les rayonnages de l'immense bibliothèque et les livres sur la table basse. *Lipstick Traces* de Greil Marcus. À dix-neuf heures, il arrivait. Nous avons parlé cinq minutes tout au plus, et assez vite il ouvrait grand sur la table de la cuisine un classeur épais. Je l'écoutais commenter chaque photographie, stupéfait, immobilisé, devant mes yeux, des clichés tous plus surprenants, l'embarquement des bœufs à Casa, les linges suspendus, la préparation de la tambouille de la cantine dans les grandes cuves, des femmes qui bronzaient sur le ponton et des enfants en équilibre entre deux planchettes posées à l'avant du bateau, le baleinier P.45, la léproserie de la Pointe-du-Bout, les Polonais du *Saint-Domingue* et les bagnards de Cayenne, toute une vie sous mes yeux s'animait. J'y reconnaissais les visages d'inconnus comme s'il se fut agi de mon propre album de famille. Wifredo debout torse nu dans un baraquement du Lazaret, Helena à ses côtés. Une photographie de groupe au Lazaret, Victor Serge clope dans son transatlantique, Vlady en tailleur à sa gauche, et Germaine au centre. L'enfilade de bouées attachées au cordage et, au second plan, le fort d'Oran. Là des gamins espagnols hilares, en bande, ici une femme annote un cahier, une planche sur les genoux en guise de table, son compagnon se penche et lit par-dessus son épaule. La poupe du cargo et l'écume en contrebas. C'était grisant, troublant, assez fabuleux. Clou du spectacle, une dizaine de photographies de la fête de Neptune. Des jeunes gars en caleçon, chapeau pointu sur la tête, relâchent un plongeoir qu'ils semblent tenir à bout de bras, le prêtre de la ligne paraît tout droit débarqué d'une pièce de Jean Genet ou d'une mise en scène de Max Ernst d'*Ubu enchaîné*, Neptune arbore une barbe factice, des lunettes de soleil en carton et une coiffe de magicien en papier mâché ; au bas du cliché, des pieds, hors du cadre, un corps à la renverse sans doute balancé dans le grand bain du baptême. La photographie suivante, ce même Neptune adoube et bénit avec le sérieux qui sied à la farce un jeune gars assis sur le plongeoir. C'était inouï. Au milieu

de l'Atlantique, ils n'avaient pas rêvé, les survivants
de l'Europe oubliaient le désespoir de l'exil et la
fin d'un monde en un joyeux carnaval au passage
de la ligne. Je bafouillais, incapable de prononcer
un mot, ni commenter ce que j'avais sous les yeux.
Alors, je photographiai avec mon téléphone por-
table les images. Puis je me suis assis et j'ai lu les
comptes rendus écrits par Jacques Rémy et classés
par son fils, ses souvenirs à bord du *Paul-Lemerle*
ainsi qu'un reportage au bagne. Un style enlevé,
un bel humour et une profondeur dans la description. Des passages recoupaient les éléments glanés
dans les autres récits : l'organisation par quartiers,
la cantine, les cales puantes, la fête de la ligne, la
cargaison suspecte et le convoi à partir d'Oran. Le
récit de Saint-Laurent-du-Maroni, aussi désespéré
que les photographies de Germaine Krull, aurait
mérité d'être publié en regard des clichés, un *sup-
plément au voyage* d'Albert Londres en quelque
sorte. Un bulletin d'identité du service de l'état civil
de Martinique du 2 mai 41, un extrait de baptême
de l'archevêché de la ville, ainsi qu'une attestation
établie par l'adjoint du maire de Fort-de-France :
« Le maire de la ville de Fort-de-France certifie
que le Monsieur Assayas Raymond, Jacques, né le
21 juin 1911 à Istanbul, demeurant en cette ville, est
de bonnes vie et mœurs, que sa conduite a toujours
été régulière et irréprochable, qu'il jouit de la qualité de Français et n'a jamais été condamné à une
peine correctionnelle pour vol, escroquerie, abus de

confiance et attentat aux mœurs. En foi de quoi, le présent certificat lui est délivré pour servir et valoir ce que de droit. À Fort-de-France, le 3 mai 1941. » Au bout d'une heure peut-être, je quittai l'appartement et me retrouvai en pleine rue, hagard, sonné, troublé. Je marchai sans but. Arrivé place Dauphine, je m'assis sur l'un des bancs sous les marronniers. Je pensai à mes frères, à nos virées nocturnes sur les toits de Paris, les échafaudages escaladés à Saint-Sulpice ou ailleurs, nos prouesses d'arpenteurs des villes, de bas en haut. J'essayai d'appeler Jean, il ne répondit pas. Tout se télescopait : les fers de Krull et les souvenirs de notre vie passée, la belle aventure de nos vingt ans et le surréalisme de l'avant-guerre. Alexandre, l'aîné, désigné comme le devancier, l'audacieux miraculé d'une chute d'un immeuble de cinq étages. Toute une mythologie nourrie du surréalisme, des écrits de Rigault, Cravan, Vaché, les *trois suicidés de la société*, des écrivains de *l'humour noir* rassemblés par Breton et des poèmes de Cendrars et Apollinaire. L'attention au hasard objectif et la poésie du macadam réunissaient tous ces éléments épars, esprit de mon enfance mêlé à l'aventure d'autres hommes, comme si le passé résonnait avec plus de force et d'évidence que la vie, le coup de théâtre ridicule d'un enchantement où les mystères et les spectres se révèlent dans toute leur beauté. Je saisissais mieux le dessein de l'ensemble. Et à la manière de ces mythes de sociétés lointaines qui partagent une même trame et des invariants communs, je découvrais l'évidence d'une histoire qui m'était intime quoique éloignée. Lorsqu'on interrogeait Claude Lévi-Strauss sur sa vocation, il évoquait une scène champêtre, onirique, vécue lors de la débâcle. Cette sensation, il me semblait ce soir du 4 septembre, assis sur un banc de la place Dauphine, que je la partageais. *Je crois que c'est un jour où j'étais étendu dans l'herbe et où je regardais des fleurs et notamment une boule de pissenlit que je suis devenu ce que je ne savais pas encore s'appeler structuraliste en pensant aux lois d'organisation qui devaient nécessairement présider à un agencement si complexe, harmonieux et subtil que celui que je contemplais et dont je n'arrivais pas à m'imaginer qu'il pût résulter d'une suite de hasards accumulés.*

Je notai dans la marge d'un carnet, *La leçon du pissenlit.*

Je rentrai tard. Du Pont-Neuf à la place Léon-Blum, je réfléchis à cette quête d'un hémisphère à l'autre, des vestiges du *Lemerle*. J'avais en tête les histoires des albums de Tintin, *Le Secret de la Licorne* et *Le Trésor de Rackham le Rouge*. La découverte dans le sous-sol de Moulinsart du secret de la *Licorne*. La clef dans les cases finales : il fallait appuyer sur le globe terrestre à l'endroit du naufrage pour y découvrir, cachés, les bijoux. Le trésor n'est jamais au bout du monde, il est au bout du chemin. Au seuil des aventures, dans les catacombes de Moulinsart.

Dois-je ajouter que les coordonnées des parchemins de la *Licorne* indiquent une île au large de la Martinique ?

Je notai sur un bout de papier que j'épinglai au mur de plaque de liège, *La leçon de la licorne.*

18

La Terre magnétique

Le Diamant
31 décembre 2017

J'ai eu la chance, en 1941, j'avais 13 ans, de passer des soirées entières avec André Breton, André Masson, Claude Lévi-Strauss. Toute l'intelligentsia française fuyait les armées allemandes.

En 41, Édouard Glissant avait treize ans. Il était élève du collège Schœlcher. Il côtoyait dans la cour de l'école Frantz Fanon, de trois ans son aîné. Tous deux lisaient *Tropiques* et parfois avaient cette chance de discuter avec l'un de ces deux professeurs à l'initiative de la revue, Aimé et Suzanne Césaire.

En 43, Glissant avait quinze ans, il était encore trop jeune pour suivre Fanon qui embarquait sur l'une des chaloupes clandestines de dissidents et ralliait la Dominique et les Forces françaises libres. En mai 43, Suzanne Césaire apportait au service de l'information de l'amiral Robert les articles à paraître dans le numéro de *Tropiques* pour contrôle des contenus et demande du papier nécessaire à l'imprimerie. Le chef de la censure, le lieutenant de vaisseau Bayle, survolait d'habitude le sommaire, et n'y lisait là qu'articles universitaires et littéraires. Cette fois-ci, il découvrait, dissimulés, les appels à la lutte, les cris de révolte, et, tout paniqué, comme un bon fonctionnaire floué, rattrapait la bévue, se couvrait de son laxisme et rédigeait une lettre d'interdiction, reçue par la rédaction le 10 mai 1943 :

Lorsque Madame Césaire m'a demandé pour un nouveau numéro de Tropiques *le papier nécessaire, j'ai tout de suite acquiescé, ne voyant aucune objection, bien au contraire, à la parution d'une revue littéraire ou culturelle.*

J'en ai, au contraire, de formelles vis-à-vis d'une revue révolutionnaire, raciale et sectaire. […]

Mettons de côté ce qu'il y a de choquant à voir des fonctionnaires, non seulement salariés de l'État français, mais ayant atteint un haut niveau de culture et une place de premier rang dans la société, prétendre donner le signal de la révolte contre une patrie qui a été précisément pour eux une bonne patrie. Mettons aussi de côté que vous êtes professeurs et chargés de former les jeunes, ceci ne me regarde en effet pas directement, et retenons le fait que vous êtes Français […].

Une centralisation excessive, mal dont ont souffert les provinces françaises, a risqué d'étouffer la personnalité, de lui substituer un être conventionnel et uniforme, de tuer l'art en tarissant la source de la vérité. Un Mistral est le symbole de la réaction néces-saire. J'avais cru voir dans Tropiques *le signe d'un régionalisme non moins vigoureux et aussi souhai-table. Je constate que je me suis trompé et que vous poursuivez un but tout différent [...]. Pour vous, vous croyez au pouvoir de la haine, de la révolte, et vous vous fixez comme but le libre déchaînement de tous les instincts, de toutes les passions ; c'est le retour à la barbarie pure et simple. Schœlcher, que vous invoquez, serait bien étonné de voir son nom et ses paroles uti-lisés au profit d'une telle cause [...].*

J'interdis donc la parution du numéro de Tropiques *dont vous voudrez bien trouver ci-joint les manus-crits.*

La réponse au nom du comité éditorial de la revue ne tardait pas, elle empruntait à la forme du mani-feste et signait rien moins qu'une déclaration de guerre :

Monsieur,
Nous avons reçu votre réquisitoire contre Tro-piques.
« Racistes, sectaires, révolutionnaires, ingrats et traîtres à la Patrie, empoisonneurs d'âmes », aucune de ses épithètes ne nous répugne essentiellement.
« Empoisonneurs d'âmes », comme Racine au dire des Messieurs de Port-Royal.

« *Ingrats et traîtres à notre si bonne Patrie* », comme Zola, au dire de la presse réactionnaire.

« *Révolutionnaires* », *comme l'Hugo des* Châtiments.

« *Sectaires* », *passionnément comme Rimbaud et Lautréamont.*

« *Racistes* », *oui. Du racisme de Toussaint Louverture, de Claude Mac Kay et de Langston Hugues – contre celui de Drumont et Hitler. Pour ce qui est du reste, n'attendez de nous ni plaidoyer, ni vaines récriminations, ni discussion même.*

Nous ne parlons pas le même langage.

Signé : Aimé Césaire, Suzanne Césaire, Georges Gratiant, Aristide Maugée, René Ménil, Lucie Thésée. Fort-de-France, le 12 mai 1943.

Deux mois plus tard, l'arrestation de l'amiral Robert et le débarquement en Martinique de la France libre sonnaient le glas de la Vichy des Antilles.

*

Un ami m'avait parlé d'un livre que les spécialistes pouvaient juger mineur, mais qu'il affectionnait et dont il m'avait conseillé la lecture. Le titre : *La Terre magnétique*. Ce récit, l'un des derniers de Glissant, avait été écrit à quatre mains, la couverture le mentionnait « En collaboration avec Sylvie Séma ». Affaibli, incapable de se déplacer, Édouard Glissant, à qui l'on avait commandé un *récit de voyages* sur l'île de Pâques, décidait d'y envoyer sa femme, avec pour mission de collecter informations, notes, photographies, films, croquis à même de permettre l'écriture de son ouvrage. Elle, surnommée par Glissant « la visiteuse », s'aventurait sur l'île. Lui, à la Martinique, au Diamant, rédigeait, à l'aide des documents transmis, des sensations communiquées, une *relation* entre voyageurs. *Nous étions nous deux Sylvie et moi comme des ethnographes de rencontre, l'une de corps et travaillant sur place, l'autre d'imagination et avant tout cet espace, qui arpenteraient les venelles des générations et remonteraient à la pagaie les rus des généalogies, sauf que nous ne nous étions souciés en rien de descendants ni de légataires.* Le résultat est étonnant, il semblerait que l'écrivain ait saisi l'île comme personne auparavant, avec une lucidité et une audace dont des explorateurs consciencieux auraient manqué. J'en terminais la lecture, ébloui par tant de clairvoyance, persuadé qu'en somme peu importe le voyage, seul compte le récit qui en est fait. Et qu'il n'est de vision qui ne soit partagée, enrichie, illuminée, irradiée par le regard de l'être aimé. Ainsi, Glissant dialoguait avec Cendrars, qui à la sempiternelle question, alors Blaise, tu l'as vraiment pris ce Transsibérien, répondait, joueur : « Qu'est-ce que ça peut te faire puisque je vous l'ai fait prendre à tous ? »

Je notai en exergue d'un carnet, *La leçon de l'île de Pâques*.

À l'anse Caffard, je suivais la piste du Diamant. C'est après avoir longé une plage de sable blanc que j'entrai dans le lieu-dit du Diamant – un bourg avec ses halles ouvertes face à la mer où l'on s'abrite des averses tropicales, non loin d'un terrain vague, en bordure d'une départementale, une lanière d'herbes hautes, cramées et la mer agitée en contrebas. Derrière le ponton, le cimetière du village, composé d'une cinquantaine de tombes, parsemé de caveaux de famille pareils à des *pool houses* en carrelage blanc qu'on lave à grands coups de raclette. En déambulant parmi les tombes, une, plus pauvre, plutôt simple – humble, dirait-on. Si l'on se penche, on y lit le nom du défunt, Édouard Glissant, et une épitaphe gravée sur l'une des dalles fêlées : RIEN N'EST VRAI, TOUT EST VIVANT.

Je rebroussai chemin, heureux de cet ultime signe. Un aphorisme, un dernier, qu'il faudrait comprendre pour avancer. Une énigme finale pour sortir d'un labyrinthe de réseaux, de tombes entrouvertes, de traces du passé que l'on conjugue au présent, que l'on anime avec les morts, malgré les vivants, images scellées d'un autre monde, d'une histoire écrite par d'autres, de récits en relations, de traces en souvenirs, un enfant perdu la nuit approcherait les mains contre le mur, caboterait d'une commode à une étagère, d'une étagère à un autre mur, s'agripperait à la poignée d'une porte, appuierait sur l'interrupteur, éclairerait la chambre noire. Je pouvais fermer le livre, réconcilié, fort d'une dernière leçon : *Rien n'est vrai, tout est vivant*, c'était *la leçon de Glissant*.

En Martinique, la nuit tombe aussi vite que la mer monte, dès lors le noir s'empare des chemins, la forêt crie de ces bruits si étranges, envahissants de piaillements, les lucioles parfois transpercent le ciel noir et s'écrasent d'un bord à l'autre de la route comme des étoiles filantes et rasantes. La maison était encore à vingt minutes. Je croisai au dernier tournant un panneau bleu décati, *Chez Ernest Restaurant*, et une piste sur la gauche qui menait au bord de mer. Au bout du sentier se trouvait, blotti entre deux rochers, isolé des grandes plages, un lieu tranquille. Je ne sais si j'entendis d'emblée la musique, une chanson de Billie Holiday, *All of Me*, je crois, ou peut-être *When You're Smiling*. La voix éraillée et douce s'échappait d'une baraque aux néons fuchsia sous les auvents, coincée dans une anse déserte. Je me souviens de m'être avancé, assis sous le porche. Je parlai avec le patron, un ancien de la rue de Seine, immense gars, pas commode, voûté, mais drôle et acerbe. J'appelai mon amoureuse. Je proposai d'y dîner avec nos amis pour fêter la nouvelle année.

Nous étions sous le porche, le repas tirait à sa fin, il faisait doux ; dans mon dos, une brise légère et chaude, j'ai embrassé ma femme, fait un clin d'œil à mon fils, j'ai piqué avec ma fourchette un bout d'ananas dans l'assiette de mon voisin, levé mon verre et lancé à la tablée : « Qui a dit : *Nous ne pouvons connaître le goût de l'ananas par le récit des voyageurs ?* »

REMERCIEMENTS ET SOURCES

Certains livres ne m'ont pas quitté et ont été pareils à des compagnons de traversée, le temps d'un mot échangé ou d'une conversation m'ont offert d'approcher au mieux certains des personnages. Mes remerciements iront, saluant les entremetteurs de ces rencontres, personnage après personnage.

Reconnaissances à Emmanuelle Loyer, auteur de *Paris à New York, Intellectuels et artistes français en exil 1940-1947*, dont la remarquable et définitive biographie *Lévi-Strauss*, en particulier les chapitres consacrés au musée de l'Homme et aux années américaines, ainsi qu'à l'écriture de *Tristes Tropiques* (la machine à écrire de marque allemande A.-G. vorm Seidel & Naumann !) a été d'une aide précieuse ; ainsi qu'à Vincent Debaene, dont *L'Adieu au voyage. L'ethnologie française entre science et littérature* publié dans la Bibliothèque des Sciences Humaines, et l'article « "Un quartier de Paris aussi inconnu que l'Amazone". Surréalisme et récit ethnographique » paru dans le numéro 628 de la revue *Les Temps modernes*, m'ont fait entendre avec précision l'apport du surréalisme à la pensée de Claude Lévi-Strauss et l'influence sur la conception de cet embryon de roman que fut le premier *Tristes Tropiques* ; que ces lignes soient aussi l'occasion de saluer l'édition des œuvres établie par Vincent Debaene, Frédéric Keck, Marie Mauzé et Martin Rueff pour la Bibliothèque de la Pléiade ; également aux conversations menées par Didier Eribon dans l'ouvrage *De près et de loin*, qui, par un indice déniché, m'ont permis de remonter la trace de l'étonnant Henri Smadja ; avant de quitter l'homme au *regard éloigné*, mes remerciements vont également à Maurice Olender, qui fit paraître dans sa collection La Librairie du XXIe siècle le volume de correspondance « *Chers tous deux* », *Lettres à ses parents 1931-1942*, édité et préfacé par Monique Lévi-Strauss.

Reconnaissances à Eric T. Jennings, historien, auteur d'un article incontournable sur la voie maritime antillaise, « Last Exit from Vichy France : The Martinique Escape Route and the Ambiguities of Emigration », paru dans *The Journal of Modern History*, ainsi que d'un livre *Vichy sous les Tropiques, la Révolution nationale à Madagascar, en Guadeloupe, en Indochine, 1940-1944* et d'un essai *Escape from Vichy, The Refugee Exodus to the French Caribbean*, à paraître et dont je n'ai pu prendre connaissance ; salutations également à Jon Juaristi, auteur de *Los árboles portátiles* ; que ces lignes soient aussi l'occasion de remercier les Archives coloniales et Archives départementales de la Martinique, dont l'incroyable travail de préservation a été le vaisseau de riches découvertes, salutations amicales aux archivistes, documentaristes, secrétaires croisés à Aix-en-Provence ou à Fort-de-France.

Reconnaissances à Bernard Noël, auteur de l'album *Marseille New York, 1940-1945*, source constante d'émerveillement et première chaloupe vers cette histoire ; à Alain Paire, insatiable et indispensable historien de la période marseillaise du surréalisme et dont le site internet cultive

364

la fraternité et l'intelligence ; que ce soit aussi l'occasion de citer l'ouvrage collectif auquel il a apporté sa pierre, *Le Jeu de Marseille, autour d'André Breton et les surréalistes à Marseille entre 1940-1941*, sous la direction de Danièle Giraudy.

Reconnaissances à deux maisons rares, éditeurs des écrits intimes de Victor Serge, respectivement Signes et Balises dont la découverte et l'édition de la correspondance de Victor Serge et Laurette Séjourné, *Écris-moi à Mexico, correspondance inédite 1941-1942*, ont complété, dans les derniers instants, une pièce importante de ce grand puzzle en forme de mappemonde, mais aussi Agone, éditeurs des *Carnets (1936-1947)*.

Lorsqu'il eut s'agit de rencontrer Anna Seghers, ses jars et ses manuscrits, les mémoires de Pierre Radvanyi, jeune passager et fils de l'écrivain, publiés sous le titre *Au-delà du fleuve, avec Anna Seghers*, fut comme un sésame. Remerciements également à Annabelle Hirsch pour la traduction de certains passages des mémoires d'Alfred Kantorowicz.

Reconnaissances à Mark Polizzotti, biographe d'André Breton, et Dominique Berthet, auteur de l'essai *André Breton, l'éloge de la rencontre, Antilles, Amérique, Océanie*. Comme toujours, *L'Histoire du surréalisme* de Maurice Nadeau a accompagné l'écriture, grâce lui soit rendue.

Les catalogues *Lam métis*, en particulier les articles d'Edouard Glissant, Jacques Dubanton, Jean-Louis Paudrat, m'ont permis d'épouser au plus près le trajet sinueux de Lam, et *Wifredo Lam* de Max-Pol Fouchet, mine d'informations sur la période parisienne. Reconnaissances également à l'auteur de la chronologie de Wifredo Lam, tuteur de certaines divagations biographiques.

Reconnaissances à Daniel Maximin, passeur et intercesseur entre plusieurs personnages, auteur du catalogue de l'exposition de la Fondation Clément, *Aimé Césaire, Lam, Picasso, « Nous nous sommes trouvés »*, mais aussi éditeur des textes de Suzanne Césaire au Seuil, *Le Grand Camouflage. Écrits de dissidence*. Remerciements également à Jean-Michel Place, éditeur de l'intégralité des numéros de la revue *Tropiques*.

La lecture de l'autobiographie de Germaine Krull, *La vie mène la danse*, m'aida à apposer les légendes au dos de ses photographies, noms, personnages mais aussi, plus profondément, le sens d'un chemin dont ni la vie ni les conventions ne la firent dévier.

Reconnaissances à mon éditeur Manuel Carcassonne qui est aussi celui du livre d'entretiens d'Olivier Assayas, sans lequel je n'aurais sans doute pas retrouvé les photographies de la traversée, d'un quai de forçats à une jungle de bagnards.

Je tiens enfin à remercier, pour leurs lectures attentives et bienveillantes, Monique Lévi-Strauss, Aube Breton-Elléouët, Olivier Assayas, et aussi Bernard Chambaz, François Guillaume, Benoît Heimermann, Émilie Pointereau, Kaouther Adimi.

*

Toutes les phrases en italiques sont extraites de textes, écrits, journaux, relations de ce périple par les voyageurs.

Page 16
Épigrammes, Ambrose Bierce, traduit de l'anglais par Thierry Gillybœuf, Éditions Allia, 2014.

Page 17

Le Poisson-Scorpion, Nicolas Bouvier, Éditions Gallimard, « Folio ».

Pages 17-18

Nous ne pouvons connaître le goût de l'ananas par le récit des voyageurs, Odile Darbelley et Michel Jacquelin, Compagnie Arsène.

Pages 18-19

Nouveaux essais sur l'entendement. Livre III, Leibniz.

Page 25

Carnets (1936-1947), Victor Serge, Éditions Agone, 2012.

Page 32

« *Livrer sur demande…* », *Quand les artistes, les dissidents et les juifs fuyaient les nazis (Marseille 1940-1941)*, Varian Fry, traduit de l'anglais (États-Unis) par Édith Ochs, Éditions Agone, 2018.

Page 38

Carnets (1936-1947), Victor Serge, Éditions Agone, 2012

Page 40

Exil in Frankreich. Merkwürdigkeiten und Denkwürdigkeiten, Alfred Kantorowicz, Christians, Hbg, 1971.

Page 42

Les Châtiments, Victor Hugo.

Pages 43, 44

La Tradition cachée, « Nous autres réfugiés », Hannah Arendt, traduit de l'allemand par Sylvie Courtine-Denamy, Éditions Christian Bourgois, 1993.

Page 49

Carnets (1936-1947), Victor Serge, Éditions Agone, 2012.

Pages 52, 54, 55, 56

Archives personnelles Wifredo Lam, SDO Wifredo Lam.

Pages 58-61

Wifredo Lam, Max-Pol Fouchet, Éditions Cercle d'Art, 1989.

Page 70

Manuscrits divers, 1941, Lot 2230, vente 2003, répertoriés et consultables sur le site www.andrebreton.fr.

Page 72

Carnets (1936-1947), Victor Serge, Éditions Agone, 2012.

Pages 72-73, 74

Carnets I, mai 1935-février 1942, Albert Camus, Éditions Gallimard, « Folio ».

Pages 86-87

Carnets (1936-1947), Victor Serge, Éditions Agone,

Page 91

Archives personnelles André Masson.

Page 111

Nadja, André Breton, Éditions Gallimard.

Page 115

Mémoires d'un révolutionnaire et autres écrits politiques, 1908-1947, Victor Serge, Éditions Robert Laffont, 2001.

Pages 128-129

Écris-moi à Mexico. Correspondance inédite 1941-1942, Victor Serge et Laurette Séjourné, Éditions Signes et Balises, 2017.

Pages 130-134

Regarder Écouter Lire, Claude Lévi-Strauss, Éditions Plon, 2014.

Page 138

Martinique, charmeuse de serpents, André Breton, avec textes et illustrations d'André Masson, Pauvert, département de Librairie Arthème Fayard 1972, 2000.

Pages 139-143

Regarder Écouter Lire, Claude Lévi-Strauss, Éditions Plon, 2014.

Page 146

Carnets (1936-1947), Victor Serge, Éditions Agone, 2012.

Page 164

Le Père Goriot, *La Comédie humaine*, *III*, Honoré de Balzac.

Pages 166, 167-167, 168

Transit, Anna Seghers, traduit de l'allemand par Jeanne Stern, Éditions Autrement, 2018.

Pages 168, 174-175

Carnets (1936-1947), Victor Serge, Éditions Agone, 2012.

Page 184

Tristes Tropiques, Claude Lévi-Strauss, Éditions Plon, « Terre Humaine », 1955.

Pages 188,189-190

Martinique, charmeuse de serpents, André Breton, avec textes et illustrations d'André Masson, Pauvert, département de Librairie Arthème Fayard 1972, 2000.

Page 190

Tristes Tropiques, Claude Lévi-Strauss, Éditions Plon, « Terre Humaine », 1955.

Pages 196-197

Archives départementales de Martinique.

Pages 200-201

Martinique, charmeuse de serpents, André Breton, avec textes et illustrations d'André Masson, Pauvert, département de Librairie Arthème Fayard 1972, 2000.

Pages 203-204

Archives départementales de Martinique, rapport à l'Amiral Robert sur la situation des Israélites, cote ADM, 4M997.

Pages 206, 207, 211, 216

Tristes Tropiques, Claude Lévi-Strauss, Éditions Plon, « Terre Humaine », 1955.

Page 221

Martinique, charmeuse de serpents, André Breton, avec textes et illustrations d'André Masson, Pauvert, département de Librairie Arthème Fayard 1972, 2000.

Pages 222-223

« *Chers tous deux* », *Lettres à ses parents 1931-1942*, Claude Lévi-Strauss, édité et préfacé par Monique Lévi-Strauss, Éditions du Seuil, « La Librairie du XXIᵉ siècle », 2015.

Page 228

Martinique, charmeuse de serpents, André Breton, avec textes et illustrations d'André Masson, Pauvert, département de Librairie Arthème Fayard 1972, 2000.

Pages 229, 232

Tropiques, 1941-1945, Éditions Jean-Michel Place, 1978.

Pages 232-233, 233

Martinique, charmeuse de serpents, André Breton, avec textes et illustrations d'André Masson, Pauvert, département de Librairie Arthème Fayard 1972, 2000.

Pages 236, 237-238

Le Grand Camouflage, Écrits de dissidence, Suzanne Césaire, édition établie par Daniel Maximin, Éditions du Seuil, 2015.

Page 238

La Poésie, Aimé Césaire, édition établie par Daniel Maximin et Gilles Charpentier, Éditions du Seuil, 2006.

Pages 241-242, 242, 245

Martinique, charmeuse de serpents, André Breton, avec textes et illustrations d'André Masson, Pauvert, département de Librairie Arthème Fayard 1972, 2000.

Page 247

La vie mène la danse, Germaine Krull, édition établie et annotée par Françoise Denoyelle, Éditions Textuel, « L'Écriture photographique », 2015.

Pages 248-250

« *Chers tous deux* », *Lettres à ses parents 1931-1942*, Claude Lévi-Strauss, édité et préfacé par Monique Lévi-Strauss, Éditions du Seuil, « La Librairie du XXIe siècle », 2015.

Pages 255, 256

Tristes Tropiques, Claude Lévi-Strauss, Éditions Plon, « Terre Humaine », 1955.

Pages 259, 264

La vie mène la danse, Germaine Krull, édition établie et annotée par Françoise Denoyelle, Éditions Textuel, « L'Écriture photographique », 2015.

Pages 260, 262

Tristes Tropiques, Claude Lévi-Strauss, Éditions Plon, « Terre Humaine », 1955.

Pages 265, 266

Le Grand Camouflage, Écrits de dissidence, Suzanne Césaire, édition établie par Daniel Maximin, Éditions du Seuil, 2015.

Pages 272-275

« *Chers tous deux* », *Lettres à ses parents 1931-1942*, Claude Lévi-Strauss, édité et préfacé par Monique Lévi-Strauss, Éditions du Seuil, « La Librairie du XXIᵉ siècle », 2015.

Page 278

Departement of Navy, Naval Intelligence Command, document daté du 14 août 1941, classé « confidentiel », série N° 0871716, doc. #100-36676-5, du 30 septembre 1941) in *Dissident dans la révolution*, Susan Weismann, traduit de l'anglais (États-Unis) par Patrick Le Tréhondat et Patrick Silberstein, Éditions Syllepse 2006.

Pages 280, 282

Tristes Tropiques, Claude Lévi-Strauss, Éditions Plon, « Terre Humaine », 1955.

Page 284

Archives départementales de la Martinique, dossier 2.4.11.7.3 Le Lazaret, cote 1M6766/B.

Page 285

Tristes Tropiques, Claude Lévi-Strauss, Éditions Plon, « Terre Humaine », 1955.

Pages 289, 289-290

« Entretiens avec E.F. Granell » in *Alentours I* recueilli dans *Œuvres complètes, tome III*, André Breton, Bibliothèque de La Pléiade, Éditions Gallimard, 1999.

Pages 291-293

Carnets (1936-1947), Victor Serge, Éditions Agone, 2012.

Page 295

« Interview de Charles-Henri Ford » in *Entretiens (1913-1952)* recueilli dans *Œuvres complètes, tome III*,

André Breton, Bibliothèque de La Pléiade, Éditions Gallimard, 1999.

Page 298

Tristes Tropiques, Claude Lévi-Strauss, Éditions Plon, « Terre Humaine », 1955.

Pages 300, 301

Bug-Jargal, Victor Hugo.

Page 302

Tristes Tropiques, Claude Lévi-Strauss, Plon, « Terre Humaine », 1955.

Page 305

L'Affaire Toulaév. Un roman révolutionnaire, Victor Serge, Éditions de La Découverte, « Zone », 2009.

Page 306

Écris-moi à Mexico, correspondance inédite 1941-1942, Victor Serge et Laurette Séjourné, Éditions Signes et Balises, 2017.

Pages 308, 310

Au-delà du fleuve, avec Anna Seghers, Pierre Radványi, Éditions Le Temps des Cerises, 2014.

Page 311

Chagall, Jackie Wullschläger, traduit de l'anglais par Patrick Hersant, Éditions Gallimard, « Biographies NRF », 2012.

Page 311

Exil in Frankreich. Merkwürdigkeiten und Denkwürdigkeiten, Alfred Kantorowicz, Christians, Hbg, 1971.

Pages 314-316

Écris-moi à Mexico, correspondance inédite 1941-1942, Victor Serge et Laurette Séjourné, Éditions Signes et Balises, 2017.

Page 317

New York Times, 14 juillet 1941.

Page 318

Archives personnelles Wifredo Lam, SDO Wifredo Lam.

Page 320

Mémoires d'un révolutionnaire et autres écrits politiques 1908-1947, Victor Serge, Éditions Robert Laffont, 2001.

Pages 329-330

Nadja, André Breton, Éditions Gallimard.

Page 332

Archives départementales de Martinique, rapport à l'Amiral Robert sur la situation des Israélites, cote ADM, 4M997.

Page 338

De près et de loin, Claude Lévi-Strauss et Didier Eribon, Éditions Odile Jacob, 2001.

Pages 341, 342

La vie mène la danse, Germaine Krull, édition établie et annotée par Françoise Denoyelle, Éditions Textuel, « L'Écriture photographique », 2015.

Page 342

Assayas par Assayas, Olivier Assayas et Jean-Michel Frodon, Éditions Stock, 2014.

Pages 345, 347

La Chambre claire, Note sur la photographie, Roland Barthes, Éditions Gallimard/ Seuil, « Cahiers du Cinéma », 1980.

Page 352

Entretiens avec Jean José Marchand, 25, 26 et 27 juillet 1972, Éditions Montparnasse.

Page 355

Visite à Édouard Glissant, Claude Couffon, Éditions Caractères, 2001.

Pages 356-357

Tropiques, 1941-1945, Éditions Jean-Michel Place, 1978.

Page 359

La Terre magnétique, Les errances de Rapa Nui, l'île de Pâques, Édouard Glissant en collaboration avec Sylvie Séma, Éditions du Seuil, « Peuples de l'eau », 2007.

Page 361

Nouveaux essais sur l'entendement. Livre III, Leibniz.

Du même auteur :

CONSTELLATION, Stock, 2014, Grand Prix du roman de l'Académie française, Prix de la Vocation, Prix Gironde.

Le Livre de Poche s'engage pour
l'environnement en réduisant
l'empreinte carbone de ses livres.
Celle de cet exemplaire est de :
250 g éq. CO$_2$
Rendez-vous sur
www.livredepoche-durable.fr

PAPIER À BASE DE
FIBRES CERTIFIÉES

Composition réalisée par PCA

Achevé d'imprimer en France par
CPI BRODARD & TAUPIN (72200 La Flèche)
en juin 2019
N° d'impression : 3034118
Dépôt légal 1ʳᵉ publication : octobre 2019
LIBRAIRIE GÉNÉRALE FRANÇAISE
21, rue du Montparnasse – 75298 Paris Cedex 06

59/2674/8